元典文化丛书编委会

主　　编　李振宏

编　　委　（以姓氏笔画为序）
　　　　　　　王宏斌　白本松　孙克强　何晓明
　　　　　　　宋会群　李振宏　张曙光　郝铁川
　　　　　　　高秀昌　崔大华　龚留柱

常务编辑　刘小敏

元典文化丛书 · 元典文化丛书 · 元典文化丛书 · 元典文化丛书

新道鸿烈

——《淮南子》与中国文化

杨有礼 著　●河南大学出版社

目　　录

序……………………………………………冯天瑜（1）
"元典文化丛书"的说明………………………李振宏（5）
一　刘安·新道家·《淮南子》…………………（1）
　1. 刘安传略………………………………………（1）
　　（1）家世不幸，幼年丧父………………………（1）
　　（2）天下奇才，招士著书………………………（5）
　　（3）被逼谋反，事败自杀………………………（10）
　2. 刘安所处的时代………………………………（13）
　　（1）汉初皇权与封国的矛盾……………………（13）
　　（2）儒道两家思想的竞争………………………（16）
　3.《淮南子》与新道家……………………………（21）
　　（1）新道家与淮南学派…………………………（21）
　　（2）《淮南子》不是杂家应为新道家……………（28）
　4.《淮南子》的传本、内容结构及研究……………（31）
　　（1）《淮南子》的书名和传本……………………（31）
　　（2）《淮南子》的著书宗旨和各篇内容及结构…（35）

(3)《淮南子》的研究情况 …………………………（39）
二　《淮南子》的主要思想 ……………………………（47）
　1.《淮南子》的理论基础——道论 ……………………（47）
　　　(1) 道的含义 ……………………………………（47）
　　　(2) 道的特征 ……………………………………（51）
　　　(3) 道与几个概念的关系 ………………………（52）
　2.《淮南子》的宇宙论 …………………………………（55）
　　　(1) 宇宙形成说 …………………………………（55）
　　　(2) 天人关系说 …………………………………（61）
　　　(3) 地人相关说 …………………………………（65）
　3.《淮南子》的政治论 …………………………………（66）
　　　(1) 无为论 ………………………………………（67）
　　　(2) 民本论 ………………………………………（76）
　　　(3) 君臣论 ………………………………………（86）
　　　(4) 新道家政治论体系 …………………………（99）
三　《淮南子》与中国古代政治观 ……………………（114）
　1.《淮南子》与"霸王道杂之" ………………………（114）
　　　(1) 汉初政治的王道、霸道并用 ………………（115）
　　　(2) 汉武帝儒、法、道兼治 ……………………（121）
　　　(3) 霸王道杂之的影响 …………………………（132）
　2.《淮南子》与无为政治 ………………………………（138）
　　　(1) 盛况空前的汉初无为而治 …………………（138）
　　　(2) 无为政治的影响 ……………………………（144）

四 《淮南子》与传统教育观 …………………… (162)

1. 《淮南子》与德育教育观 ………………………… (162)
   (1) "循性保真"、"率性而行"的道德本源论 ……… (162)
   (2) 儒道结合的德育评价标准 …………………… (165)
2. 《淮南子》与智育教育观 ………………………… (168)
   (1) "仁智统一"与"掩其聪明"的才智论 ………… (169)
   (2) "不学"与"学"的智育教学论 ……………… (172)
   (3) 丰富的科技教育内容及影响 ………………… (183)
3. 《淮南子》与审美教育观 ………………………… (192)
   (1) "自然"与"和谐"的审美理想 ……………… (193)
   (2) "无为诚乐"与"美善相乐"的审美教化论 …… (201)

五 《淮南子》与道教 …………………………………… (209)

1. 从道家到道教的桥梁 ……………………………… (209)
   (1) 神仙出世论与道教的形成 …………………… (210)
   (2) 《淮南子》与道教的道术 …………………… (217)
   (3) "气类相感论"与道教道法 ………………… (229)
2. 《淮南子》与道教义理 …………………………… (234)
   (1) 对"道"的崇拜与信仰 ……………………… (235)
   (2) 崇拜鬼神 …………………………………… (239)
   (3) 崇拜方仙道 ………………………………… (241)
   (4) 事生为本,事死为末 ………………………… (244)

六 《淮南子》与传统军事理论 ……………………… (248)

1. 义战论 ……………………………………………… (249)

　　　　(1) 战争是不可避免的 …………………………… (249)
　　　　(2) 拥护义战,反对不义之战 …………………… (251)
　　　　(3) "用兵有术矣,而义为本" …………………… (252)
　　2. 政胜论 ……………………………………………… (258)
　　　　(1) 兵本在政 ……………………………………… (258)
　　　　(2) "兵之所以强者,民也" ……………………… (262)
　　　　(3) "兵失道而弱,得道而强" …………………… (265)
　　3.《淮南子》的具体用兵之术 ………………………… (267)
　　　　(1) 将领论 ………………………………………… (267)
　　　　(2) "以无形制有形"论 ………………………… (274)
　　　　(3) 因乘而迅疾论 ………………………………… (280)
　　　　(4) "势"、"权"、"奇"论 ………………………… (285)

七 《淮南子》的历史地位和评价 ………… (290)

　　1. 集众家之长归之于新道家 ………………………… (292)
　　2. 对后世学术的影响 ………………………………… (299)

附录一 《淮南子》选译 …………………………… (306)

原道训(306)　俶真训(309)　天文训(313)　地形训(315)
时则训(317)　览冥训(320)　精神训(324)　本经训(329)
主术训(332)　缪称训(335)　齐俗训(339)　道应训(342)
氾论训(344)　诠言训(347)　兵略训(351)　说山训(354)
说林训(357)　人间训(359)　修务训(363)　泰族训(366)
要略(370)

附录二 主要参考书目 ……………………………… (373)

序

公元前 6 世纪前后的几百年间（即德国哲学家雅斯贝尔斯所称"轴心时代"），南亚的印度人、西亚的希伯莱人、南欧的希腊人和东亚的中国人，在各自历经长时段的文明积淀之后，不约而同地达到文化史的一个临界点——人们已不满足于对现实的直观反映，而致力于对世界的本质和运动规律的探索，并思考作为实践与思维主体的人类在茫茫时空中的地位，开始形成深刻的而不是肤浅的、辩证的而不是刻板的关于宇宙、社会和人生的学说，并首次用完整的典籍将其记载下来，从而使得此前处于萌芽状态的、散漫的宗教、科学、文学、史学、哲学成就得以凝集、综汇和升华。这些第一次强有力地歌咏出诸文明民族"元精神"的为数有限的典籍，可以称之"文化元典"[①]。

[①] 关于"文化元典"的界说，详见拙著《中华元典精神》，上海人民出版社 1994 年 5 月版。

如果说,《吠陀文献》和《佛典》是印度元典,《古圣书》是波斯元典,《理想国》、《形而上学》等先哲论著是希腊元典,《圣经》是犹太及基督教元典,那么,在中华文化系统中,堪称"元典"的,首推《诗》、《书》、《礼》、《易》、《春秋》等"五经"。被儒家尊为经典的《论语》、《孟子》、《荀子》,被道家及道教奉为经典的《老子》、《庄子》,被墨家视作圭臬的《墨子》,法家的集大成《韩非子》,都享有"元典"之尊。此外,一些专科创始之作,如军事奠基之作《孙子兵法》、医学宝典《黄帝内经》也可排入"元典"行列。

元典率先系统荟萃先民智慧,其思想富于原创性,其主题具有恒久性,因而元典有着立足于现实基础上的超越性,它们的思考指向宇宙、社会、人生等普遍性问题,在回答这些普遍性问题时,所提供的并非实证性结论,而是哲理式原型;并非僵固式的教条,而是开放性的框架,有着广阔的"不确定域",从而为历代阅读者和解释者保留了"具体化"和"重建"的无限空间,使之可以纵横驰骋,这便是所谓"《诗》无达诂,《易》无达占,《春秋》无达辞"(《春秋繁露·精华》),以至在两千余年间,元典常释常新。一部中华元典诠释史与整个中国文化史的进程相伴相依,互为表里。

历史的辩证法反复昭示:发展不是简单的生长和增进,它往往不一定呈直线式进步,而是通过一系列螺旋式圈层实现的。这样"回复"便不总是重复往昔,而可能是一种上升的形式,是"唤醒"事物在其开端时即已蕴蓄着的可能性的一种形式。作为由具有自觉意识的人类创造的文化,也生动地展现着螺旋式的发展轨迹,如欧洲"文艺复兴"的崇尚古希腊、"宗教改革"的服膺《圣经》,便是对"元典精神"的发扬和再造,而欧洲文化正是在这种"回复"中赢得历史性进步的。这种向"文化元典"汲取灵感,获得前进基点的现象在中国也多次出现,著名的"古文运动"便是典型事例。考之以中国近现代思想文化史,这种"返本开新"、"以复古为解放",即回归元典精神以求新变的情形也俯拾即是。当然,现代化是一个文化转轨过程,充满变异与新生,现代生活好比一台巨大过滤器,对往昔文化传统或放行,或阻遏,于弃取间行扬抑之道。近世中国人立足于文明转型和挽救民族危亡的社会实践,选择中华元典精神里的变通哲学、忧患意识、华夷之辨、革命观念和民本思想,并与外来西学的相关部分彼此激荡交融,从而锻造出在近世中国发挥巨大作用的社会变易论、社会救亡论、民族国家论、社会革命论和民主主义。可见,元典精神的选择性发扬和创造性转换,是近现代文化的题中应有之义。这一题旨,也是今人和后人所要反复探讨和力加实践的。

  我从事元典研究多有年所,然困惑处不少,亟望友朋切磋。令人高兴的是,河南大学出版社推出"元典文化丛书",这使我顿觉良师益友在侧,其欢欣鼓舞自不待言。该丛书将先秦时期应运而生的一批文化元典逐部加以诠释,并阐扬其对中国历史、中国文化及中国民族性格的全方位影响,从而揭示今人精神之来源,民族文化之来龙去脉。这套丛书旨趣高远,而行文切实,为一雅俗共赏佳品。主事者今嘱余为之序,特撰上述,以谢盛意,并藉此就教于丛书作者和读者诸君。

冯天瑜
1994 年 8 月 21 日于武昌

"元典文化丛书"的说明

春秋战国时期,是中国历史上不同寻常的年代。在这段长达数百年的历史转型过程中,中国历史不仅在政治、经济上经历着深刻的变迁,而且在思想文化领域,此前处于萌芽状态的各种意识形态、哲学观念、历史意识、宗教神学、文化科学等,也都以成熟的形态凝聚、荟萃,涌现出一批文化元典,从而为后世中华文化的发展,奠定了一个义域广阔的开放性基础。这些文化元典,诸如《诗》、《书》、《易》、《礼》、《春秋》、《论语》、《老子》等,包含了后世中华文化的各种文化因子,历史地决定了中华文化发展的方向及其文化性质和特征。中华文化传统之所以成为今天人们所熟悉的面貌,中国国民性格之所以显示出大异于西方民族的特征,中华民族之所以能以独特的历史道路自立于世界民族之林,即是受惠于这批文化元典的历史奠基。

二千多年后的今天,中国又处在一个历史的转型期。传统社会向现代社会的过渡,必然要求以文化的变革为先导,为前提，同时也作为最终巩固经济、政治变革成果的牢固根基。然而，任何一个民族的文化变革，都不可能是对先前文化传统的革除和清洗，而恰恰相反，民族文化的每次更新，都是原有文化传统精髓在更高层次上的发扬和转换，是将原有文化传统在其开端时已蕴涵着的文化意蕴在新形势下重新发现，重新唤起，并赋之以新的生命活力。惟有如此，文化才有更新，才有发展；惟有如此，文化也才有绵延不断的统绪，也才能为全体民族成员认同和承袭。大概正因为如此，传统文化的研究和清理，从80年代以来，越来越成为引人注目的热点选题。

　　研究和清理民族文化传统，自然应将目光投向奠定了民族文化传统基础的文化元典，它们之中包含着我们民族文化的基因，蕴藏着民族精神的范型。这一点，似乎不少文化学者都注意到了，因此，近年来出版了不少关于文化元典的通俗读本，白话、译作蔚为一时之盛。然而，民族文化的清理是一项严肃而艰巨的工作，通俗性的讲解和翻译，只是一个最必要的基础；我们还需要去深入挖掘诸文化元典的内在意蕴，特别是这些经典著作对中国文化、中国历史的发展，对中国国民性格的塑造，怎样起到了一种奠基性、支配性的作用，也都需要理个清楚；我们还需要知道我们的民族精神之来源以及民族文化传统形成、发展的来龙去脉，从而站在今天的历史高度，对民族文化的发展史，作出清醒的考察和历史的批判。但这种从历史角度考察文化元典的作用，进行文化精神寻根探源的艰巨工作，似乎还没有人做过。文化人的责任心和使命感，使我们选择了编撰"元典文化丛书"这个课题，并为丛书确定了这样的宗旨：揭示文化元典著作的内在精神，并以主要篇幅阐述这些元典著作对中国历史、中国文化、中华民族性格的全方位历史影响,使广大读者能够在一本书中了解一种元典论著的深刻内涵,并将今天的民族精神与之联系起来,知道今人精神之来源,弄清民族文化的来龙去脉,从而更深刻地认识文化元典的历史价值,寻找文化创新的契合点。

"文化元典"是著名文化学者冯天瑜先生创制的概念。"元典"包含有始典、首典、基本之典及大典、善典、宝典等意蕴,亦即圣典、经典之义。文化元典之中应是蕴藏了民族文化的基本精神。这样的典籍并不很多。然而,从民族文化整体去考察,有蕴涵其整体精神的元典之作,如传统的"五经"、"四书"即是;而就某一种文化领域来说,又有该领域的创始之作,如兵学有宝典《孙子兵法》,医学有首创之作《黄帝内经》,神话之源《山海经》,算学之宗《九章算术》,史学的范型《史记》等等。这种某一文化领域的创始作,自然也应填于元典之列。这样,我们这套丛书初选了部分文化元典,分别考察它们对中国文化的全方位影响,以期从一个新的基点上重新认识古代典籍的文化价值。

揭示文化元典的深刻内涵,并着重阐述其全方位的历史影响,并非易事,要有较深的研究工夫;再加上要面对普通读者,又需有将学术成果通俗化的能力。因此,这套丛书的编写,对著作者提出了较高的要求:应对整个中华文化的发展道路、中华文化的基本精神有一概略的总体的认识和把握;应对以往学术界的研究状况有全面的了解,尽可能全面地认识元典著作的整体性、全方位的历史价值,并具备驾驭这些成果及将其融为一体的能力;应具备将学术成果准确而不失生动活泼地进行阐述的语言文字能力。然而,在具体写作中,在具体的学术观点上,每个作者又都享有充分的自由,他们可以对自己著作的立意、结构和行文,进行创造性的构思和安排。因此,丛书的每一本著作,既是丛书整体中的一分子,又不失每位作者个人著作之特色。

本丛书的撰写是一项艰难的研究工作。但为了使它能拥有更广泛的读者,我们对作者提出了思辨性与通俗性、学术性与可读性相统一的要求;并力求在编写体例上、文风上照顾普通读者的需求,对一些艰涩的引文尽可能加以译述,或直接译为白话文加以征引。

现在,这套丛书开始出版了。作为一个文化人,当自身的使命感开始化作现实的时候,有一种掩饰不住的喜悦。然而,我不能不说,这套丛书所以能面世,真正对它做出了贡献的是每一位作者,而为它付出了代价的则是出版者。在当前到处都在谈论经济效益的情况下,河南大学出版社欣然承担这套很可能要赔钱的大型丛书的出版工作,表现了他们博大的胸怀和眼光以及庄严的历史责任感、使命感。

65年前,郭沫若在研究中国古代社会时说:"对于未来社会的待望逼迫着我们不能不生出清算过往社会的要求。目前虽然是'风雨如晦'之时,然而也正是我们'鸡鸣不已'的时候。"今天的中国早已不是风雨如晦的年代,然而,却处于一个历史、文化的转型期,一个社会全方位变革的时候,清理古代文化,弄清未来的方向,也是一个极为迫切的任务,我们仍需要为祖国新文化的建设鸡鸣不已。愿我们的"元典文化丛书"能为中华民族文化的发展和更新尽一点绵薄之力。

李振宏

1994年9月11日

一 刘安·新道家·《淮南子》

两千一百多年前,即公元前139年,我国出现了一部集体创作的鸿篇巨制。它是汉代新道家理论和实践的总结,是一部中国文化元典论著。这部对中国历史、中国文化、中华民族精神有着很大影响,而看起来又好像长期受到冷遇的书叫《淮南子》,主持编著此书的人叫刘安。

要了解《淮南子》与中国文化的关系,首先当然应该弄清楚刘安、新道家、《淮南子》及其之间的关系等问题。

1. 刘安传略

(1) 家世不幸,幼年丧父

刘安出身贵族,是汉高祖刘邦的孙子,淮南厉王刘长的长子,继位为淮南王。然而这位皇孙的家世极为不幸,从祖母到自己有三代自杀之怨。他6岁时就失去了父亲。

刘安的祖母赵姬,是西汉赵国真定(今河北正定南)人。她年轻时,因为长得美貌,被赵王张敖选为美人,收进王宫。高祖八年(前199年),58岁的刘邦有事,从东垣(今河北石家庄东北)经过赵国,张敖恭谨接待,献上赵姬去伺候刘邦。不久,刘邦扔下赵姬回京城了。刘邦走后,张敖发觉赵姬得幸已有身孕,知道她怀的是刘邦的孩子,就把她当做皇帝的姬妾看待,不敢让其再住在王宫里,专门修筑一处庭院,给她居住。

第二年(前198年),有人向汉高祖告密,说他去年在赵国停留期间,权臣贯、高曾经撺掇张敖谋反,打算派人暗杀刘邦。汉高祖听到这件事暴跳如雷,立即派人把张敖、贯、高等人抓到长安来,并杀了贯、高,把张敖降为宣平侯。赵姬因此事的牵连,被关进河内郡(治今河南武陟西南)的监狱。

赵姬觉得自己是冤枉的,就央求狱吏去给汉高祖送信,说身上怀着皇上的孩子,请皇上赦免她。刘邦正在气头上,没有理会这件事。赵姬走投无路,只好让弟弟赵兼到长安找辟阳侯审食其(吕后亲信),请求他去向吕后说情。吕后妒嫉,不肯替赵姬说好话。审食其见吕后的脸色不好看,也没有强求她。赵姬绝望了,生下儿子后就悲愤地自杀了。看管赵姬的那个狱吏,只好把婴儿送到刘邦那儿去。刘邦看见这个没娘的孩子,后悔莫及,便给这个儿子起名刘长,使他以吕后为母,令吕后好生抚养。同时派人将赵姬送回她的家乡真定安葬。

高祖十一年(前196年),刘长长到三岁的时候,淮南王黥布谋反,刘邦一面封小刘长为淮南王,一面亲自征讨黥布。黥布被捕杀后,刘长即淮南王位,王都寿春(今安徽寿县),拥有九江、庐江、衡山、豫章四郡,地盘颇大。

刘长一直生活在吕后身边,吕后因其无母,也很溺爱他。刘长依附吕后,自然对吕后也很亲近。所以,刘邦死后,吕后专权,刘邦诸子或逼死,或毒死,或饿死,刘长却得以幸免。后来,刘长长大了,渐渐弄明白了他母亲的死因,才对吕后痛恨起来。吕后死后,他又把仇恨转移到审食其身上,时刻想杀死审食其,替母亲报仇。

汉文帝三年(前177年),刘长从淮南到长安来上朝,这时候,他已是一个22岁的强壮青年,身材魁梧,力能扛鼎。他仗着与皇帝的关系(此时刘邦的儿子只剩下他和文帝两人),平常骄横无比,放纵不羁,做了许多违法乱纪的事,文帝看在兄弟的份上,总是宽赦他,致使他越来越没规矩。他陪同文帝去皇家苑囿游猎,竟然跟文帝同坐一辆车子,而且还口口声声地直呼文帝为"大兄(大哥哥)"。

一次,刘长陪同文帝打猎归来,路经辟阳侯审食其的住处,就悄悄地带着几个随从,衣袖里藏着一根铁槌,上门去找审食其报仇。审食其不知底细,开门迎接,刘长一铁槌将他打倒在地,命令手下人魏敬杀了审食其。这样,刘长就认为是替他母亲报了仇。

刘长知道自己犯了法,就光着上半截身子,到皇宫里去向汉文帝请罪。他对汉文帝说:"臣下的母亲,本来就不应该坐监狱,审食其能够向吕后说情却不肯为母亲力争,这是第一条大罪;吕后杀害戚夫人和赵王如意的时候,审食其不加劝阻,这是第二条大罪;吕后分封诸吕,要夺刘家的天下,审食其也不反对,这是第三条大罪。我今天杀了他,既是为母亲报仇,也是替天下除害。我知道这么做是违法的,所以特地来向陛下请罪。"汉文帝听了,对刘长很同情,就赦免了他。但此事震惊朝野,引起从太后到太子及文武大臣的不安,他们都忌惮刘长。

从此以后,刘长更加放肆起来。他回到淮南国,甚至废除了朝廷制定的法律,完全按自己的心意行事,从礼仪法度上以汉天子自况。他出门的时候,竟敢乘坐只有皇帝才能乘坐的黄伞车,并还跟皇帝一样,在他经过的地方一律实行戒严,不准老百姓通行。刘长还把朝廷任命的官员赶回去,换上自己的亲信。这些无法无天的举动,汉文帝看在眼里,但不愿下诏书责备他,就让舅父、车骑将军薄昭以长辈的名义给刘长写了一封长信,规劝他改邪归正,免得给皇帝丢脸,让天下人笑话。可是,刘长不但不听薄昭的劝告,反而恼羞成怒,对汉文帝怀恨在心。

汉文帝六年(前174年),棘蒲侯柴武的太子柴奇,在长安北面的谷口起兵造反。这次事件追查起来,发现柴奇曾派人去联络刘长,于是汉文帝派人把刘长召到长安来接受审查。那些原先忌惮刘长的大臣们趁机向文帝告状,罗列了刘长一大堆罪状,主张以谋反罪把他斩首示众。文帝不想落一个杀死兄弟的名声,决定赦免死罪,废黜他的诸侯王封爵。最后批准了将刘长流放到偏僻荒凉的蜀郡严道邛邮(今四川荥经西南)的处置方案。

有位叫袁盎(即爰盎)的大臣,不同意这样处置刘长。他劝谏文帝说:"陛下平时最娇纵淮南王,也没有安排一个好老师对他严加管教,所以才弄到这种地步。淮南王性情刚烈,他心里不服气,万一在半路上寻了短见,陛下最后还得落一个逼死兄弟的名声。"文帝说:"我不过是先让他尝一点苦头,吓唬他一下罢了,一旦他认错,就把他接回来恢复他的封爵。"于是,刘长就被押禁在囚车里上了路,沿途各县以次传送。

那时候的囚车,车厢就像一个大箱子,把犯人装进去以后就锁住车门,贴上封条,不到地方谁也不能打开。车厢上面只开着一个小口,按规定的时间给犯人送饭吃。刘长是个暴烈刚强的王侯,他可受不了这个耻辱。在押送的路上,刘长对身边的侍者说:"谁说你老子是勇者?我只因为娇纵,所以不知道我的过错到了这样的地步。人生在世,哪能受这种窝囊气!"遂绝食而死,时年仅25岁。那些护送囚车的人,听着里面没了动静,可谁也不敢启开封条,还是一站一站地往前传送。后来,一直送到雍县(今陕西凤翔南)。雍县的县令冒罪打开囚车,发现刘长确实死了,才急忙派人去向文帝报告。

汉文帝听说刘长绝食死了,心疼得了不得,不由得对袁盎说:"我真后悔没听您的话,终于落了这么个下场。"袁盎宽慰他说:"陛下把淮南王流放到蜀郡去,是为了他改过自新,也不是诚心害死他。他绝食自杀,完全是护送人员照顾不周造成的,这决不是陛下的过错。他反正已经死了,陛下就不必过分伤心了。"汉文帝只好以列侯的名义葬刘长于雍地,还专门安排了30家老百姓看管他的坟墓。

刘长死的时候,丢下了四个年幼的儿子,长子就是刘安。此时刘安也只五六岁。祖母自杀,父亲虽为之报了仇而却又为文帝所逼,同样落一个自杀下场,这两代的厄运对刘安幼小的心灵产生了很大的影响,他对皇室的怨恨,不言而喻。但在当时的情况下,小刘安只能把怨恨埋藏在心里。这对刘安日后性格和情趣的形成起了不能忽视的作用。

(2)天下奇才,招士著书

刘长的死,是一幕悲剧,在当时轰动天下。文帝十二年(前

168年),民间有为刘长鸣不平者,编了一首歌谣,讽刺文帝跟刘长兄弟不和的事。歌词是这样的:"一尺布,尚可缝;一斗粟,尚可舂;兄弟二人,不相容。"意思是说,一尺布,还可以缝制成衣服一起共穿;一斗粟谷,还可以舂成米一同共吃;何况天下之大,兄弟二人却不能相容吗?当然,那些编歌谣的人并不懂得,汉文帝同淮南王刘长的矛盾,不是简单的兄弟争夺,但是看来当时是有人同情刘长的。朝野内外的议论,使文帝不免有些尴尬。为了表明自己并非容不得兄弟,汉文帝在原埋葬地,按诸侯的待遇为死去的刘长建造陵园,并且给他追加了"厉王"的谥号。依据谥法的规定,暴虐傲慢而不亲爱就是"厉"。这个谥号的追加算是给刘长的一生盖棺定论了。同时,文帝把城阳王刘喜改封为淮南王,统治淮南故地,以此表明他对刘长的处置不是为了贪图淮南之地。

　　汉文帝十六年(前164年),文帝让刘喜回城阳故地。将原来刘长封地一分为三,分别封给刘长还在世的三个儿子(刘长四子原皆封为侯,此时小儿子刘良已逝,无后)。刘安名义上承袭父亲刘长的封爵为淮南王,而实际所得的封地只有其父的三分之一,仍都寿春。封地大致范围是今安徽淮河以南、巢湖、肥西以北,塘河以东,凤阳、滁县以西地区。是年,刘安16岁。

　　刘安为淮南王以前,受教育的情形史书无记载,但他是淮南厉王刘长的长子,在刘长生前,估计他一定受到当时培养王子的正常教育。更重要的是,父亲被流放而死给他很大的教训,他要由武而文,立志以文才立足于天下。这是一般的教育不能比的。

　　《史记·淮南衡山王列传》记载"淮南王安为人好读书、鼓琴,不喜弋猎狗马驰骋",说明刘安的爱好及性格和父亲刘长相反,和一般王侯贵胄的情趣截然不同。在他为王的日子里,不断学习,逐渐成为一个博学多才、思维敏捷的文质彬彬的学者。

刘安同父辈的文帝、兄弟辈的景帝之间都相安无事。同叔侄辈的武帝更是谈得来。汉武帝刘彻16岁(前140年)即位,刘安已40岁。他是武帝的堂叔。武帝非常赞赏他的文才,尊重他的人格。《汉书·淮南衡山济北王传》说:"时武帝方好艺文,以安属为诸父(叔父),辩博善为文辞,甚尊重之。"武帝建元二年(前139年),刘安上朝,武帝更是高兴。每次会见宴请,武帝都与刘安谈说古今政治得失,以及天文地理等方术技艺、诗歌辞赋,一直到天黑才罢休。一次,汉武帝让刘安写一篇解说《离骚》的文字《离骚传》。刘安清晨接到诏令,到早饭时分(约早上八九点钟)就写完交给了武帝(见《汉书》)。(高诱《淮南鸿烈集解叙目》记为汉文帝时事,《离骚传》作《离骚赋》,实误)。可见其才思之敏捷。《离骚传》的部分内容,尚保存在《史记·屈原贾生列传》中。刘安认为《离骚》兼有《国风》和《小雅》之长,而屈原其志可与日月争光。这是最早给屈原和《离骚》以崇高评价的作品。武帝对这位学识渊博、才华超群的叔父很是敬重,就连发给淮南国的诏书、文告,都要请当时全国最著名的大文学家司马相如等人斟酌修改后才正式发出,生怕行文不好让叔父笑话。

淮南王刘安不仅自己是个博学多才的学者,而且喜好招延天下宾客。由于他自己学识渊博,又礼贤下士,所以他"招致宾客方术之士数千人"(《汉书·淮南衡山济北王传》)。刘安的作风,很有点像战国四公子(即齐孟尝君、赵平原君、魏信陵君、楚春申君)。这大约是上世养士之遗风。西汉初年一些诸侯王割据一方,也广招宾客。如梁孝王刘武"招延四方豪杰,自山以东游说之士莫不毕至"(《史记·梁孝王世家》)。但从对学术的贡献而言,刘安更像秦相吕不韦的"辑智略之士",像齐的稷下学宫。投奔到刘安门下的人才多是具有各种学识专长的各种流派的学者、方术之士。他们云集古都寿春,形成了以刘安为首的淮南学派。东汉王逸《招隐士·序》中说:"昔淮南王安博雅好古,招怀天下俊伟之士,自八公之徒,咸慕其德而归其仁。"其中最为著名的有苏飞、李尚、左吴、田由、雷被、毛被、伍被、晋昌,号称"八公",大约都是新道家中人。儒家学者有大山、小山之徒。而《易》学专家就聘有九人,号称"九师说"(《汉书·艺文志》班固自注)。

刘安经常跟淮南学派的学者们一起议论国家兴亡,寻求治世良方;搜集古史逸闻,探讨学术方技,兼综百家异说,归之于新道家。他在当时较为宽松的环境中,凭借其雄厚的人力和财力,组织学者俊士无拘无束地著书立说。

《汉书·淮南衡山济北王传》记载刘安和门客们著述情况时说:刘安"欲以行阴德拊循百姓,流名誉,招致宾客方术之士数千人,作《内书》二十一篇,《外书》甚众;又有《中篇》八卷,言神仙黄白之术,亦二十余万言"。这里的《内书》就是今本《淮南子》。《外书》即《汉书·艺文志》所著录的《淮南外》三十三篇,是些杂说。《中篇》可能是神仙方术、炼丹术的著作。黄白,就是黄金白银。但是《中篇》早已失传,其内容已不得其详。《汉书·刘向传》说:"上(汉宣帝)复兴神仙方术之事,而淮南有《枕中鸿宝苑秘书》,书言神仙使鬼物为金之术,及《邹衍重道延命方》。"据说,该书是刘向的父亲刘德在汉武帝时治淮南狱而得,刘向年幼读诵,觉得内容十分新奇,就把它献给汉宣帝,声称据书中所载,能提炼黄金。但汉宣帝令其铸而未能成功。这本书大约与《中篇》内容相近。

由此可知,《淮南子》和《吕氏春秋》一样,都是由集体创作的。只是刘安与吕不韦不同,他有很高的学术素养,能躬亲其事,参加实际的编写工作。《淮南子》成书后,刘安称为"刘氏之书"(《淮南子·要略》),于建元二年(前139年)朝见时,作为礼物献给汉武帝:"初,安入朝,献所作《内篇》,新出,上爱秘之。"(《汉书》本传)武帝对该书十分重视,不仅赏识其思想内容,而且很珍贵地将其保存起来。

与《淮南子》同时献给武帝的刘安的作品还有《颂德》及《长安都国颂》。建元三年(前138年),闽越围东瓯,东瓯告急于汉求救。武帝使严助发会稽兵浮海往救。六年,闽越又举兵攻南越,刘安给汉武帝上书,留下了《谏伐闽越文》(见《汉书·严助传》)。

此外,见于《汉书·艺文志》著录淮南王刘安的作品还有《淮南道训》二篇,《淮南王赋》八十二篇,《淮南王群臣赋》四十四篇,《淮南歌诗》四篇,《淮南杂子星》十九篇。见于《隋书·经籍志》著录的作品有:《汉淮南王集》一卷,《淮南记》一卷,《淮南变化术》一卷,《淮南万毕术》一卷,《淮南中经》四卷,《淮南八公相鹤经》二卷。南朝梁萧统编订的《文选》中列有刘安所作《招隐士》一文,此文也见于《楚辞》中,但书题名为"淮南小山"作,当是《淮南群臣赋》四十四篇之一。从《文选注》中,我们还得知刘安尚有两部研究《庄子》的著作:《庄子略要》和《庄子后解》。

淮南王刘安著作见于他书还有一些,有的疑为伪托。仅从以上所列出的刘安著作来看,其作品数量之多,涉猎领域之广泛，内容之丰富，在当时都是无与伦比的，难怪南宋高似孙在《子略》中评价他说："淮南天下奇才也！"当然题名为刘安的著作中，有一些和《淮南子》一样是刘安和宾客共同撰写的，但也正如《淮南子》一样，刘安起着组织者和审定者的作用。遗憾的是，由于刘安以后的遭遇，使得他的绝大部分著作都已失逸，这不能不说是中国文化的一大损失。

(3) 被逼谋反，事败自杀

刘安，这位性格内向，深谙道家处世哲学，颇具政治头脑的学者式的诸侯王，最后竟因谋反事败而自杀。对此，后世许多人都不能理解，不肯相信，甚至为他鸣冤。但是《史记》、《汉书》都记载他因谋划叛乱而畏罪自杀之事，并对其谋反经过作了详细的叙述。

刘安虽然从小对父亲的死心怀怨恨，但在相当长的时间内并没有谋反行动。据《史记·汉兴以来诸侯王年表》记载，刘安为王期间，曾在淮南王七年(前158年)朝拜文帝，十三年(前152年)朝见景帝，二十六年(前139年)朝见武帝。刘安同三代皇帝之间，均相安无事。《史记·淮南王列传》还记载："元朔三年，上赐淮南王几杖，不朝。"几杖是指几案与手杖，用来供老年人平时靠身和走路时扶持之用的，所以古代以赐几杖为敬老之礼。汉武帝对刘安赐几杖，是表示对他的尊重。刘安正是在这种与朝廷相安无事的情形下，才得以在学术文化上有卓越的成就。

但是正与他父亲一样，刘安与朝廷的矛盾仍然是存在的。当吴楚七国之乱兴起时，刘安差一点被卷进去。史籍记载，当吴国使者到淮南时，刘安欲发兵响应。淮南相先表示愿领兵参战,刘安于是将兵权托付给他。但淮南相领兵后不听王命,守城不出,因而刘安没有参与这次叛乱。这次犹豫的举动,说明刘安虽然与朝廷有矛盾,但还不想反叛。

刘安具体谋反的准备是在武帝即位后开始的。建元二年(前139年),41岁的刘安到京城朝见武帝。武安侯田蚡与淮南王刘安关系很好,他以太尉的身份出来迎接刘安。他对刘安说:"现在皇上没有太子,您是高祖的孙子,又是天下闻名的大好人,一旦皇上驾崩,不立您当皇帝还能立谁呢?"这席话提醒了刘安。于是刘安"阴结宾客,拊循百姓,为畔逆事"。建元六年(前135年)彗星现于空中,方士散布流言蜚语,"(淮南)王心以为上无太子,天下有变,诸侯并争",便愈益加紧准备作战兵械,收揽人心,广招人才,"谋反滋甚"。(见《史记·淮南衡山王列传》)

可见,刘安开始在淮南加强军备只是想保护自己。他并不一定相信皇帝驾崩后会立自己当皇帝;而是预见到因为没有立太子,将会出现诸侯割据争雄的局面,所以他要早做准备,以免到时被动。可是,随着家里出现的一件件麻烦事,把刘安逼上了反叛的道路。

刘安有两个儿子,大儿子庶出叫刘不害,小儿子嫡出叫刘迁,刘迁被立为王太子。麻烦事就出现在他们身上。

元朔五年(前124年),太子刘迁学习剑术,自以为天下无敌。他听说父亲门客中号称"八公"之一的郎中雷被善于击剑,便叫他来比剑法。雷被虽一再辞让,最后还是被迫从之。比剑中雷被误伤了太子,太子大怒。雷被汲为恐惧。正好这时候,朝廷需要军士,规定凡自愿参军的人,都可以到京城报名,任何人不许阻拦。雷被得知,想以参军上前线击匈奴来躲避此事。

刘安多次听到太子刘迁说雷被的坏话，就撤了雷被的职，来教训大家。雷被逃到京城长安，上书表白自己。武帝下令廷尉及河南郡官员追查此事。

有关官员要逮捕太子刘迁。刘安夫妇不愿交出太子，而淮南相持相反态度：督促向朝廷交出太子。刘安便派人上书告淮南相的状，这样一来，事情就闹大了。武帝下令廷尉追查处理，结果连淮南王刘安自己也牵连进去了。朝廷公卿大臣要求将刘安逮捕治罪。刘安闻讯，与太子商量对策。他们计划如果朝廷官员来抓，就把官员杀掉，然后起兵。后来，武帝不同意公卿大臣们的意见，宣布赦免刘安，取消淮南王两个县的封邑，刘安这才没有起兵。

当时诸侯王的子弟都被封为侯，刘安不喜欢大儿子刘不害，没有封他为侯。王后不把他当儿子，太子刘迁也不把他当哥哥。刘不害有个儿子刘建，身高力壮。他们父子俩常埋怨待遇不公，于是刘安家庭内部发生了矛盾。元朔六年（前123年），刘建暗中交结朋党，想杀害太子，让自己的父亲取而代之。太子得知此事后，多次把刘建抓起来拷打。刘建叫朋友寿春人严正上书皇帝，声称自己知道淮南王想谋杀朝廷官员的事情。武帝把此事交给河南郡去追查处理。这时当年被刘长槌死的审食其之孙审卿，和朝廷丞相公孙弘友善。为替自己的祖父报仇，审卿极力在公孙弘面前说淮南王的不是，公孙弘这才疑心淮南王图谋不轨，于是对此案穷加追究。在他们严厉的督察下，河南郡把刘建抓起来审问，刘建又把刘安及其僚属都供了出来。刘安见孙子刘建被抓走审问，知道自己做的事情即将败露，就又有了发兵反叛的打算。

元狩元年（前122年），刘安采用了谋士伍被的计策，派人

"作皇帝玺,丞相、御史、大将军、军吏、中二千石、都官、令丞印及旁近郡太守、都尉印,汉使节法冠"(《史记·淮南衡山王列传》)。并命人进入京城,混在大将军、丞相身边的侍从人员中,准备在淮南王发兵后,里应外合刺杀大将军、丞相等高级官员,掀起一场叛乱。

可是,事到这时,刘安又犹豫不决。甚至在朝廷来逮捕淮南王太子刘迁时,刘安还想大事化小,同意太子出去接受逮捕。太子决定牺牲自己保住父亲平安,但自杀未死。就在这个关键时刻,那个曾经出谋献策,教刘安如何谋反的重要谋士伍被竟倒向朝廷,自动向官吏告发淮南王。朝廷得知淮南王密谋造反的详情,立即出兵逮捕了淮南王太子、王后,包围了王宫,将在国中的宾客全部抓获,搜缴了谋反的书节印图等证据。所受牵连者达数千人之多。刘安见大势已去,就在带着皇上符节来惩治他的官员到达之前,饮恨自杀了。刘安从16岁为淮南王至此,共为王42年,享年58岁。后淮南国被改为九江郡。

淮南王的谋反有他自己怨恨、复仇的心理因素,更是朝廷步步进逼的结果。可以说刘安的谋反是被逼的。中央朝廷为什么要逼刘安走上谋反之路呢?更深层次的原因,只能从他所处的时代背景中去寻找。

2. 刘安所处的时代

(1) 汉初皇权与封国的矛盾

楚汉战争时,刘邦迫于政治形势,先后承认和加封一些重要将领为诸侯王,称为异姓王。但他们占有全国大部分土地,并握有重兵,这使西汉朝廷感到威胁很大。所以,不久刘邦以谋反罪消除掉了主要的异姓王,换上了一批同姓王。刘安的父亲刘长就是在这种情况下被封为淮南王的:"高祖十一年十月,淮南王黥布反,立子长为淮南王,王黥布故地,凡四郡。上自将兵击布,厉王遂即位。"(《史记·淮南王列传》)

刘邦认为封同姓王,可以"惩戒亡秦孤立之败"(《汉书·诸侯王表序》),是维护朝廷稳定的可靠保证,他还规定:"非刘氏王者,天下共击之"(《史记·吕太后本纪》)。但这些同姓王的封地和权力也还是很大,并且随着社会生产力的发展,他们的势力也不断增长。他们仍然是威胁朝廷的力量。汉文帝就是因为淮南王刘长可能对他的皇权构成威胁,才以谋反的罪名废除了他的王位,并把他发配偏僻之地的。汉景帝时"吴楚七国之乱"的爆发,更是朝廷与封国间矛盾的集中反映。

中央政权一直注意解决朝廷与封国的矛盾。从文帝开始,就对同姓王采取了逐步限制,最终消灭的基本策略。文帝初步实施了贾谊提出的"众建诸侯而少其力"(《汉书·贾谊传》)的办法,就是在原来的封地上增加封君的数目,以分散其实力。文帝在刘长死后,将淮南封国一分为三,就是这办法的实施。景帝时朝廷与封国矛盾公开化,景帝采用晁错"削藩"的建议,动不动就用削减封地来惩罚诸侯王。平定七国之乱后,景帝下令诸侯王再不准亲自治国。封国中所有的官吏,都由皇帝任免,并大量裁减封国官员数量。这样朝廷削除诸侯国的态度更为明朗,对付他们的手段也更加严酷。

武帝时,积极完成尚未最后完成的中央集权事业,继续打击已被削弱的诸侯王势力,强化或新颁发许多法令以打击封君(包括王与侯)。随着汉初积累下来的雄厚国力,到这时被充分发挥出来,中央集权空前加强,到武帝末年汉初以来所封王侯基本上被削除。从这样的发展趋势来看,武帝不管淮南王刘安有没有谋反之心,他都是要想法削弱其力量,直到除掉淮南国。更何况刘安又是个学识过人,广招宾客,收揽民心,声望颇大的诸侯王呢。

从文帝到武帝对诸侯王打击的基本国策,对于巩固中央集权来说,无疑是正确的。但站在诸侯王的角度,抵制朝廷的步步进逼,乃至谋反,也是情理之中的事。所以,汉初诸侯国很少没有反叛企图的。这是由当时大的政治斗争形势和分封诸侯的体制所决定的。

在这种时代背景下,来看《史记》、《汉书》记载的两代淮南王的"谋反"事实及其起因,就不难理解了。本来心里就怀有怨恨的两代淮南王,在受到废王、削地等处分时,心理上自然是不平衡的。例如刘安被武帝削除二县后,就曾"自伤曰:'吾行仁义,见削,甚耻之。'"(《史记·淮南衡山王列传》)另外,一些在政治斗争中失败的人,投靠他们,起到推波助澜的作用。如刘长时,大夫但、士伍开章等70人与棘蒲侯太子柴奇谋反,事前与刘长有联系,事后又受到他的包庇。刘安时"阴结宾客"(《史记·淮南衡山王列传》),而"其群臣宾客,江淮间多轻薄,以厉王迁死感激安"。他们"妄作妖言阿谀王"(《汉书·淮南衡山济北王传》)。这些人对中央朝廷,显然是不安定的因素,矛盾的激化是随时存在的,这在《史记》、《汉书》中反映得十分明显。在这样的情况下,淮南王想反叛或者说不想反,甚而说既想反又不想反,都是可能的。事实就是如此,大可不必再深究。因此,应该说西汉前期朝廷和封国斗争的整个大的政治形势,是决定为什么文质彬彬的刘安也要谋反的重要原因。

(2) 儒道两家思想的竞争

儒道两家思想文化的起源同样古远。先秦时期儒道两家势均力敌,旗鼓相当。秦朝的灭亡,证明了法家治国的失败,儒道之间的竞争又显现出来。

秦汉时期的道家与先秦道家不同,其政治思想更为明确和突出,我们称他们为新道家。新道家主张的黄老之学应时而成为汉初统治者的指导思想。与此同时,儒家也不甘失落,积极向皇权靠拢,争占统治思想的地位。这样在西汉前期,儒道两家的竞争和封建统治者审慎的选择始终存在。

开始,刘邦很讨厌儒生,开口便大骂"竖儒",甚至往儒生的帽子里撒尿,所谓"沛公不好儒"(《史记·郦食其列传》)。这一方面固然是因为开始时鞍马未定,用不着儒生和诗书;另一方面,也因为他周围的许多谋臣如陆贾、萧何、曹参、陈平等,都在政治上重视新道家的黄老思想。所以,像陆贾《新语》那样的新道家代表作特别受欢迎。但是儒家也有他的长处,他们熟悉古代典籍和礼仪制度。原秦博士叔孙通就是这样一个儒生。开始他带领弟子百余人降汉时,为了讨得刘邦喜欢,脱了儒服,改换上刘邦故乡人穿的楚式短衣,捞到一个博士,号称稷嗣君。五年以后,因群臣争功,醉后喧哗,叔孙通建议制订礼仪,提出"儒者难于进取,可与守成"(《史记·叔孙通列传》)。于是采古礼参考秦仪制定朝仪。刘邦看到这套君臣有别,尊卑分明的礼仪,十分得意地说:"我今天才知道做皇帝的尊贵了。"叔孙通定朝仪是汉初儒家对皇权的首次贡献,证明儒家的礼仪及思想对巩固封建等级制度的作用。刘邦拜他为太常(掌管礼仪和宗庙祭礼的高级官员),赐黄金五百斤,众儒生也各有封赏。可见,儒家绕过一段弯路,也在朝廷立住了脚。为此,叔孙通被司马迁称为"汉家儒宗"(《史记·叔孙通列传》)。当时,高祖刘邦正忙于戡定内乱,尚未来得及选择哪种思想治国,不久他就死去了。

汉初第一个明确地以新道家黄老思想来指导政治实践的是齐相曹参。他以胶西人黄老道家盖公为师,"相齐九年,齐国安集,大称贤相"(《史记·曹相国世家》)。惠帝时,曹参继萧何任汉相,遂将新道家黄老思想带至中央推广到全国。《史记·吕后本纪》载:"孝惠皇帝、高后之时","君臣俱欲休息乎无为,故惠帝垂拱,高后女主称制,政不出房户,天下晏然"。这是当时推行黄老新道家思想的写照。

汉文帝可以说是新道家皇帝。"文帝本修黄老之言,不甚好儒术,其治尚清静无为。"(《风俗通·正失》引刘向语)在文帝的带动下,窦太后也"好黄老之言,不说儒术"(《史记·儒林列传》)。就连景帝和窦家的孩子也不能不读老子的书,遵从新道家思想。窦太后是汉文帝的皇后,景帝的生母,笃信黄老,元光六年(前129年)崩。她历经文帝、景帝、武帝三个朝代,上承文帝,下启景帝及诸窦,在她的影响和坚持下,黄老之学得到了空前的发展和巩固,新道家思想占据了统治地位。

在新道家思想占据统治地位的西汉前期,儒家在朝廷也占有一席之地,虽然"诸博士具官待问,未有进者",但汉兴以来,"诸儒始得修其经艺,讲习大射乡饮之礼"(《史记·儒林列传》)。皇帝对儒生不仅不再拒而不见、开口便骂了,而且从文帝开始,慢慢征用了。随之,儒道两家争夺社会地位的斗争也加剧了。景帝时,儒生辕固生(姓辕名固,生即先生之省)与新道家信徒黄生当着景帝的面在朝廷上争论商汤王、周武王"受命"的事。黄生根据黄老的观点说:"汤、武取代桀、纣不是承受天命,而是篡杀。"辕固根据儒家的观点说:"不对!桀纣昏庸无道,普天下的民众都愿归附汤、武,汤、武顺从民心诛杀桀、纣,不得不取代他们做天子,这不是承受天命又是什么呢?"黄生坚持说:"旧帽子虽然破,还要戴在头上;新鞋子虽然新,还是穿在脚上。为什么呢?这因为上下要有所区别。桀、纣无道,仍不失为君主;汤、武贤圣,毕竟是臣下。君主有了过失,做臣下的不帮助改正,反而把君主杀了自己做起天子,这不是篡杀是什么呢?"辕固马上质问黄生:"照你这样说,高皇帝推翻秦朝做天子,也是错的吗?"汉景帝劝解说:"吃马肉不吃有毒的马肝,也不能说不知道马肉的味道;讨论学问不争论汤、武受命,也不能说是学识浅薄。"这场争论,最后在景帝的介入下才告结束。景帝袒护几乎无言可对的黄生,正说明这时的最高统治者是站在新道家思想一边。尽管如此,儒道之争并没有停止。

崇道黜儒的窦太后,对辕固很不满意。一次召他来讨论儒道优劣问题。窦太后问辕固怎么看待《老子》这部书。辕固极力贬低道家之言说:"《老子》上写的都是一般人的话,没有什么了不起。"窦太后不由得大发雷霆,当场把他臭骂了一顿,并且还强迫他到兽栏里去跟野猪搏斗,算是对他的惩罚。汉景帝怕辕固出危险,就偷偷地塞给他一把匕首。辕固才免一死。这次较量,儒生处于劣势,但他们自恃清高,极力贬低《老子》,绌道倾向是很明显的。

汉武帝即位后,不满足于像文帝、景帝那样恭俭无为,而要干一番轰轰烈烈的事业。他已不能容忍黄老之学,而要选择儒学。他即位的第二年(前139年),诏举贤良方正直言敢谏之士。儒生董仲舒应诏上"天人三策",要求"罢黜百家,独尊儒术"。(董仲舒对策《汉书·武帝纪》在元光元年即前134年,此从《通鉴》)董仲舒的"天人三策",完全是在武帝的启发下,揣摩、迎合武帝的意图而发挥出来的,因此,武帝对董仲舒极表赞赏,将其对策列为第一。但由于怕窦太后阻挠,未能立即实行。儒臣赵绾、王臧建议武帝政事不必请示太后,汉武帝明知他们说得对,可也不敢照他们说的做。窦太后得知武帝身边的一批儒臣老是在背地里说三道四的,就去责备武帝,强迫他下令把赵绾、王臧关进监狱,并免除丞相窦婴、太尉田蚡等儒臣的职务,改任她所喜欢的柏至侯许昌为丞相、武强侯庄青翟为御史大夫。直到建元六年(前135年)窦太后死后,汉武帝才得以实行董仲舒的建议,大力提倡儒学,设太学,置五经博士,表彰六经,确立儒学的至尊地位。

这场西汉前期的儒道两家思想的竞争,决定了刘安及《淮南子》的命运。刘安建元二年(前139年)入朝,"献所作《内篇》"。这就是《淮南子》。就是说,《淮南子》是在新道家思想占据统治地位的时期写成的,在当时是合法的。刘安以叔父的身份将此书作为礼物交给武帝,并自负地称为"刘氏之书"(《淮南子·要略》)。我们可以这样认为,刘安献书是希望刚即位的武帝选择《淮南子》作为治国的哲学思想和政治理论,继续以新道家思想作为统治思想。从这一点来看,献书的那个时刻,刘安还没有谋反之心。有人认为《淮南子》的成书,是刘安谋反的一个组成部分,是诸侯国分裂势力与中央对抗的思想武器,这似乎不符合当时的实际。当然,以清静无为,尤其是主张皇帝垂拱无为为突出特征的新道家思想,可能客观上对诸侯国扩展自己势力有利。但《淮南子》写作的真正目的,是为了总结汉初以来统治阶级推行新道家思想理论和治国实践的成功经验，并为今后国家的发展开出济世良方，使之更适应新的历史进程的需要。至于为什么武帝对于《淮南子》从"爱秘之"到后来事实上"束之高阁"，这也与儒道思想竞争有关系。主要是董仲舒的新儒学体系既用君权神授理论使汉王朝统治神圣化、绝对化，又交给统治者"三纲五常"的绳索，能更有效地束缚人民的思想和行动，这就更能迎合有雄才大略的汉武帝的口味和需要。所以汉武帝最后选择了董仲舒的新儒家思想，罢黜百家，独尊儒术，把新道家总结性的最高理论著作《淮南子》也给罢黜掉了。

　　以上主要是为了解刘安其人及《淮南子》其书提供的一些时代背景。其实刘安这个时代还有许多内容与刘安及《淮南子》有关。例如文景时代经济的恢复与发展，为刘安提供了供养大批宾客的物质条件。刘安正是凭借其雄厚人力和财力，才得以广揽学者"英隽"（《汉书·伍被传》），专心致志地从事理论的探讨和著述。又例如汉初黄老新道家思想的盛行，提供了较为宽松的环境来从事著书立说，《淮南子》的作者不是奉旨写作，而是独立地把西汉前期思想文化进行概括总结。同时新道家思想从统治思想到社会思潮上下互相影响，不断地丰富提高，也是《淮南子》可以集文化大成的历史条件。此外，一些具体的政治斗争和事件，也时时影响着刘安及其儿孙、门客，使他们之间产生矛盾。大儿子刘不害及孙子刘建，因刘安不爱刘不害，使他们不得为侯，待遇不公产生的矛盾是当时政策引起的淮南王室内部父子、祖孙之间的矛盾。与淮南太子刘迁有仇隙的雷被、反复无常的伍被的攻讦搆陷，可以说是当时形势、法令引起的淮南与门客之间的矛盾。还有淮南王与父辈政敌（如怨恨刘安之父刘长"杀其大父"的审卿）之间的矛盾。这些矛盾与刘安的谋反及自杀都有关系。

任何人和书都不能脱离时代的影响,以上根据史事所作的叙述,对于深入了解《淮南子》一书是必要的。

3.《淮南子》与新道家

(1) 新道家与淮南学派

新道家是一个重要的历史学派。司马谈作为新道家的一位学者,简明扼要地概括了新道家的理论要点:"其为术也,因阴阳之大顺,采儒墨之善,撮名法之要,与时迁移,应物变化,立俗施事,无所不宜,指约而易操,事少而功多。"(《史记·太史公自序》)并第一次提出了"道家"(又称道德家)的名称。实际上他所概括的理论就是盛行于汉初的"黄老之学";他所说的"道家",已经是托名黄帝、渊源《老子》的新道家(也就是黄老学派)。

新道家思想虽渊源于老子以及后来的庄子,然而作为一个学派的酝酿和形成,可追溯到稷下黄老学派。公元前3世纪至2世纪之交,在齐威王、齐宣王时期,齐国国都临淄经济繁荣,文化昌盛。就在该城文化最为发达的稷门之下有个学宫,在这个稷下学宫中聚集了"士"近千人。他们由齐国官府供养,皆命曰列大夫,称稷下先生。与战国时一般养士风气不同,稷下学宫收养的多为"文学游说之士",即学士。这些人不担任官职而只管讨论问题,过着舒适的生活,拥有优裕的时间,从事著书活动,都有自己的论著。在他们之中,有很大一批人,"皆学黄老道德之术,因发明序其旨意"(《史记·孟子荀卿列传》)。见于历史记载的有名学者,有宋钘、尹文、慎到、彭蒙、田骈、环渊、邹衍、驺奭、淳于髡、兒说、田骈、鲁仲连、接子等人。这就是稷下黄老学派。他们对于被称为黄老之学的新道家的形成起了很大的作用。

为什么黄老新道家学派能在战国中期的齐国稷下学宫产生,并且成为风靡一时的学派呢?这和当时的大趋势及齐国的具体情况有关。战国中期,封建制度先后在各诸侯国建立,天下由分裂走向新的统一。与封建统一的大趋势相适应,理论上需要由道术分裂状态走向百家融合。在这样的大趋势下,需要一种有权威、可操作的新的思想体系。黄老之学遂应运而生。这种学说托名黄帝,更适应齐国的需要,齐国的当权者为了表示田氏代齐的正义性和田氏的正宗地位,因而抬出黄帝这位华夏族共同的祖先,将自己说成是黄帝的嫡传。另外老子与田氏政权也有某种特殊联系。据《史记索隐》考证,老子的故地苦县原属陈国,田氏的祖先陈公子完正是由陈国迁到齐国,因此齐统治者和稷下学者选择了来自田氏祖宗故地的老子学说,当是很自然的事。但是,完全照搬老子的思想,却又不能适应当时的局势和统治者的需要,也不能与其他学派相抗衡,于是,稷下学者继承改造了老子学说,"发明"了黄老之学。这是新道家的第一大成就。可惜,他们的著作未能保存下来,据今人考证,《管子》书中的《心术上》、《心术下》、《白心》、《内业》等四篇,属于稷下黄老学派的遗著,很可能是集体编写的。

约半个世纪以后,在秦国,吕不韦命令他的宾客集体编写《吕氏春秋》一书。这位阳翟大贾,不仅有政治眼光,遇秦公子子楚挟为"奇货"而得为相国,而且在学术发展史上做了一件大好事,组织人编写了《吕氏春秋》这部新道家的代表作。以前,稷下黄老学派的人,虽都有著述"发明黄老道德意",但都没有著作或没有完全的著作流传下来,从遗留下来的部分著作和有关记载看,都不能作为黄老新道家的代表作。只有这部"以道德为标的,以无为为纲纪,以忠义为品式,以公方为检格"(高诱《吕氏春秋序》)的书,才可以称为最早、最大、最集中的新道家代表作。

可惜,吕不韦当时所集的"智略士"(《汉书·艺文志》自注),究竟是些什么人,我们却无法得知。这与那个时代的政治发展有关系。文信侯吕不韦本来是要效法黄帝教诲颛顼的做法,想以《吕氏春秋》这一新道家的理论作为政治纲领让秦王政用以治国统一天下。遗憾的是,秦王政看中了韩非的书,采取了法家的极端主义的严刑峻法的主张。结果,吕不韦落得个"与家属徙处蜀"(《史记·吕不韦传》),实际上是被处以流放。他的宾客开始人还在,他服毒自杀后,"其宾客数千人窃共葬洛阳北邙山"(《史记索隐》)。于是,秦王政抓住"窃葬"的把柄,大肆打击其门下宾客:凡吕氏宾客,非秦人驱逐出境,秦人都流放房陵(当时为蜀地,今陕西汉中),参加葬礼的还要去掉爵位。经过这次冲击,新道家力量大大削弱了;新道家的代表作《吕氏春秋》自然也被打入冷宫。

但是,这种打击并没有使黄老新道家退出历史舞台;相反,他们无论是在思想专制的秦王朝,还是在极为动荡的秦汉之际,都顽强地传习着。司马迁在《史记·乐毅列传》中说:

乐臣公学黄帝、老子,其本师号曰河上丈人……河上丈人教安期生,安期生教毛翕公,毛翕公教乐瑕公,乐瑕公教乐臣公,乐臣公教盖公,盖公教于齐高密、胶西,为曹相国师。

从这段话里，我们可以看出：第一，这是传授黄老之学的一个系统，这个系统自战国末至汉初十分清晰，历世不衰。但它不会是惟一的，当还有其他一传再传的系统。如司马谈"习道论于黄子"(《史记·太史公自序》)。《集解》徐广曰："《儒林传》曰黄生，好黄老之术。"又如汲黯"学黄老之言"(《史记·汲郑列传》)等等，只是记载不全罢了。第二，这些人也都是某一时期的名人，如"乐臣公善修黄帝、老子之言，显闻于齐，称贤师"《(史记·乐毅列传》)。他以后的盖公、曹相国就更是名人了。可惜这些人都没有著述流传下来，其事迹也不多，所谓"当时则荣，没则已焉"(《史记·孔子世家》)，因此除曹相国之外，司马迁也无法为他们立传。但是黄老新道家的思想影响是很大的，《汉书·艺文志》著录道家之书有37种之多，后来大多数亡逸了，但近年来马王堆汉墓出土帛书中又重新出现了好几种，足见那些书汉初确实是存在并且流传过的。

西汉初年，政治家们总结亡秦的经验教训，认定黄老新道家思想的意义重大，汉高祖刘邦曾指示陆贾著书论为治之道，书成，凡十二篇，每呈奏一篇，高帝无不称善，左右呼万岁，号其书曰《新语》。这部《新语》就是汉初新道家的代表作。随着黄老新道家思想付诸实践和占据统治地位，这一思想逐渐普及，以至成为"家人之言"。正因为如此，在《吕氏春秋》成书一个世纪以后，出现了黄老新道家的总结性著作《淮南子》。

《淮南子》是集体的著作，著《淮南子》的人可以称之为淮南学派。这个学派略似战国时的稷下黄老学派。二者都与养士之风有关，他们都供养了一大批的文人学者，因而形成了学派。处于这两个学派之间的吕不韦门下宾客也是如此，只是因为政治原因没有被称为学派。他们都不担任官职，只管讨论学术;都阐发黄老新道家思想;都有着明确的著书目的:稷下学派"著书言治乱之事,以干世主"(《史记·孟子荀卿列传》);吕不韦明说要学黄帝教诲颛顼那样,著书规范秦王政;刘安献《淮南子》给武帝,也是为了向最高统治者提供治国之道。《淮南子·要略》说:"著书二十篇,则天地之理究矣,人间之事接矣,帝王之道备矣。"

它们之间也有很大的不同,齐宣王不过是"喜文学游说之士"(《史记·田敬仲完世家》),吕不韦未必有学识,而刘安则不一样,他"为人好书,鼓琴,不喜弋猎狗马驰骋","辩博善为文辞"(《汉书·淮南王传》),并能亲自参与学者们的讨论和编著。当然最大最主要的不同,是所处的时代条件和所面临的社会问题不同。稷下先生和吕不韦宾客们根据道家清静无为的思想,对社会的动荡不安等问题,提出了自己的看法和主张,但是没有付诸实施。西汉初年,具有黄老新道家思想的人,努力宣传,如陆贾呈奏的《新语》,如各种黄帝书的传播甚至创造,同时又有统治者身体力行努力实践,如曹相国等人的实际行动。《淮南子》就是在这样的基础上诞生的。因而其内容更加丰富,思想更加全面。

如果说稷下黄老可以称为一个学派,淮南学派之名则更有其充分的理由。作为一个学派,当然要有一些共同的东西,如有大体相同的思想,有一定的师承关系等。人们称稷下黄老学派,就因为稷下学者中有一批人都是"言黄老之意",但并非稷下学者的全部,在数百千学者之中,有76人享受"赐列第,为上大夫"待遇。大体上属于这一派的也只有"皆学黄老道德之术"的慎到、田骈、接子、环渊等。淮南王刘安门下所集宾客也不少,"养士数千",但"高才者八人,苏非、李尚、左吴、田由、伍被、毛周、雷被、晋昌,号为八公"。这八个人是否即淮南学派的代表人物,是否就是著述《淮南子》的主要人物,没有更多的直接记载,但是从有关记载也可作些分析:第一,高诱作《淮南子·叙目》时有一个交待:

> 于是遂与苏飞、李尚、左吴、田由、雷被、毛被、伍被、晋昌等八人,及诸儒大山、小山之徒,共讲论道德,总统仁义,而著此书。其旨近《老子》……

这部"旨近《老子》"的书,儒家的大山、小山等人虽参加了讨论,主要作者当是排在前列的苏飞等八人。这八人不是儒家,应是在《淮南子》中发明黄老之意的新道家。

第二,因为政治的原因,淮南大狱,数千人"皆以罪轻重受诛",这些人的事迹大多湮没了。《汉书·淮南王传》中仅涉及伍被、雷被、左吴等人,《汉书》为伍被列了传,作为教训吸取:"伍被安于危国,身为谋主,忠不终而诈仇,诛夷不亦宜乎!"(《汉书·伍被传》赞)传中记载,他以才能著,为淮南国中郎,是刘安百余名"英隽"之中的"冠首"。他在谋反事件中,其处境艰难。他不同意"举兵",但在淮南王软硬兼施下,又不得不"为王画反计"。在此过程中,他要回答和分析各种社会政治问题,他的思考和言论体现了他的思想。我们从《汉书·伍被传》所记其某些言论看,他主要是继承了黄老新道家思想。伍被反对叛乱,认为汉初相对安定的局面得来不易。当刘安问他:"方今汉庭治乎?乱乎?"他认为是"天下治","虽未及古太平时,然犹为治"。他在具体描述汉初安定局面时还说:"上(皇帝)之举错遵古之道。"错,即措。"举错遵古之道"是"清静无为"的做法。这一赞辞,明显地表明了他的黄老新道家思想。在"天下治"的描述中,虽有"君臣父子夫妇长幼之序皆得其理","风俗纪纲未有所缺"之类的话,似乎属儒家思想,但这并不奇怪,我们知道新道家是兼采了儒家思想的。再说他所言之"治",主要是汉初"清静无为"的治,汉武帝刚即位不久,政策上还没有明显的改变,所以他在反复比较、分析秦末与当时的形势不同时,又说:

> 当今陛下临制天下,壹齐海内,氾爱蒸庶,布德施惠。口虽未言,声疾雷震;令虽未出,化驰如神。心有所怀,威动千里;下之应上,犹景响也。

这显然说的是"无为而治"及其结果。还有他说的"臣闻聪者听于无声,明者见于未形,故圣人万举而万全"。这是《淮南子》中有的思想,也是道家的思想。另外,他最后为刘安所献的"侥幸"之计,实际是玩弄权术,造成"民怨,诸侯惧",也表明其道家色彩。总之,这位"为冠首"的伍被,是属于新道家学派的。

第三,还有一个旁证。众所周知,道教是与道家有关系的,道教作品如《神仙传》、《录异记》等,均把刘安及八公说成是神仙。晋人葛洪《神仙传》中说刘安是得道成仙了,"八公"本来就是八位神仙。一天,刘安随八公白日升天:

> 安临去时,余药器置中庭,鸡犬舐啄之,尽得升天。故鸡鸣天上,犬吠云中也。

这就是成语"一人得道,鸡犬升天"的由来。这个故事当然是根据民间传说编造出来的,如托名东方朔所述的《汉武帝外传》就记有刘安成仙的传闻,对此,东汉王充的《论衡》、应劭的《风俗通义》都有专文进行辩驳。但葛洪仍慎重其事地说:"汉史秘之不言安得神仙之道,恐后世人主当废万机而竞求于安道。乃言安得罪自杀,非得仙也。"这些当然都是无稽之谈,但从中或可以反映"八公"和刘安是属于道家学派的。《神仙传》历来属道家辅教书,史志多入道家类,他不会把"诸儒大山、小山之徒"列进来,更不会把董仲舒之类的儒者当成神仙,或说其得神仙之道。

总之,淮南学派是存在的,这个学派属于黄老新道家。在当时历史条件下,这里集中了一批黄老新道家的学者,也是很自然的。

(2)《淮南子》不是杂家应为新道家

说《淮南子》不是杂家,似乎有些辩解的意思。但不得不辩解,因为其说始于汉代,一直流传至今,影响甚大,人们在习惯上很难改过来。

我们先从"杂家"之名的起源说起。西汉成帝时,刘向和许多学者一起奉诏整理国家图书。他们每整理完一部书,刘向就写出该书《叙录》一篇。后来,他将群书《叙录》汇编起来,辑成《别录》。刘向死后,他的儿子刘歆继承父业,在《别录》的基础上删繁就简,编成《七略》。班固著《汉书》,又在《七略》的基础上,改写成《艺文志》。今《别录》、《七略》早逸,我们能见到的是"杂家"列在《汉书·艺文志》"诸子略"中,但从杂家之名的起源来看,很可能刘向或者刘歆时就有了。

杂家是在图书分类中产生的。刘向、刘歆、班固将诸子图书细分时,发现《吕览》、《淮南》等书不好归入哪一家,就姑且另分出"杂家"一类,将难以确定其归属的书,都先归入此类。这是一种权宜之计。有些书通过反复考虑,确定归属后又从杂家内移出。这在《汉书·艺文志》中也留下了一点蛛丝马迹。在"右杂二十家,四百三篇"之后有"入兵法"三字。它表明原放在杂家类的书,后又放入兵法类去了。也有已入兵书类而杂家类还未消除的,这就出现了一书两见的现象,这种简单的处理,就使杂家真的成了"杂"家。然而《淮南子》不能列在此"杂"家中。

杂家这一类形成后,历代史志多沿其体例。如《隋书·经籍志》把一些不好分类的书也都统统编入杂家类,既包括《吕氏春秋》、《淮南子》这样的子书,如《论衡》、《仲长子昌言》、《蒋子万机论》、《傅子》等等,也包括《风俗通义》、《博物志》、《古今训》、《释俗语》、《四时录》、《诸书要略》以及各种各样的《杂记》、《杂说》等等,还包括《释氏谱》、《众僧传》、《高僧传》、《皇帝菩萨清净大舍记》以及《寿光书苑》、《宝台法藏目录》、《玄门宝海》等等,更是杂七杂八、不伦不类了。在学术上,这种大杂烩、大拼盘式的"杂家"是不存在的,为此,我们必须对列入杂家的《淮南子》重新定位、归类。

以上说了这许多,只从"杂家"之名的出现和子书的分类上,看到了《淮南子》被称为杂家的问题。但要解决这个问题,还是应该从思想内容来解决。《汉书·艺文志》的分类,大多也是从思想内容上分的,不过有一些分得不准确罢了。

杂七杂八凑在一起本不能成为一家,但班固(可能本于刘向父子)却在《汉书·艺文志》中给杂家下了一个定义:

> 杂家者流,盖出于议官。兼儒、墨,合名、法,知国体之有此,见王治之无不贯,此其所长也。及荡者为之,则漫羡而无所归心。

考《汉书·艺文志》所录杂家之书共二十家四百三篇,而在当时就仅存《吕氏春秋》、《淮南子》两部书,所以关于"杂家"的定义,就只是这两部书的定义。如果仅从这个定义来看,这个所谓"杂家"与"道家"有着密切的关系。江瑔在《读子卮言·论道家为百家所从出章》里说:"其得道家之正传,而所得于道家亦较诸家为独多者,则惟杂家。盖杂家者道家之宗子,而诸家皆道之旁支也。惟其学虽本于道家,而亦旁通博综,更兼采儒墨名法之说;故世名之曰杂家。此不过采诸家之说以浚其流,以见王道之无不贯;而其归宿固仍在道家也。"这实际上只是就《吕氏春秋》和《淮南子》这样的所谓"杂家"而言,并非指那些杂七杂八的的书。如果说《吕氏春秋》和《淮南子》是"道家之宗子","得道家之正传","而亦旁通博综,更兼采儒墨名法之说","其归宿固仍在道家也"。那就再恰当不过了。

实际上《汉书·艺文志》给"杂家"所下的定义,用在黄老新道家身上倒很适合。所谓"出于议官",不就是指"不治而议论"的新道家"稷下黄老学派"和"淮南学派"吗;所谓"兼儒、墨,合名、法",显然本于《论六家要旨》,正是司马谈概括黄老新道家"采儒墨之善,撮名法之要"的理论特点;所谓"知国体之有此,见王治之无不贯",更是指黄老新道家思想而言了,与司马谈的话"立俗施事,无所不宜",也是一致的。班固或者刘向,把司马谈用以概括黄老新道家这些话,完全套在"杂家"头上,是他们的误解、疏忽,还是有意篡改?二者都有可能。这里似不必再深究了。

《淮南子》正是具备了以上特点,如高诱在《淮南子·叙目》所说:

> 于是遂与苏飞……八人,及诸儒大山、小山之徒,共讲论道德,总统仁义,而著此书。其旨近《老子》,淡泊无为,蹈虚守静,出入经道。言其大也,则焘天载地;说其细也,则沦于无垠,及古今治乱存亡祸福,世间诡异瑰奇之事。其义也著,其文也富,物事之类,无所不载,然其大较

归之于道,号曰《鸿烈》。
应该说这个概述是相当准确的。开始说"其旨近《老子》"是说《淮南子》重点继承了老子的道家思想,但不是完全照搬因袭,而是有所选择,有所改造,有所创新,形成有自己特色的思想体系。后面说"其大较归之于道"是点明《淮南子》所代表的学派与早期道家有着密切的渊源关系,但也颇有区别。一个"近"字,一个"大"字用得恰到好处。这显然是说《淮南子》属于黄老新道家。由此出发,他说淮南学派"讲论道德,总统仁义",可以理解为,以黄老新道家的"道"、"德"思想对儒、墨各家之"仁"、"义"等等总而统之。也就是说,以道家思想为主体和核心,对儒墨名法各家思想有批判,有吸收,而吸收的部分大都置于新道家思想的统帅之下。《淮南子》里也正是这样说的:"持以道德,辅以仁义"(《览冥训》)。综上所述,《淮南子》不是杂家应为新道家。

4 《淮南子》的传本、内容结构及研究

(1)《淮南子》的书名和传本

《淮南子》一书是西汉淮南王刘安主持门客集体撰写的。由于刘安博学多才,能躬于其事,我们可以说他是《淮南子》的主编者和审定者。这从该书的体例和风格上便能看出。

建元二年(前139年)即汉武帝即位的第二年,刘安把此书作为礼品献给武帝。这说明《淮南子》至迟在此之前已经成书,其成书时间宜以是年论。而写作时间当在文景之世。

刘安把《淮南子》称为"刘氏之书"(意即自己的书,《淮南

子·要略》),取名叫《鸿烈》。《淮南子·要略》说:"此《鸿烈》之《泰族》也"。《泰族》是《淮南子》第二十篇的篇名。《西京杂记》也说:"淮南王安著《鸿烈》二十一篇"。这都证明此书原名《鸿烈》。"鸿烈"二字是什么意思呢?高诱《淮南子叙目》说得很明确:"鸿,大也;烈,明也;以为大明道之言也。"这就是说,"鸿"是广大的意思,"烈"是光明的意思,《淮南子》的作者自认为此书包括广大而光明的道理。

前122年,刘安因谋反事败而自杀,他的大量著作不久就散失了。到了光禄大夫刘向奉命校阅宫廷藏书,才把《淮南子》这部书整理出来,刘向校定后名之曰《淮南》。东汉史学家班固《汉书·艺文志》根据刘向、刘歆父子所定,称为《淮南内》。但是刘向只称《淮南》而不称"子",《汉书·艺文志》论次儒家至小说,名曰诸子十家,于是后人据此而加"子"字,称为《淮南子》。如《西京杂记》卷三云:"淮南王安著《鸿烈》二十一篇,……号为《淮南子》,一曰《刘安子》。"《隋书·经籍志》以后多以《淮南子》称之。到唐代又有了把《淮南鸿烈》四字合为书名的。如《旧唐书·经籍志》著录《淮南鸿烈音》二卷,何诱撰。现以《淮南子》为通用的书名。

西汉末刘向校定《淮南子》,《汉书·艺文志》将其列入"杂家"。东汉已出现五家注解本:许慎约在42岁时作《淮南鸿烈间诂》。比许慎要小二十一二岁的马融也有《淮南子注》。马融的弟子延笃、卢植分别注《淮南子》。卢植的弟子高诱,著有《淮南子注》。今马融注全佚,延笃注今存仅一条,卢植注今存四条,许慎、高诱两家注也不全。

《隋书·经籍志》著录《淮南子》21卷,许慎注,又有高诱注亦21卷。《旧唐书·经籍志》有高诱注21卷,又一书名《淮南商诂》，不著录作者，可能"商"为"间"之误，即许慎注。《新唐书·艺文志》高、许两家注并列，同《隋志》。《宋史·艺文志》则云许注 21 卷，高注 13 卷。这说明许、高两种注本起初曾并行于世，至宋时两者相混逐渐难分。对此，历代学者都有辨析。晁公武《郡斋读书志》说许注题曰"记上"，陈振孙《直斋书录解题》谓传本皆云许注，而详《叙目》之文却为高诱撰，"然则《许注》既佚，宋人以其零落仅存者羼入《高注》，遂题许慎之名，而其未羼入者，仍名《高注》可知也。要其冠以高诱之《序》，则高《注》为多矣。"近代学者杨树达著《汉书窥管》说："今本许、高二注混杂，篇题下注有'因此题篇'四字者为高注，为《原道》、《俶真》、《天文》、《地形》、《时则》、《览冥》、《精神》、《本经》、《主术》、《氾论》、《说山》、《说林》、《修务》十三篇，余八篇为《缪称》、《齐俗》、《道应》、《诠言》、《兵略》、《人间》、《泰族》、《要略》皆许注也。《高注》注释往往有一事两说者；某称一曰云云者，大都是《许注》，并后人所羼入也。"许慎注比高诱注要早一百二三十年，其注文比较简略；另外，许慎撰《说文》时，采用了《淮南子》注的字义数百条。这些特点也可以作为区别高注的参考。由于高、许两注离《淮南子》成书年代最近，有很重要的参考价值，但也有不少误注，有儒家的偏见。

《宋史·艺文志》著录《淮南鸿烈解》21 卷，而注其下曰淮南王刘安撰。《四库全书总目》卷一一七杂家类说："似乎《解》亦安撰者，诸书引用，遂并《淮南子》之本文亦题曰《淮南鸿烈解》，误之甚矣。"应该说，《淮南鸿烈》为刘安撰，而注解则是许慎、高诱为之。《四库全书总目》、《二十二子》等，皆题《淮南子》汉淮南王刘安撰，高诱注。

《淮南子》有 21 卷本和 28 卷本两种。21 卷本流传久远。明

《正统道藏》太清部"动"、"神"、"疲"字号收载《淮南鸿烈解》28卷。即将《原道训》、《俶真训》、《天文训》、《地形训》、《时则训》、《主术训》、《氾论训》等7篇各分为上下卷,自此《淮南子》有两种版本系列流传。清以来的主要丛书如《四库全书》、《百子全书》、《二十二子》、《四部丛刊》、《诸子集成》、《丛书集成初编》、《十子全书》等,所收均为21卷本。

《淮南子》有多种版本和注本,吴则虞考证为162种。现存北宋仁宗时刻《淮南鸿烈解》本为最早。现列主要注本和版本如下:①《淮南子注》1卷,汉刘安撰,许慎注,清孙冯翼辑,清嘉庆中承德孙氏刻《问经堂丛书》本;②《淮南鸿烈间诂》2卷,汉刘安撰,许慎注,清叶德辉辑,清光绪中长沙叶氏刻《观吉堂所著书》本。③《淮南子》2卷,汉刘安撰,明归有光辑评,明天启六年丙寅(1626)刻《诸子汇函》本。④《淮南子》1卷,汉刘安撰,明焦竑注释,明翁正春评林,明书林詹圣译刻《注释九子全书》本。⑤《淮南子校补》1卷,清刘台拱撰,清道光十四年甲午(1834)世德堂刻《刘端临先生遗书》本。⑥《淮南子》21卷,刘安撰,清庄逵吉校,清乾隆五十三年(1788)刻本。⑦《淮南天文训补注》2卷,清钱塘撰,清道光中金山钱氏据借月山房汇抄刻版重编增印《指海》本。⑧《淮南子正误》12卷,清陈昌齐撰,清刻《赐书堂全集》本;⑨《淮南内篇评议》4卷,清俞樾撰,清光绪二十五年己亥刻(1899)刻《春在堂丛书》本。⑩《淮南鸿烈集解》21卷,附录1卷,刘文典集解,1923年商务印书馆本。⑪《淮南集解补正》胡环琛撰,1940年安吴胡氏排印《朴学斋丛书·第一集》本。⑫《淮南内篇集证》21卷,刘家立撰,1924年中华书局本。其中近代著名学者刘文典所著《淮南鸿烈集解》较为详尽。该书以清乾隆年间庄逵吉校本为底本,以清钱塘《淮南天文训补注》作附录,裒辑清代学者王念孙、孙诒让、俞樾、洪颐煊、陶方琦、王引之、钱大昕、梁履绳、桂馥、孙志祖、顾炎武、刘绩、郝懿行、胡鸣玉等二十余家之说,并遍引《艺文类聚》、《北堂书钞》、《初学记》、《白贴》、《意林》、《太平御览》等唐、宋类书为佐证,并加以校正,资料丰富,是深入研究《淮南子》的较好注解本。

(2)《淮南子》的著书宗旨和各篇内容及结构

刘安主持编撰的《淮南子》有着明确的指导思想和创作意图。他在《要略》中说:

> 夫作为书论者,所以纪纲道德,经纬人事,上考之天,下揆之地,中通诸理。虽未能抽引玄妙之中才,繁然足以观终始矣。总要举凡,而语不剖判纯朴,靡散大宗,惧为人之惛惛然,弗能知也;故多为之辞,博为之说,又恐人之离本就末也,故言道而不言事,则无以与世浮沉;言事而不言道,则无以与化游息。故著二十篇。

这里明确指出,"纪纲道德,经纬人事"是全书的根本宗旨。可见,这种阐明,弘扬新道家的道德用以规划、治理人间事务,就是为治国安邦提供理论依据,具有从新道家理论的高度,总结与概括人类社会的深刻意义。作者反对"言道而不言事"、"言事而不言道"的片面倾向,特别强调理论联系实际的创作原则,这就是把"言道"与"言事"紧密结合起来,以道统事,以事证道,落实到用道来解释和改造世界。为了体现写作目的和原则,作者强调繁复、曲折、详尽、铺张的写法,力求通过大量的事实和反复申述,让人们理解接受新道家思想。据两汉之际思想家桓谭说,《淮南子》这部书也曾经悬挂在外,向世人征求修改意见,大概是学《吕氏春秋》的做法。公布出去,也没有人提修改意见,这说明其写作目标是达到了。

《淮南子》的体系庞大,结构严密,它以道家理论为核心,融会各家,形成新道家的思想体系。全书二十一篇,一篇为序,二十篇每篇都是精妙的专论。它不仅以理性审视各种学说,择优从善,而且还站在新道家的高度对某一方面作系统的理论阐述,对流行观点的偏颇及局限作出恰如其分的分析,使之真正成为新道家理论和实践的总结。作者自认为对全书的结构、线索作了精心安排,各篇的次第是按内容关系顺次勾连推进的。下面简介各卷(篇)内容。

卷一《原道训》:原道,道是万物的本原。训,训释,解说。除最末一篇《要略》外,每篇均冠以"训"字,有人认为"训"字乃高诱作注时加上的。本篇全面阐述了道的概念、本质特征,并以道说明宇宙演化过程。还论及与道密切相关的无为观、人性论、苦乐观、生命观等重大哲学命题。

卷二《俶真训》:俶真,意即道的本真面目。本篇论述道的历史变化。以宇宙和人类的起源发展演化的历史为经线,追述不同时域人对道的态度;以"真人之游"为纬线,用真人与其他几种人对照,描述道演变的过程,从而论证人类只有归真返朴,天下才能大治。

卷三《天文训》:天文,指天体在宇宙间分布及运行的现象。本篇以论述天文为纲,全面探讨天人关系,涉及天文学、历法、气象、音乐、度量衡及数学等多方面的内容。其思想内容主要是唯物积极的,也难免有唯心消极的一面。

卷四《地形训》:地形,大地的表面环境、形貌。本篇考查地理及其变化。涉及到自然地理、经济地理、人文地理等多方面的内容;还对生物起源、进化及分类,大自然几种物质之间的制约关系作了探讨。

卷五《时则训》:时则,季节时令变化的法则规律。本篇叙述四时运行变化的规律和统治者顺应时则施行的政令。其内容多据《吕氏春秋·十二纪》,又见于《礼记·月令》、《逸周书·时训》。

卷六《览冥训》:览冥,意为审察人性与上天相通的玄妙幽深的境界。本篇通过阐述自然界和人类社会中万事万物的相互关系和固有的运动变化规律,来论证人类必须让自己的精神返回天道,进而证明"无为"学说及政治主张的正确性。

卷七《精神训》:精神,即精气、神志。本篇论述人的精神的产生及对精神的持守。涉及生命来源、生命要素、生命价值以及养生之道等重大问题。

卷八《本经训》:本经,根本常法。本篇阐明实行道治是天下长治久安的根本的永恒的法宝,而仁义礼乐只是暂时、局部起作用的治标之术。

卷九《主术训》:主术,指君主统治的方法。本篇全面论述了君主治国的方针、策略和方法,描绘出作者理想的圣明君主的形象。

卷十《缪称训》:缪称,意为引述不同的思想。本篇对上层统治者自身修养问题作了全面、具体乃至琐细的阐述。

卷十一《齐俗训》:齐俗,齐同礼法风俗。本篇研究礼法风俗的差异与统一。主张以道德之论齐同世俗,治理天下,批驳儒家礼法观。

卷十二《道应训》:道应,道在实践中的验证。本篇撷取56则史实或故事,从各个侧面对道作极为形象生动的解说。

卷十三《氾论训》：氾论，广泛、全面论述的意思。本篇涉及到的问题确实比较广泛，诸如法制、治政方针、是非、人才、祸福及鬼神等等问题；阐明其历史观，治乱兴衰规律及君主统治指导思想和原则。

卷十四《诠言训》：诠言，解释阐明事物真理的话。本篇论述的中心是"无为"。阐明"无为"是道的本质精髓，无为而治是治国安民、成就霸业的根本。

卷十五《兵略训》：兵略，用兵的谋略、法则。本篇是军事专论，集中论述了战争的起源、性质、用兵原则，战略战术、将领的行为准则以及军队内部管理等问题。

卷十六《说山训》：说山，解说事理，委积如山。本篇采用箴言体，论及诸多问题，并从方法论的角度加以升华，使抽象、深奥的道论更形象、具体和通俗，易于理解。其中充满唯物论和辩证法。

卷十七《说林训》：说林，解说事理，聚积如林。本篇与《说山训》性质相同。喻说道的理论及处世之道。

卷十八《人间训》：人间，意指人世间的事情。本篇揭示了社会生活中的各种矛盾，论述了处理这些矛盾所用的方法和所依据的原则。

卷十九《修务训》：修务，意即努力学习，加强修养。本篇从积极无为观出发，反复论述学习、修养的意义和作用，提倡努力学习，加强修养，为积极入世创业创造主观条件。

卷二十《泰族训》：泰族，总聚；犹言总结。本篇带有全书总结的性质。集中论述自然规律和人事关系，并把它们归结到道之中。

卷二十一《要略》：要略，即提要。本篇是本书的序，详尽地说明了著书目的、各篇的内容、写作原则和形式。并对先秦诸子百家产生的背景、历史条件进行了分析,说明一定的学说是一定时代的产物,又是为一定的政治目的服务的,从而暗示本书也要为西汉的统治服务。

对于《淮南子》的架构,有的人根据自己的推断把全书的篇目顺序打乱,重新排列组合、进行分类,这对于分析问题可能有好处。其实本书作者本身就是根据其内容安排各篇次第的,其结构颇为严密。

全书除卷二十一《要略》外,以"道"为主线,依次分为四个层次。第一层次,包括卷一《原道训》、卷二《俶真训》,雄居全书之首,成为全书的纲领。论述道的本质特征。第二层次,包括卷三《天文训》到卷八《本经训》,处于全书中间,起着承上启下的作用。论述道与自然和人事的关系。其中前三卷论自然,后三卷论人事。第三层次,包括卷九《主术训》到卷十九《修务训》,处于本书的后半部分,是道落实到人世间的各个方面,又分为五个方面。第四层次,卷二十《泰族训》,处于全书后面,作为总结。最后是卷二十一《要略》,为全书的序言。全书内容结构如下图所示:

(3)《淮南子》的研究情况

对《淮南子》的研究,从刘向整理出来以后就开始了。但古注今存只有东汉高诱、许慎两家。

从东汉到明代,不见系统深入研究该书的专著。今天所能看到的,除各种类书所摘引(如唐魏征作过部分篇章摘要)和明代人茅坤、茅一桂叔侄、张宾王、袁石公作过眉评,归有光、焦竑为之评注外,大概只剩了前人文论或笔记,像杨子《法

（要略）

言》、刘知几《史通》、高似孙《子略》、刘勰《文心雕龙》等书中的只言片语的批评。

《淮南子》真正受到关切与研究是从清代开始的。清人以谨严的治学态度，着重于文字上的笺校义释、版本注本的考订等考据范畴的研究，出现了众多的学者，其中王念孙成就最丰。他以72岁的高龄，用了数年的时间，九次校订《淮南子》，剖析毫厘，匡正旧注，订正九百多处，并将旧注致误的原因归纳为由于不明文字假借，不通声韵，不辨字体的差别，正字和注文掺杂，妄加、妄删、脱字、衍字、破句、错简等62个种类。实可称他为《淮南子》考据方面的第一功臣。他所撰《读淮南杂志叙》成为研究校勘学的人的必读书。其书今存《读书杂志》中。其他如庄逵吉、俞樾、陶方琦、洪颐煊、陶鸿庆、钱塘、孙诒让、曾国藩、叶德辉、王绍兰、王鸣盛、姚范、刘台拱、王仁俊、吴汝纶、金其原等人的考据也成就显著。清代学者把有关《淮南子》的考据问题，处理到了相当详密的程度，这为以后《淮南子》的研究，打下了良好的基础。

清代以后，《淮南子》的研究有了新的发展。除了考据方面有所发展以外，在其思想研究方面也出现了可观的成绩。近年，台湾师范大学陈丽桂教授依据所搜集到的一百六七十种中外文书刊资料(《80年来的淮南子研究目录》，《书目季刊》第25卷第3期，1991年12月)，撰写了《〈淮南子〉研究八十年》一文(此文收入《汉学研究之回顾与前瞻》)，分考据、义理、其他各项，全面论述了80年来《淮南子》学在各地发展的概况。以下仅就主要成就和近年新成果作简要介绍。

在考据方面，较早而规模较大的，首推刘文典《淮南鸿烈集解》和刘家立《淮南子集证》。可惜，上述两书都丰富有余，缜密不足。杨树达、何宁针对《集解》的疏失，作文指正。继《集解》、《集证》之后，以校释疏义为主，或补前人之疏，或匡前贤之误，或提出新见新义者有吴承仕、杨树达、王叔岷、郑良树、刘殿爔、于长卿、马宗霍等。此外，于省吾、刘盼遂、陈丽桂也在其文字、语言方面作了研究。这些都是对全书所作的笺校义释。此外还有对书中某些篇卷或少数语词提出确诂者。

校释疏义之外，郭翠轩、张严、郑良树、于长卿等对《淮南子》的版本或注本进行了考辨，麦文郁、阮廷焯考求了《淮南子》文字的出处。

在评注、语译方面，方元《淮南子要略篇释》、方大纶《主术训注》都是单注一篇，沈德鸿《淮南子选注》、张之纯《评注淮南子》或节选数篇中的部分段落为注，或每篇选部分段落评注，而吕凯、杨坚或节选、语译而无注，或仅分段，标点。近年，沈晋华《淮南子箴言录》将选文分为12类,进行注译,并增加"点题",引用典故及同意文句等以加深理解,以增广异闻,实为新体例。

特别要介绍的是,近年来出现了几种《淮南子》全注全译。最早的一本,是1990年吉林文史出版社出版的陈广忠的《淮南子译注》,七十余万字。每篇有题解,分段注释,后有译文。注释简明扼要,译文较为准确、流畅,为初学者提供了一个现代语体的读本。由于是面向青年的普及性读本,所以注释简略,考证难以详备。另一本是1994年广东人民出版社出版的陈一平的《淮南子校注译》,原文以刘文典《集解》为底本,分卷(篇)注译。每篇包括说明、原文、注释、校勘和译文五部分。说明部分解释题意,概括内容,注释采用页末注形式,颇便阅读。第三本是1995年贵州人民出版社出版的许匡一的《淮南子全译》,此书为《中国历代名著全译丛书》的一种,每卷分为题解、分段注释、译文三部分,每段原文标有编号,书后有参考书目,便于读者查核。此三种均为普及性译注,便于初学者学习使用。三种全注全译的出版反映了社会的需要,也代表了《淮南子》注译方面的研究水平。但学术界仍需要更高水平《淮南子》校释出现。

在《淮南子》思想的研究方面,本世纪二三十年代,已有一些论文和专著,如姚章《淮南王书中的哲理》、管道中《淮南子书中修养要旨》、江振羽《淮南子所代表的政治思想》、韩燸《淮南子的政治思想》、杨没累《淮南子的乐律学》、胡适《淮南王书》等。其中杨没累的一篇为较专门而深入的论文。胡适的专著,其分量不重。

近二三十年来,在《淮南子》的思想研究方面有了很大进展。中国思想史专著对《淮南子》比较重视,大都辟有专章(节)论述,有关学术论文也日渐增多。

其中篇幅相当、内容也较有深度的有:侯外庐《淮南鸿烈集解中的子学及其学术》、韩逋仙《集黄老学说大成的淮南子》、冯友兰《淮南子》、郑良树《淮南子通论》、周绍贤《淮南王刘家》、徐复观《淮南子与刘安的时代》、于长卿《刘安》、任继愈《淮南鸿烈中的唯物主义哲学思想》和《淮南子——西汉道家思想的理论结晶》、韦政通《淮南子》、孙叔平《淮南子》、吴光《集大成的黄老学著作淮南子》、金春峰《淮南子的思想特点及其在政治上的消极倾向》、杨宪邦《淮南子的社会政治主张和哲学思想》、刘宏章等《淮南子的哲学思想》等。这些作品由于大部分隶属于思想专著中的部分章节,自有其篇幅上的统一性规范,有的部分虽因作者个人特殊的学养而呈现一定的深度和品质,绝大部分却限于整体性,都只粗略介绍,而难以全面入微。而散见于杂志期刊者,则有祝瑞开《淮南鸿烈思想的剖析》、于首奎《略论淮南子的哲学思想》、陈丽桂《淮南鸿烈思想研究》等等。以上作品,除了简介刘安生平与著作等问题外,或析论《淮南子》的思想体系,或主述书中几个思想理论问题,诸如道、气、天人关系、形神修养、知识、社会、政治、道德、无为、阴阳感应、人事祸福、历史观等诸项。

专门针对《淮南子》某一思想论题的研究,是近二三十年来研究的主要内容。研究本体思想的,如李增《淮南子的道论》、陈丽桂《淮南子的道论——淮南道论的渊源、调和与转化》、杨曾文《论淮南子的唯物主义自然观》、王德有《淮南子之道》等等。研究其政治思想的,如熊铁基《淮南子的政治思想及其与吕氏春秋的比较分析》、贺凌虚《淮南子的政道与治术》、孙实明《淮南子对官方哲学和政治的批判》、吴顺令《淮南子之政治思想研究》、陈丽桂《淮南子论政》等。其论"法"的，如安乐哲《淮南子主术中法的概念》、李增《淮南子对先秦法家之法之批判》、王谠源《淮南子与法家法论的比较》、段秋澜《淮南子与刘安的法律思想》、华友根《淮南子法律思想刍议》等。其论"无为"的，如谢天佑、王家范《评淮南子的无为思想》、李增《淮南子的无为思想》、吴方桐《淮南子的无为思想》、陈丽桂《淮南子的无为论》、吴怡《先秦诸子与淮南子的无为思想》。其论修养的，如高汉声《论淮南子关于形、神、知、行的心理理论》、陈丽桂《淮南子论修养》、李增《淮南子修养论之研讨》、胡奂湘《淮南子的人生观和养生思想》。此外，如李增《淮南子之知识理论》、陈远宁《淮南子的辩证法思想》、陈丽桂《淮南子论兵》、吴天恩《淮南子道应训书后》、叶佩华《淮南子道应篇探微》、周立升《淮南子的易道观》、丁毅华《淮南子的风俗论》等等，也都是其书中的主要思想论题。

关于《淮南子》与诸子的比较研究，尤以与《吕氏春秋》的比较颇为突出，如熊铁基《从吕氏春秋到淮南子——论秦汉之际的新道家》、牟钟鉴《吕氏春秋与淮南子的比较分析——兼论秦汉之际的学术思潮》、金春峰《吕氏春秋的儒家思想倾向及其与淮南子基本倾向的区别》、余明光《吕氏春秋与淮南子对道家黄老两派思想的继承》。还有与《老子》作比较的，如朱锦江的《老子与淮南子》。有与《庄子》作比较的，如周骏富《淮南子与庄子的关系》、王叔岷《淮南子与庄子》、邹丽燕《淮南内篇与老庄思想关系》，有与《文子》作比较的，如江世荣《先秦道家言论集·老子古注之一文子述略——兼论淮南子与文子》。

至于研究与《淮南子》相关的某些外缘问题也有不少论

文,如刘安的身世、生平,或《淮南子》的体例、价值、研究方法,旁及淮南内书与外书的关系等等,在此不一一罗列。

《淮南子》的研究,还受到国外学者的重视。日本汉学家致力于此书研究的颇多。从事版本、得失与《文子》的关系、日本德川时代各家注解考的有仓石武四郎《淮南子的历史》,译文方面有后朝胜太朗《国译淮南子》、楠山春树《选译淮南子》。从事思想方面研究的学者更多,综合性通论其思想的有本田济、金谷治、宇野茂彦、田中麻纱巳等。专门讨论"气"观念的有平冈桢吉、福永司光等。讨论其自然思想的有田中麻纱巳、马场英雄、有马卓也。讨论其修养理论的有板野长八、小林理惠等。讨论法政思想的有宫本胜、铃木喜一。此外,还有讨论其律数的田边尚雄,讨论地理观念的田中柚美子、薄井俊二,讨论与诸子关系的有津田左右吉、楠山春树、泽田喜多男、向井哲夫、冈阪猛雄等等。他们有关《淮南子》的论文数目虽不多,却各有特色,少相抄袭模仿。有些论题甚至国内学者尚未涉及。

西方学者研究《淮南子》的甚少,他们多是研治书中某一篇,甚至一段。但也各具特色可供参考。

总的来看,学术界对《淮南子》无论是在考据整理还是在思想研究等方面所做的工作,与这部中华文化元典论著的重要性相比,仍然极不相称。两千年来,对该书的评价是不公平的。现在需要有新的较高水平的校释本,以补正旧注的不足;也需要有高水平的学术研究专著,以加深对它的评析;还需要有新的通俗读本,以使更多的人们特别是青年易于读懂它、了解它,让大家更好地利用和发挥这部元典的历史价值和现实价值。当前要继续对《淮南子》的作者刘安及淮南学派、主旨思想进行研究,对《淮南子》本体论、政治、军事、养生处世、自然科学等方面进行研究。还要研究《淮南子》对于中国历史的发展、中国传统文化精神的形成、中国国民性格的塑造所起到的作用,使大家借以明了中国文化的历史渊源。

二 《淮南子》的主要思想

1. 《淮南子》的理论基础——道论

黄老新道家"兼儒墨,合名法",但其中心思想是道家之"道"。它们以"道"为逻辑起点,以"道"为思想体系建构的核心,因而反复论道。如《文子》的第一编是《道原》,陆贾《新语》的第一篇是《道基》,1973年马王堆出土的古帛书中也有《道原》。作为新道家理论和实践总结的《淮南子》,更是以"道"作为它的理论基础和贯串全书的主线,而其他思想都是围绕着道逐层展开。

(1) 道的含义

"道"字最早见于西周金文,作"䢅",从行从首会意,像人抬头处于十字街头之状,其本义是引道而行。后来增"止"符,逐渐定型,其本义更明显。许慎《说文解字》卷二说:"道,所行道也,从辵从首。"这种以"道"为一定方向的人行道路,已属其本义的引申义了。人们凭着经验对事物存在的变化过程长期观察,逐渐认识到事物存在变化过程所遵循的特定轨迹,也像具有一定方向性的人行道路。于是"道"字又引申为事物变化的规律或原则。随着"道"所体现的具体规律或原则逐渐地抽象化,形成主观的"道"观念。春秋时期已有"天道"和"人道"的提法。如"天道远,人道迩"(《左传》昭公十八年)。

道家代表人物老子首先提出"道"的新学说,对"道"观念作了形而上学的解释。"道"是老子哲学的最高范畴,它兼具宇宙本原和秩序法则双重含义。但是在《老子》书里,这"道"是抽象的玄之又玄的概念,它的含义,并非一目了然。对此,以后的论道者虽多有解释,然而就连论道最精辟者庄子的解说也尚不明晰。

《淮南子》集先秦至汉初各家道论融于一体,以道为其最高范畴,对道的含义作了充分的描述,不仅对老子的观点进行引申和发挥,而且对老庄及其他论道者的观点进行修正和总结。全书第一篇《原道训》开宗明义,就描述了道的含义:

夫道者,覆天载地,廓四方,柝八极。高不可际,深不可测。包裹天地,禀授无形。原流泉浡,冲而徐盈;混混滑滑,浊而徐清。故植之而塞于天地,横之而弥于四海。施之无穷,而无所朝夕。舒之幎于六合,卷之不盈于一握。约而能张,幽而能明,弱而能强,柔而能刚。横四维而含阴阳,纮宇宙而章三光。甚淖而㳠,甚纤而微。山以之高,渊以之深,兽以之走,鸟以之飞,日月以之明,星历以之行,麟以之游,凤以之翔。

这里揭示道的含义有二：一是道是宇宙万物的本原，即道生万物，所谓"禀授无形"就是说有形的万物由道不露形迹地产生出来；二是道是规律和准则，这里山高、渊深、兽走、鸟飞、日月之明、星历之行等事物的运动变化都是以道为根据，也就是说，道是事物变化的规律和准则。

第一，道生万物。

《淮南子》认为，"道"是万物发生的总根源，是天地万物之前的原初状态。"道者一立而万物生矣"，"万物之总，皆阅一孔；百事之根，皆出一门"（《原道训》）。世界上有形的物体都由道产生，"夫道，有形者皆生焉"（《泰族训》）。由于它是一种超越于天地万物之上的存在，所以叫做"太上之道"，"夫太上之道，生万物而不有，成化像而弗宰"（《原道训》）。这个"太上之道"，产生万物，但不占有万物；它使万物运动变化，却不做万物的主宰。它化生万物而没有目的和意识，是一种自然而然的过程。"道"与万物之间，没有人间伦理感情的色彩：生物不为善，死物不为罚；"得以利者不能誉"，"莫之知德"；"用而败者不能非"，"莫之能怨"（《原道训》）。

《淮南子》此说来源于老子，《老子·四十二章》说："道生一，一生二，二生三，三生万物。"而《淮南子》则说："道始于一，一而不生，故分而为阴阳，阴阳合和而万物生，故曰：'一生二，二生三，三生万物。'"（《天文训》）这里"道始于一"是对老子观点的引申和发挥，也是对其观点的修正。它比"道生一"更确切一些。所以在引《老子》原文时不引"道生一"而只引"一生二……"。

第二，道是规律、准则。

《淮南子》认为，道是万物运动的最普遍的总规律，"道者，物所导也"(《缪称训》)。天地之所以能有次序地运行,万物之所以能有次序地变化,就是由于受着道规律的支配。所谓山高渊深,兽走鸟飞,日月光明,星历运行,麟游凤翔,都是由于道的支配而形成的运动变化现象。这种道规律高妙无比,"其生物也,莫见其所养而物长;其杀物也,莫见其所丧而物亡。此之谓神明"(《泰族训》)。这实际上是指大自然内在的固有的运动规律,是大自然隐微而无穷无尽的造化之功,它是物质性的。

道又是各种自然和社会事物的具体规律,这是上述普遍规律在具体事物中的体现。这种具体规律可分为天地之道与人事之道两类。天地之道就是自然界万物产生灭亡、变化发展规律。"天地之道,极则反,盈则损。"(《泰族训》)这是一个普遍的规律。"天道曰圆,地道曰方。""天不发其阴,则万物不生;地不发其阳,则万物不成。天圆地方,道在中央。"(《天文训》)天道规律的特点是循环往复、周而复始。地道规律的特点是正直不偏。天道圆和地道方,都是阴阳之道规律的作用。天道地道都属于自然的范畴,是自然的而非人为的,在这个意义上,道与自然相通。而人道则是人类社会共同遵守的基本准则,是道这个总规律在人类社会一切活动中的体现。如顺乎自然,无为政治,这是社会政治生活总的原则。《主术训》说:"无为者,道之宗。故得道之宗,应物无穷。"又如以弱胜强,以柔胜刚,以后制先,这是为人处世的法则,这一法则是依据道阴阳变化规律而提出的。《原道训》说:"柔弱者道之要也。"《诠言训》说:"执后者,道之容也……后之制先,数也。"此外,仁义、法等都是人道。

道规律是客观的,人们不能违背它。"夫道者,无私就也,无私去也,能者有余,拙者不足,顺之者利,逆之者凶。"(《览冥

二 《淮南子》的主要思想

训》)道的规律不依人的好恶为转移,对人类社会的影响却是巨大的,因此,《淮南子》指出,"唯体道能不败",主张"举事而顺于道"(《俶真训》)。人们的行为只要能够循道,就可以避免失败。

(2) 道的特征

《淮南子》认为,道之所以能生万物,并成为规律是由它的两个重要特征决定的。

第一,道无形无象而又实存。

道是无形无象的。"大道无形"(《诠言训》),"视之不见其形,听之不闻其声,循之不得其身","其动无形","其行无迹";"忽兮恍兮,不可为象兮","幽兮冥兮,应无形兮"(《原道训》)。道没有具体形状,无边无际,眼见不到,耳听不到,手摸不着。这种无形象性有两重含义:含义之一,是说道作为世界的原始状态,它是浑然不分的,所以又称之为"一"。含义之二,是说道作为万物运动的总规律是内在的。这两重含义说明道并不是虚无,而是一种无形的实存。"若无而有,若亡而存。万物之总,皆阅一孔;百事之根,皆出一门","夫无形者,物之大祖也。……是故有生于无,实出于虚"(《原道训》)。正因为道无形无象而实存,所以它才能成为有形万物的本原。

第二,道无所不在,运动不息。

道是无限的存在。"夫道者,覆天载地,廓四方,柝八极,高不可际,深不可测,包裹天地,禀授无形……舒之幎于六合,卷之不盈于一握。"(《原道训》)"道至大者无度量。"(《齐俗训》)"道至高无上,至深无下,平乎准,直乎绳,圆乎规,方乎矩,包裹宇宙而无表面,洞同覆载而无所碍。"(《缪称训》)道在空间上可大可小,可伸可缩,可聚可散,可盈可虚,包容一切;在时间上无始无终,亦无穷尽。但道生生不息地运动着,由始初状态发展演化成有形万物,正是在这永恒的运动过程中,道才不断演化产生宇宙万物。

(3) 道与几个概念的关系

道与太一

《吕氏春秋》说:"道也者,至精也,不可为形,不可为名,强为之,谓之太一。"(《大乐篇》)《淮南子》同《吕氏春秋》一样,也使用太一范畴。太一又称为一,它是产生天地万物的本体。太一的特征是浑沌无形。"洞同天地,浑沌为朴,未造而成物,谓之太一。"(《诠言训》)太一广大浩渺,浑沌纯朴,它不有意造作,却形成万物,这个太一是就道的无形无象而言的。天地万物由无形的太一产生,也可以说"有形出于无形"(《说山训》),或者说"无形而生有形"(《俶真训》)。无形的太一涵盖天地万物,成为天地万物的本根。因此,在本原论的意义上,太一相当于道。

道与阴阳

《老子》说:"万物负阴而抱阳"(四十二章),以阴阳说明万物的构成。《淮南子》进一步认为,道包含有阴阳两个对立的方面,阴阳相摩相荡而演化出万物。《天文训》说:"道始于一,一而不生,故分而为阴阳,阴阳合和,而万物生。"《览冥训》说:"故至阴飂飂,至阳赫赫,两者交接成和,而万物生焉。"在道生成天地万物的过程中,也存在阴阳变化,"古未有天地之时,惟像无形。……乃别为阴阳,离为八极,刚柔相成,万物乃形"(《精神训》)。"天地以设,分而为阴阳,阳生于阴,阴生于阳,阴阳相错，四维乃通，或死或生，万物乃成。"(《天文训》)道在永恒的运动中，又与阴阳变化相伴相随。"夫太上之道……与刚柔卷舒兮，与阴阳俯仰兮"(《原道训》)。这种与阴阳变化相伴随的道，就是事物运动发展的规律。匹此道又是阴阳之道。由此可见，阴阳变化是道的内容。

道与无为

无为在《老子》和《庄子》里都有解释，《淮南子》对无为范畴作了与老庄不同的新解释。"何谓无为？智者不以位为事，勇者不以位为暴，仁者不以位为患，可谓无为矣。"(《诠言训》)"所谓无为者，不先物为也。所谓无不为者，因物之所为也。"(《原道训》)就是一切依循道的原则、规定行事，不人为地做违背道规律和道本性的事，"私志不得入公道"(《修务训》)。可见《淮南子》阐释的无为，不是凝滞不动，而是因道而为，循道而行。所谓"无为为之，而合于道"，就是说无为是道的要求和内容，顺应自然而做的事和道契合；而"达于道者，反于清净，究于物者终于无为"(《原道训》)。通达道的人，能返回到清净的天性；深究道规律的人，能归宿到无为。所以说，"无为者，道之宗"(《主术训》)。无为是道的重要原则。

道与仁义礼乐

仁义礼乐是儒家大力提倡的政治伦理原则和规范。《老子》说："大道废，有仁义。"(十八章)"故失道而后德，失德而后仁，失仁而后义，失义而后礼，夫礼者忠信之薄而乱之首。"(三十八章)《淮南子》对此也有解释和发挥，如《齐俗训》认为："率性而行谓之道，得其天性谓之德，性失然后贵仁，道失然后贵义。是故仁义立而道德迁矣，礼乐饰则纯朴散矣，是非形则百姓眩矣，珠玉尊则天下争矣。凡此四者，衰世之造也，末世之用也。"但是《淮南子》并不同意《老子》的"绝仁弃义",它认为仁义礼乐不仅是客观存在的,而且是为天下、治国家所不可缺少的。《本经训》说:"仁者,所以救争也;义者,所以救失也;礼者,所以救淫也;乐者,所以救忧也。"在仁义礼乐与道的关系上,主张仁义礼乐必须服从道和德,"仁义不能大于道德,仁义在道德之包"。如果离开道与德,就不能解决治理国家,防淫止乱的问题。所以治国必须"持以道德,辅以仁义"(《览冥训》)。

道与法

法家主张"以法为本"(《韩非子·饰邪》),"一断于法"(《史记·太史公自序》)。《淮南子》承认法在治国中的作用,"法者,天下之度量,而人主之准绳也"(《主术训》)。有了法,才能赏善罚恶,诛奸禁暴,因此,把君主乘势行法,当做"主术"的重要手段。但法不能易风移俗,治正人心,因而不能一味严刑重罚。法必须顺自然之道,才能起到应有的作用。"刑罚不足以移风,杀戮不足以禁奸,唯神化为贵,至精为神。"(《主术训》)这里"神化"是表现最精粹道术的感化、教化。顺自然之道,做到诛而无怨,这才是道的要求,"制而诛之者,法也。民已受诛,怨无所灭,谓之道。"(《诠言训》)可见,法也是服从于道的。

《淮南子》的道论以道家和其他黄老学说为宗,兼采儒、法、阴阳等家的思想,成为新道家最为完善的道论。目的是寻求维护汉王朝统一和稳定的理论方案,为适应社会大一统的现实需要服务。

2.《淮南子》的宇宙论

（1）宇宙形成说

《淮南子》吸收了战国至汉初的自然科学的最新成果，发挥其极高的想像力和推断力，穷究天地，剖析宇宙演化，站在新道家的立场上总结出当时最为系统的宇宙演化和万物发生学说。

对于宇宙万物的生成过程，《天文训》有六阶段和三阶段论，《精神训》有五阶段论，《俶真训》有大小两个三阶段论，说法虽然各不相同，但揭示的宇宙演化的基本过程是一致的，都包括了从混沌未分的道，分化出天地阴阳，而后产生万物这三个最主要的发展环节。

第一环节指天地未分前的混沌一体的状态，这种状态称为"太昭"（《天文训》）。太昭又分成道——虚廓——宇宙——元气几个层次。在这个环节中，道、虚廓、宇宙、元气都是"无形"，没有具象。第二个环节指产生天地、阴阳的阶段，由于元气有一定的形态和界域，它逐渐向两极演变，清轻之气上升形成天，浊重之气凝结变成地。天和地的精气融合起来形成阴阳。第三个环节指产生万物的阶段。万物皆由阴阳变化而成：

阴阳之专精为四时，四时之散精为万物。积阳之热气生火，火气之精者为日。积阴之寒气为水，水气之精者为月，日月之淫为精者为星辰。（《天文训》）

天之偏气，怒者为风；地之含气，和者为雨。阴阳相薄，感而为雷，激而为霆，乱而为雾。阳气胜则散而为雨

露,阴气胜则凝而为霜雪。(《天文训》)

古未有天地之时,惟像无形……有二神混生,经天营地……于是乃别为阴阳……万物乃形。烦气为虫,精气为人。(《精神训》)

《淮南子》对天地万物形成过程的描述可用下图表示:

这一宇宙万物生成系统的间架结构成为以后整个中国封建时代宇宙论的传统格式和基本框架。

《淮南子》以宇宙形成系统为基础,进而完成了天地万物产生及发展的理论体系。这一理论体系,由于受当时自然科学发展水平的限制,使它带有浓厚的直观想象成分,显然不科学,不符合实际,但它修正和完善了前人的理论,力图给宇宙万物形成发展学说以唯物主义的解释。其有以下几个特点:

第一,强调生成宇宙万物的"道"是物质的。老子提出了宇宙万物的生成问题,不过他的思维模式是:道等于无,"天下万物生于有,有生于无"(四十章),"道生一,一生二,二生三,三生万物"(四十二章)。新道家提出道即太虚,"虚无形,其裒冥冥,万物之所从生"(《经法·道法》),将道生万物引向了唯物主义的解释。《淮南子》站在新道家的立场上,对老子的观点进行了修正。《淮南子》在《天文训》中说"道始于虚廓","道始于一",显然"道"和"虚廓"、"一"基本上是同义语。虚廓经过"生宇宙,宇宙生元气",然后形成天地万物;"一"也是这样,"一也者,万物之本也"(《诠言训》),它们和"道"同是生成宇宙万物的东西。而"虚廓"和"一"都是通过"元气"的作用和阶段生成万物。"元气有涯垠,清阳者薄靡而为天,重浊者凝滞而为地。"(《天文训》)元气具有边际,向轻清和重浊两极分化,最后形成天地。"一而不生,故分而为阴阳,阴阳合而万物生。故曰:一生二,二生三,三生万物。"(《天文训》)"一"不直接生物,所以分出阴阳二气,阴阳二气的和谐统一,便产生出万物。这说明"虚廓"、"一"和"道"都是一种物质的"气"。这就是《天文训》引《老子》那段著名原文时,有意不引"道生一"的原因。《淮南子》将"道生一"改为道等于一,道就是一,否定了老子"有生于无"的主张,这样便把《老子》中关于"道"的超自然性的成分析除出去了,它不再是"一"的生有者,而是与"一"有同等品格的东西。"道始于一","道"寓于"一"之中,使"道"兼有物质实体和规律的双重意义,这也是对老子把"道"逻辑地说成先自然而存在的否定。《淮南子》明确将元气说引入宇宙论,成为后来王充元气自然论的先驱。

《淮南子》在修正老子"道"时,利用了老子思想资料。"道"、"虚廓"、"一"在化生万物之前是处于混而未分的原初状态,这种状态是无形的。所以《原道训》也说:

夫无形者,物之大祖也……所谓无形者,一之谓也……夫无形而有形生焉……是故有生于无,实出于虚。

实际上这里"有生于无"之"无"不是"虚无",只是"无形"。因为不仅"元气"是物质的,生"元气"的"一"、"虚廓"、"道"也是物质的,不过是原初物质"甚纤而微",看不见,听不到,摸不着,几乎是无形罢了。可以把它们理解为物质的抽象,因此也可以称之为"虚"或"无"。关于这一点《俶真训》说得是很明白的:"物莫不生于有","无形而生有形",就是说,万物没有不是从"有"开始的,但最初的"有"又处在一种无形的状态。

《淮南子》还发挥《庄子·齐物论》关于宇宙生成过程的猜测,改造了庄子"万物出乎无有,有不能以有为有,必出乎无有"(《庚桑楚》)的观点,认为由原初物质混沌的"道",发展形成宇宙万物。《淮南子》在《俶真训》中说:

> 所谓"有始者",繁愤未发,萌兆牙蘖,未有形埒,垠堮,无无蠕蠕,将欲生兴而未成物类。"有未始有有始者",天气始下,地气始上,阴阳错合,相与优游竞畅于宇宙之间,被德含和,缤纷茏苁,欲与物接而未成兆朕。"有未始有夫未始有有始者",天含和而未降,地怀气而未扬,虚无寂寞,萧条霄霏,无有仿佛,气遂而大通冥冥者也。

这里采用向前推导的方式,将宇宙万物的演化由近及远分为三个阶段,对每个阶段"道"的具体物质形象进行了描绘:在最远的"有未始有夫未始有有始者"阶段,整个宇宙还处于一片"冥冥"的混沌之中,但混沌的"道"开始形成天地,天"含和"着阳气,地"怀"藏着阴气。在较远的"有未始有有始者"的阶段,这时"天气始下,地气始上",阴阳二气在整个宇宙间"相与优游",万物正酝酿发展形成之中。在近的"有始者"阶段,万物"未发,萌兆牙蘖……无无蠕蠕,将欲生兴而未成物类",但这未成形的万物中充满着物质的道。与此同时,《俶真训》还叙述了从"无"到有的另外三个阶段。"有有者"是现实世界动植万物生意葱茏的景象,"有无者"是广大宇宙空间寂寥自运、无从感知的景象,这两者,都是对现实世界不同侧面观察看到的景象。"有未始有有无者",这是"有有者"前的一个阶段,这时天地已经形成,万物由"无"到有地陶冶形成之中。而"有未始有夫未始有有无者"这是天地还没有分开,具体的宇宙万物还没有产生的混沌一体的无形状态。从以上两个三个阶段看来,《淮南子》认为,宇宙万物都是由物质的混沌体"道"构成的,宇宙是永恒的物质世界。

第二,强调阴阳二气在万物产生过程中的重要作用。道家特别是新道家将阴阳说引入宇宙万物生成论中,《老子》说:"万物负阴而抱阳,冲气以为和。"(四十二章)《吕氏春秋·大乐篇》:"太一出两仪,两仪出阴阳。阴阳变化,一上一下,合而成章。""万物所出,造于太一,化于阴阳。"《淮南子》更是这样做的。关于《淮南子》论阴阳变化是道的主要内容已在前面"道与阴阳"中有所论述。这里,从阴阳二气在万物生成过程中扮演的重要角色,来看阴阳二气在万物生成论中的作用。

《淮南子》所构筑的宇宙万物形成系统中,阴阳是分别由天地产生的两种气。万物都是阴阳二气所造成的。阴阳产生万物遵循着"阳施阴化"(《天文训》)的原则。阳气是一种吐气,向外释放能量;阴气是一种含气,向内蓄积能量。所以阳释放出万物生成所需的素质,阴则吸收阳给予的素质后具体地生成万物。就天地而言,天是阳,释放出万物生长必须的素质如阳光,具体地孕育万物则通过地(阴)来实现。就动植物而言,雄是阳,给予生殖必需的素质精,而雌是阴,吸收它而繁殖后代。但是阴阳对生成万物的作用并不是绝对的。天地本身是阴阳的结合体,天地各自内部阴阳的共同作用才能成其德,促成万物生长。"是故天不发其阴,则万物不生;地不发其阳,则万物不成。"(《天文训》)而且阴阳本身也存在着相互依存、相互产生的关系。"天地以设,分而为阴阳,阳生阴,阴生阳,阴阳相错,四维乃通,或死或生,万物乃成。""夏日至则阴乘(依附)阳,是以万物就而死。冬日至阳乘阴,是以万物仰而生。"(《天文训》)《淮南子》将朴素唯物主义的阴阳学说与宇宙万物生成理论紧密结合起来,极大地丰富和发展了阴阳学说。同时,它站在新道家的立场上,继承了早期阴阳说中贵阴的观念,坚持了道家贵阴处柔的主张。这与同时代董仲舒建立的"阳尊阴卑"的阴阳学说形成鲜明对照。

第三,强调水是生命形成的前提。水是生物所不可缺少的重要物质,人们在生产、生活实践中很早就认识到它对生物生长发育不可或缺的作用,并抽象出水是世上最基本物质的观念。《尚书·洪范》将水列为五行之首,《管子·水地》更指明"水"是"万物之本原也,诸生之宗室也"。"人,水也,男女精气合,而水流形。"《淮南子》将水纳入宇宙万物形成系统中,系统地论述了水在万物生成过程中的作用,在前人的基础上大大前进了一步。《原道训》赞扬了水的品德和作用:

> 天下之物,莫柔弱于水。然而大不可极,深不可测。修极于水穷,远沦于无涯。息耗减益,通于不訾。上天则为雨露,下地则为润泽。万物弗得不生,百事不得不成。……与万物始终,是谓至德。

这是继承道家崇尚水德的理论。自从水产生之后,才开始出生入死,自无蹠有,自有蹠无的有形生命之链的循环。《地形训》则进一步论述了这个过程:

> 暖湿生容,暖湿生于毛风,毛风生于湿玄,湿玄生羽风,羽风生暖介,暖介生鳞薄,鳞薄生暖介。五类杂种兴乎外,肖形而蕃。

宇宙有了水之后,开始出现一种湿润之气,叫湿玄,生物直接从这里产生。这说明水是生物起源和进化的前提。各类物种的起源如暖湿、暖介都与水有关。《地形训》介绍的这一过程可以图示如下:

《淮南子》认为各种生物都来源于一种湿润细微的水汽的物质,这和现代科学关于地球上的生命从水中产生的假说有相通之处。其说虽是不合科学的说法,但肯定物质的东西是生物的起源,无疑是朴素唯物主义的说法。另外,关于生物的进化,作者已意识到各类自然物从原始状态到高级状态的进化规律。

(2) 天人关系说

天人关系是古代思想家一直探讨的问题,新道家的思想家们也不例外,他们除了论"道"之外,也必"究天人之际",以便使自己的种种议论和见解,建立在更可靠的哲学思想基础之上。《吕氏春秋·序意篇》中说:

> 文信侯曰:尝得学黄帝之所以诲颛顼矣,爰有大圜在上,大矩在下,汝能法之,为民父母。盖闻古之清世,是法天地。凡十二纪者,所以纪治乱,所以知寿夭吉凶也,上揆之天,下验之地,中审之人,若此则是非可不可无所遁矣。

这段话可以看做是《吕氏春秋》的主旨。这里"大圜"指天,"大矩"指地,而它是把天和人、天道和人道,贯串起来一并考虑和说明,它认为人世间的是和非,可或不可,都须通过考察天、地才能得到正确的答案。司马迁写作《史记》自认为也是这个目的,他在《报任安书》中说:

> 以究天人之际,通古今之变,成一家之言。

这些言论极为典型地道出了新道家著书的目的和所关注的问题。《淮南子》的意思完全和他们一样,在《要略》中有反复表述。

> 夫为作书论者,所以纪纲道德,纪纬人事,上考之天,下揆之地,中通诸理。……故著二十篇。

> 故著书二十篇,则天地之理究矣,人间之事接矣,帝王之道备矣。

> 若刘氏之书,观天地之象,通古今之事,权事而立制,度形而施宜。……故置之寻常而不塞,布之天下而不窕。

这里显然是把人事、政论紧密联系的天地之理。

《淮南子》在道家(尤其是庄子)思想的基础上,广泛吸取当时自然科学知识及新道家思想,完成了系统复杂的天人关系学说的理论体系。其学说具有以下特点:

第一,在天人关系上,以人为中心,为人的一切找自然的依据。在《淮南子》的天人关系学说中,最基本的一点就是把人与天的结构直接相比附,认为人的生理结构、情性道德都与天的结构、功能相类似和对应。《精神训》说:

> 头之圆也象天,足之方也象地。天有四时、五行、九解、三百六十六日,人亦有四支、五藏、九窍、三百六十六节。天有风雨寒暑,人亦有取与喜怒。故胆为云,肺为气,肝为风,肾为雨,脾为雷,以与天地相参也,而心为之主。

因为人的身体结构,是与天地相参,所以就可以说:"天地宇宙,一人之身也,六合之内,一人之制也。"(《本经训》)人的身体就像一个小宇宙,人体、精神与天相类似,也可以说人与天相通:"遭急迫难,精通于天。"(《览冥训》)"人主之情,上通于天。"(《天文训》)"天之与人,有以相通也,故国危亡而天文变,世惑乱而虹霓见。"(《泰族训》)不仅人可与天相通,而且天的作用,往往要通过人而得以实现。如:

> 天地之和合,阴阳之陶化万物,皆乘人气者也。(《本经训》)

这实际是把以天为中心的天人关系,转到以人为中心的天人关系。

为了为人世间以帝王为中心的统治寻找依据,《淮南子》在《天文训》中,设计出了上天世界有一整套严密的组织结构,如上天分为九个区域,二十八星宿分属这九个区域。这当本于人世的九州,又如,天上有木、火、土、金、水五星分别管理上天东南中西北五方,每方都有一个天帝和辅佐之臣,其中中央的天帝是黄帝,负责统领四方。这当本于世间以帝王为中心的统治机构。

第二,天是自然的天,人的活动必须遵循天道自然的原则,不能违背自然规律,否则就要受到自然的惩罚。在前面"宇宙万物形成说"中我们论述了《淮南子》关于天的自然生成与发展。天在其生成发展演变中有自身的规律,不存在神灵的作用制导,没有人为的痕迹。正是这种无形的规律,使得天行有常。人们的活动必须遵循天道自然的原则和规律。如《淮南子》认为,天体年复一年周而复始地运行,形成各种不同季节时令的次第更换。人们在天规律性的运行中,应有与之相适应的政治活动。《天文训》说：

> 太阴治春,则欲行柔惠温凉;太阴治夏,则欲布施宣明;太阴治秋,则欲修备缮兵;太阴治冬,则欲猛毅刚强。

就是说人们必须根据不同的时节,进行不同的政治活动。在《时则训》里,作者按四季十二个月的时间顺序,逐季逐月记叙"时则"规律,包括天象、气候、物候、农事等,并在叙时则时,穿插叙述天子依据时则制定施行的政令,这是古代遵循天道规律从事以农业为中心的生产活动和以天子为中心的政治活动的经验总结。

《淮南子》认为,哪里能遵循天道规律,经济、政治治理得好,则哪里就会风调雨顺,国泰民安;哪里治理不好,天就会降下灾异。《天文训》说：

> 人主之情,上通于天。故诛暴则多飘风,枉法令则多虫螟,杀不辜则国赤地,令不收则多淫雨。

认为人们不按天道规律办事,就会受到上天的惩罚。而上天的惩罚,又是任何人都没有办法逃避的。《览冥训》说：

> 上天之诛,虽在圹虚幽闲,辽远隐匿,重袭石室,界障险阻,其无所逃之亦明矣。

在天道规律面前,《淮南子》认为应顺天之为,自然无为,当然不是寂然不动,而是因势利导。就这一点来说,它不同于老子的无为论,而比较类似于晋代郭象的"无为论"。这种"无为"就是"私志不得入公道"(《修务训》),摈弃个人主观嗜欲和偏见,遵循客观规律办事。"故达于道者,不以人易天。"(《原道训》)这才是人自然无为的态度。

《淮南子》天人关系说,有唯物主义的意义,也含有"天人感应"的唯心主义因素。它所指的"天",包容了神学意义上的

"天"和自然之"天"。它所说的天人感应是一种双向交感,既有天主宰人世的一面,也有人的至精可以感动上天的一面。其主导倾向,在于强调人的活动必须遵循客观规律,否则就会受到自然的惩罚。这与全书主张的以道为核心的自然和以无为为纲的政治论是一致的。在封建中央皇权日益加强,没有人能监督帝王行为的条件下,《淮南子》利用"天"的惩罚来约束统治者的嗜欲,规范他们的行为,也有一定积极意义。这与董仲舒的维护君权神圣为目的的以"王"为中心的天人感应理论有原则的区别。

(3) 地人相关说

大地养育万物,地理环境与人类息息相关。很早人们便把地面的自然现象及其规律称为"地道",与天道、人道并称。《易·系辞》说:"易之为书也,广大悉备。有天道焉,有人道焉,有地道焉。"《淮南子》运用当时进步的自然地理和人文地理知识,结合阴阳五行学说,建立了与天人关系乃至整个宇宙生成理论相配套的地人关系说。作者从人类是天地的派生物,人类要适应地理环境的思想出发,特别论说了地理环境对人的影响。

第一,《淮南子》认为不同的地理位置为人们提供了不同的生存环境和物产。《地形训》对大地环境作了充满想象成分的描述:根据天圆地方说,认为大地是一个巨大的板块,东西宽二万八千里,南北宽二万六千里。大地的中央部分叫"九州",也就是中国。九州之外,分别扩展到"八殥"、"八纮"、"八极",九州之内分布着九山、九塞、九薮、六水及相关的数十条河川。又用"八风"说明了气候状况。在大地上生活着不同人种、种族,他们的长相及生理状况各不相同,除中国外,分布于海外的有三十六国。《地形训》还认为,不同地理位置出产的物品也是不同的。这一方面由于气候不同,出产的物品就不一样,如北方种麦,南方产稻。另一方面,由于各地地形、土质,甚至阴阳属性不同出产的物品也不一样,所谓"山为积德,川为积刑;高者为生,下者为死;丘陵为牡,溪谷为牝"就是指不同阴阳属性,所以其出产物品从种类到品质都有所不同。这些论述有不科学的地方,也有许多合理的成分,代表了当时自然科学知识的水平。它说明地理环境决定人们生存条件的千差万别。

第二,《淮南子》认为不同的地理环境对人的生理、心理、风习有着巨大影响。《地形训》把不同的地理环境、不同的人种、人们不同的生活习性甚至不同的智能联系起来,提出了系统的地人相关说,认为不同的地理环境决定人们的性格,甚至决定人们的生理和心理特征。如:

> 是故山气多男,泽气多女,障气多喑,风气多聋,林气多癃,木气多伛,岸下气多肿,石气多力,险阻气多瘿,暑气多夭,寒气多寿,谷气多痹,丘气多狂,衍气多仁,陵气多贪,轻土多利,重土多迟,清水音小,浊水音大,湍水人轻,迟水人重,中土多圣人。皆象其气,皆应其类。

《地形训》中的这些描述,力图揭示和探索地人关系,但由于当时科学水平的限制,论述中有许多主观臆测、牵强附会的成分。

3.《淮南子》的政治论

《淮南子》和《吕氏春秋》、《新语》一样,是秦汉时期新道家的代表作,可以称为政论书。它们的主要目的是阐述新道家的政治主张和政治理论。《淮南子》作为新道家理论和实践的总结性著作,其政治论尤为令人关注。

(1) 无为论

无为是《淮南子》政治论的基本原则。《淮南子》(不计《要略》)共20篇,在20篇中,仅《天文训》、《地形训》、《时则训》等三篇没有明确讲到"无为",但这3篇的精神也与"无为"有关。如《天文训》的目的是"使人有以仰天承顺,而不乱其常者也"(《要略》),《时则训》"使君人者知所以从事",顺应天时,什么时候干什么事,"因循仿依,以知祸福,操舍开塞,各有龙忌,发号施令,以时教期"(《要略》)。因此,可以说无为论贯串全书始终,成为全书的指导思想。

"无为"一词来源于《老子》,《老子》主要从"无争"和"无欲"的意义上揭示了"无为而治"的内涵,其"无为"有顺应客观态势,以柔克刚、以静制动、以后制先的含义,但其主导方面是崇尚自然而贬黜人事,提倡绝圣弃智,退让自保,反对人们积极从事认识和实践活动。庄子进一步发展了老子"无为"观中的消极因素,认为人在自然面前毫无作为,只能听任命运的摆布,所谓"无以人灭天,无以故灭命"(《庄子·秋水》)便是一例。《吕氏春秋》、《慎子》、《经法》、《文子》等书吸取道家无为思想的积极因素并加以发展,扩大了无为的含义,提出因势利导,君无为而臣无不为等内容的新的无为观。《淮南子》从老庄道家无为思想出发,吸收儒、法各家的某些理论,总结和完善了新道家的无为观,形成更系统、更全面的新道家无为论。

新道家学者司马谈的《论六家要旨》评论了新道家的无为

论,它说:

> 道家无为,又曰无不为。其实易行,其辞难知。其术以虚无为本,以因循为用。无成势,无常形,故能究万物之情。不为物先,不为物后,故能为万物主。有法无法,因时为业。有度无度,因物与合。(《史记·太史公自序》)

这里司马谈的所谓"道家",不是指的以老庄为代表的道家,而是指的新道家。新道家所说的"无为",又可说是"无不为"。这一理论文辞上似乎难以理解,实际上易于实行。这种理论以"虚无"为基本特征,以"因循"自然规律和社会法则为应用原则。它正因为没有现成不变的模式,所以能穷究天地万物的真谛,它要求为政行事既不超于事物未萌之前,又不落于事物发展之后,这样恰如其时地行动才能成为万物主宰。"法"和"度"都要因时、因物而变,使其与之相配合。《淮南子》的无为论与司马谈所论其"术"根本一致,具有以下特点:

第一,《淮南子》的无为论,以其道论为基础,以清静、虚无、自然为基本特征,要求为政行事者"修其本","秉其要","返于朴","达于道",以达到"无为而无不为"的目的。

《淮南子》认为"无为"是"道"应用于人类社会政治活动中的体现,也是道对人们行事为政的基本要求:

> 无为者,道之宗。(《主术训》)
>
> 无为为之,而合于道。(《原道训》)
>
> 达于道者,反于清净,究于物者终于无为。(《原道训》)

这里说无为是道的主要内容和重要原则,以"无为"去行事就与"道"契合,而通达道的人,是能返回到清净的天性,深究事物规律的人,能归宿到无为。可见《淮南子》的无为论是以其道论为基础的。

道的特征是无形无象,道生出天地万物,并不是有意识地这样,而是顺其自然;生成天地万物之后,也不以产生者自居,不把由它产生的事物拥为己有,即所谓"太上之道,生万物而不有,成化像而弗宰"(《原道训》)。而以道论为其基础的无为也具有与之相似的特征。

《主术训》开头就把无为的基本特征说得很明白:

> 人主之术,处无为之事,而行不言之教,清静而不动,一度而不摇,因循而任下,责成而不劳……进退应时,动静循理,不为丑美好憎,不为赏罚喜怒,名各自名,类各自类,事犹自然,莫出于己。

这里点明了为君之道,应该是实行无为而治,而无为的特征是清静、虚无、自然。君主清静不浮躁,坚守自然法则不动摇,不动口说教而使人民自然感化。采用虚无、清静的手法,进退适合时宜,动静遵循事理,不因美丑而产生好、恶之心,也不因赏罚而表现喜、怒之情。对事物的名称、分类都应顺随各自的名称和分类,办事顺从自然,而不由君主个人决定。

由清静、虚无、自然这一基本特征,还可连带出无为的其他特征。如"所谓为善者静而无为也,所谓为不善者,躁而多欲也"(《氾论训》)。因为"静而无为"与"躁而多欲"相对称,就引出无为必须"寡欲"的特征。又如"圣人守清道而抱雌节,因循应变,常后而不先,柔弱以静,舒安以定,攻大石礴坚,莫能与之争"(《原道训》)。又引出"后"、"柔"等特征。此外,诸如"易"、"简"、"去智"、"保真"等都是无为的特征。这些基本特征,正是司马谈《论六家之要旨》中总结的新道家无为论"其术虚无为本"的基本宗旨。这些基本特征大都是吸收老庄道家无为思想而得。为了达到"无为无不为"的目的,《淮南子》的无为论有更为积极的展开。

第二,《淮南子》的无为论极为重视规律、法则,以因循自然规律和社会法则为应用原则。

《淮南子》认为宇宙万物都由"道"所生,然而"道"生万物又是自然而然地化生出来的,所以把这个原理应用到社会政治上,人生和政治又何尝不可听其自然变化呢?《原道训》说的"万物固以自然,圣人又何事焉"就是这个意思。《原道训》给"无为"下定义说:

> 所谓无为者,不先物为也。所谓无不为者,因物之所为也。所谓无治者,不易自然也。所谓无不治者,因物之相然也。

这里表明"无为"、"无不为"和"无治"、"无不治"的根本点是一致的。所谓"无为",就是不在事物自然变化之前去胡乱行动;所谓"无不为",就是顺应事物的自然本性而恰当行动。所谓"无治",就是不改变自然;所谓"无不治",就是遵循事物适宜的条件而适当行动。总之,"无为无不为"、"无治无不治",就是遵循自然规律,因时制宜,待时而动。这一思想,正是司马谈《论六家之要旨》中总结新道家无为论的"以因循为用……不为物先,不为物后,故能为万物主"的基本宗旨。

《修务训》从"道论"直接引申出它的与老庄道家不同的无为论:

> 或曰:"无为者,寂然无声,漠然不动,引之不来,推之不往。如此者,乃得道之像。"吾以为不然。……若吾所谓无为者,私志不得入公道,嗜欲不得枉正术,循理而举事,因资而立功,推自然之势,而曲故不得容者。

这里"吾以为不然",明确地表明了作者的态度。在他们看来,"无为"并不是什么也不做,无所作为;而是个人意志不得干扰自然之公理,个人情欲不得蒙蔽正当的道术,遵循自然之理来做事,依据实际条件来成就功业,依顺自然趋势,而诈巧不能参与其中。这样的解释,从理论上破除了把"无为"视为无所作为的旧观念,反映了《淮南子》作者对于老子"无为"思想的积极改造,反映了新道家不同于老庄道家的一个重要特点。

在《淮南子》无为论中,突出地强调了"因"的思想。所谓"因"或"因循",有依据、遵循、继承之意,要求为政行事随物、顺势、依时而动,即要遵循自然规律和社会发展客观实际去办事。

在政治论上,儒、道、法三家都用"因"观念。《淮南子》主要继承和发挥稷下学派和《吕氏春秋》关于"因"的思想。《泰族训》说:

> 圣人之治天下,非易民性也,拊循其所有而涤荡之。故因则大,化则细矣。禹凿龙门,辟伊阙,决江浚河,东注之海,因水之流也。后稷垦草发菑,粪土树谷,使五种各得其宜,因地之势也。汤、武革车三百乘,甲卒三千人,讨暴乱,制夏、商,因民之欲也。故能因,则无敌于天下矣。

这段话中"故因则大,化同细矣"分明出自《慎子·因循》:"天道因则大,化则细。"而其基本论点"能因则无敌于天下"和"因水之流"、"因民之欲"等许多具体事例都与《吕氏春秋·贵因》开头所论基本相同。

但是《淮南子》的"因"理论更加深广。它先从"道法自然"出发,把"因"与自然联系起来。《淮南子》认为天地万事万物都有自然性势,不改变自然性势,与之协调,就是"因"。"因"的作用很大,"因则大,化则细","能因,则无敌于天下",《主术训》也说:"循道理之数,因天地之自然,则六合不足均也。"它再从"因"的作用出发,把"因"与"无为"联系起来。《原道训》说:"天下之事不可为也,因其自然而推之;万物之变不可究也,秉其要归之趣。"认为这个归本秉要、无为而无不为的无为之治,就是"因其自然而推之"。并把"无为"、"无不为"、"无治"、"无不治"分别解作"不先物为也","因物之所为","不易自然也","因物之相然也",也就是不按个人主观意志和欲望办事,而是遵循自然规律、法则办事。《修务训》也用"因"来定义"无为",说"无为"就是"循理而举事,因资而立功"。可以说,"因"是《淮南子》无为论的核心思想,只要因其所宜而用之都是"无为"。它最后从"因"是无为论的核心思想出发,把"因"作为无为论的应用原则推广到一切人事上,并认定凡是一切事功没有不用"因"而成功的。《淮南子》认为:"三代之所道者因也。"(《诠言训》)大禹治水"因水以为师"(《原道训》),"因水之流"(《泰族训》),神农播谷是"因苗以为教"(《原道训》),后稷垦殖"因地之势"(《泰族训》),汤、武取天下是"因民之欲"(《泰族训》),这些都是三代圣王以"因"为用而成功的事例。《淮南子》还认为,在行事为政时要"因物以识物,因人以知人也"(《主术训》)。对待自然万物,要因循自然规律,"循道理之数,因天地之自然"(《原道训》),如"因高为田,因下为池"(《修务训》),要"因其可"、"因其然"(《泰族训》);对待人事,要因顺民情民性民俗,在礼法教化上要"因民之所喜以劝善,因民之所恶而禁奸","因民之所好而为之节文","因其好色而制婚姻之礼……因其喜音而正雅、颂之声……因其宁家室、乐妻子,教之以顺……因其喜朋友而教之以悌,故长幼有序。然后修朝聘以明贵贱,飨饮习射以明长幼,时搜振旅以习用兵也,入学庠序以修人伦。此皆人之所有于性,而圣人之所匠成也"(《泰族训》)。在君驭臣之术上要"因循而任下,责成而不劳"(《主术训》)。在用兵上更要"因势","因与之化"(《兵略训》)。另外,整篇《时则训》都是讲的因自然而制人事。

不难看出,以上所说"因"思想的实质,是因循自然规律和社会法则而为政行事。这种"因"思想不仅是《淮南子》无为论的基本观念和核心思想,而且是汉初政治乃至整个汉代制度的核心精神。《淮南子》的无为论注入了"以因循为用"的"因"思想后,便将老庄道家"出世"、"避世"的"无为"改造成为"入世"、"用世"的"无为"了。

第三,《淮南子》的无为论强调人的能动作用,主张待时而变。

《淮南子》道论认为,"道法自然"道是"无为"的;然而道生万物,所以它又是"无不为"的。"无为"是道的特性,而"无不为"则是道的作用。以这一理论为基础的《淮南子》无为论,把老子早已显露的"无为而无不为"思想大加阐发和强化,主张在因循自然的同时强调人的能动作用。

《原道训》说:

> 所谓天者,纯粹朴素,质直皓白,未始有与杂糅者也;所谓人者,偶蹉智故,曲巧伪诈,所以俯仰于世人而与俗交者也。

这里的所谓"天"是自然的天,客观存在;所谓"人"是人的主观能动性。虽然它把人的主观能动性看成是消极的,但是它似乎已意识到了自然的作用和人的能动作用同时存在,并在概念上将二者划分开来。《修务训》说:

> 夫地势,水东流,人必事焉,然后水潦得谷行;禾稼春生,人必加功焉,故五谷得遂长。听其自流,待其自生,则鲧、禹之功不立,而后稷之智不用。

这里认为"水东流"依自然西高东低的"地势",但也必须经过人的"事(治理、疏导)"。禾苗庄稼依自然条件生长,但成熟五谷还必须通过人的耕耘管理。这就进一步把因循自然规律同人的能动作用结合起来,缺一不可。甚至,人的能动作用能够改造自然。《修务训》说:

> 夫马之为草驹之时,跳跃扬蹄,翘尾而走,人不能制,龁咋足以噆肌碎骨,蹴蹄足以破卢陷匈。及至圉人扰之,良御教之,掩以衡扼,连以辔衔,则虽历险超堑弗敢辞。

烈马驯化为良马是经过了"圉人扰之,良御教之"等人的作为。这件事告诉我们,只要发挥人的能动作用,客观世界是可以改造的。这比老庄道家大大前进了一步。

在如何发挥人的能动作用上,《淮南子》突出地强调了"待时"。所谓"待时",即等待时机而作为,待时而动,待时而变。《淮南子》认为一个人要发挥主观能动性,不能不特别注意把握时机。《原道训》一再强调:"得在时,不在争。"就是说发挥人的作为关键不在先或后,而在于要抓住时机,时机到了,不问先后该动就动,该变就变。可是掌握时机是很难的,错过时机却很容易。《原道训》说:"时之反侧,间不容息。先之则太过,后之则不逮。夫日回而月周,时不与人游。故圣人不贵尺之璧,而重寸之阴,时难得而易失也。"《诠言训》也说:"时之至不可迎而反也;要遮而求合,时之去不可追而援也。"因此,善于作为的人,一定要善于"待时"。《说林训》说:"圣人者不能生时,时

二 《淮南子》的主要思想

至而弗失也。"《说山训》说："故圣人畜道以待时。"大禹就很清楚抢时机的重要,为了抓住时机,他"履遗而弗取,冠挈而弗顾"(《原道训》)。

"待时"的目的是为了发挥人的能动作用,更好地有作为,所以《淮南子》中"时"与"变"、"时"与"动"、"时"与"治"、"时"与"举事"连用,对举。如《氾论训》说,"圣人法与时变,礼与俗化",五帝三王"皆因时变而制礼乐","知法治所由生,则应时而变"。《人间训》说:"动不失时"、"迟退应时"、"应时修备",《诠言训》说"内治而待时"、"有道者不失时与人",《齐俗训》说:"世异则事变,时移则俗易。故圣人论事而立法,随时而举事。"《原道训》说:"应化揆时。"这些说明,《淮南子》是主张在关键时刻,充分发挥人的能动作用,也就是说,是主张积极有为的。它的待时而变、待时而动的思想应该是采撷法家的,法家以重时求变为传统,如《商君书·更法》说:"各当时而立法,因事而制礼,礼、法以时而定。"《韩非子·五蠹》说:"法与时转……治与时宜。"这些都为《淮南子》所吸取,成为其无为论的重要思想。这一思想,正是司马谈《论六家要旨》中总结新道家无为论"时变是守"(《史记·太史公自序》)的特征。

《淮南子》无为论,以其道论为基础,几乎全面吸取了老庄道家无为思想清静、虚无、自然的精神,作为其论说的基本特征;同时在儒、道、法重规律的"因"观念基础上,主要继承和发挥新道家的"因"思想,使之成为其论点的应用原则。甚至把法家的"时变"思想也结合起来使其论说更强调人的能动作用。这种具有自己特点的"无为无不为"的无为论就成为《淮南子》政治论的基本原则。

(2) 民本论

民本论是《淮南子》政治论的着眼点和出发点,它决定了《淮南子》的政治倾向和政策倾向。

民本思想是一个很古老的思想,先秦诸子尤其是儒家多有论述。新道家也不例外,《吕氏春秋》认为"宗庙之本在于民"(《务本》)。它有专门一篇《顺民》,其中说:"先王先顺民心,故功名成。夫以德得民心以立大功名者,上世多有之矣。失民心而立功名者,未之曾有也。"《吕氏春秋》的民本思想,强调的是"顺民心"和"得民心",这是当时时代条件的反映,由割据纷争的战国到秦统一,人心的向背尤为重要,所以它说:"欲为天子,民之所走,不可不察。"(《功名》)"人主有能以民为务者,则天下归之矣。"(《爱类》)

《淮南子》将无为论与历史上的民本思想结合起来,形成了散发出时代气息的新的民本思想。其具有以下特点。

第一,《淮南子》认为民众是立国的根本,并提出"安民"的命题。

《淮南子》的民本论重视民众,以民众为根本。《泰族训》说:

> 国主之有民也,犹城之有基,木之有根;根深则本固,基美则上宁。

就是说,人民是根本,是基础,有了稳固的根基,国家才能巩固,君主统治才得安稳。这种以民为根本的思想在《主术训》中有更为明确的表述:

> 民者,国之本也;国者,君之本也。

这是说,人民是立国的根本,而国家又是君主的根本。这一命题与《吕氏春秋》"主之本在于宗庙,宗庙之本在于民"(《务本》)相同,它们都采撮儒家孟子"民为贵,社稷次之,君为轻"(《尽心下》)的思想。不过《淮南子》"民者,国之本"的"国"比"宗庙"、"社稷"所代表的封建政权更为明确,在这里再也看不到"天"、"神"的影子了。这一更为明确的命题,不是随意提出来的,而是基于对民众力量的认识。《泰族训》说:

> 所谓有天下者,非谓其履势位,受传籍,称尊号也,言运天下之力,而得天下之心。

> 汤、武革车三百乘,甲卒三千人,讨暴乱,制夏、商,因民之欲也。故能因则无敌于天下矣。

这说明民众是一个不可忽视的政治力量,顺应民势,符合民心,就能得天下,反之,失去民心,就会失去天下。民众在国家治乱兴衰中的地位和作用在战国到汉初这段历史里反映得更加明显。在秦的建立与灭亡、汉的建立与走向兴盛中,民众显示出尤为巨大的威力,这给《淮南子》的作者们更现实的深刻教训和宝贵的经验,促使他们重视民众的情绪和要求,这就是这一命题得以发展的社会历史背景。

与以前民本思想不同的是,《淮南子》在提出"民者,国之本"的同时,还强调"食者,民之本"(《主术训》),因此它又提出了"安民"或者叫"宁民"的命题。《诠言训》说:"为治之本,务在安民。"《泰族训》也说:"故为治之本,务在宁民。"这两句话基本相同,"宁"即"安",都是说"安民"是为政治国的根本。所谓"安民"就是安定民心,使民众安定、安乐。

君主如何才能做到"安民"呢?《诠言训》说:

> 安民之本在于足用,足用之本在于勿夺时,勿夺时之本在于省事,省事之本在于节欲,节欲之本在于反性,

> 反性之本在于去载。去载则虚，虚则平，平者道之素也，虚者道之舍也。

由于"食者，民之本"，所以欲安民，首先要使民食用充足，满足他们的生活用度。要满足民众需要，就要求君主不耽误生产时间、省事、节欲、反性（返璞归真）、去载（抛弃精神负担）。这一系列的具体措施都是围绕着"虚"、"平"境界而展开的，即君主无为而治。这是"道"的归宿。

安民从"足用"出发，归宿到"道"虚静无为，这正是新道家政治论的一大特点。《淮南子》"安民"是移用了儒家孔子"安百姓"（《论语·宪问》）的仁民观念，但在具体的安民措施上却采用道家的虚静无为作为最高指导原则，这就进一步完善了新道家政治论中的民本思想。

第二，《淮南子》提出了一系列安民的政策。

民众乃国家之本，欲治国当以安民为本，这个道理很简单。虽然道理很简单，但是要做到却不是容易的事。孔子就曾经说："修己以安百姓，尧舜其犹病诸！"（《论语·宪问》）意思是君主加强自身修养来使民众安定，这非易事，就连尧、舜恐怕还未完全做到哩！往往由于君主帝王的贪欲，驱使他们加重剥削、压迫，迫使民众走投无路而造反，这就是不容易做到安民的根本原因。因此《淮南子》为了封建国家的长治久安，从"民者国之本"的认识出发，提出了一系列安民的政策主张。

首先是"利民"政策。《氾论训》说：

> 治国有常，而利民为本；政教有经，而令行为上。苟利于民，不必法古；苟周于事，不必循旧。

这里明确提出了"利民"是治国的常规政策。它认为一切刑赏、教化等通行的政令，都以"利于民"、"周于事（适合民事）"为根本原则,而不是简单地以古今定是非,既不必效法古代,也不必遵循旧例。这一政策的思想,与《商君书·更法》的"苟可以利民,不循其礼"相同,是采撮法家,而不同于老庄以"愚民"为治国原则,也不同于儒家以"仁民"为原则。《主术训》、《修务训》、《兵略训》各篇对"利民"政策都有很好的发挥。《主术训》说:

> 先王之所以应时修备,富国利民,实旷来远者,其道备矣。

这里说先王治国之道所以完美,是由于他采取了"富国利民"的政策。《主术训》还说,"尧之有天下也,非贪万民之富,而安人主之位也",而是为了"和辑"民众的"力征"。这也把"利民"原则说得很清楚。《修务训》说:

> 且古之立帝王者,非以奉养其欲也;圣人践位者,非以逸乐其身也。为天下强掩弱,众暴寡,诈欺愚,勇侵怯,怀知而不以相教,积财而不以相分,故立天子以齐一之。……所以衣寒食饥、养老弱而息劳倦也。

《兵略训》也说:

> 夫(君主)至于攘天下,害百姓,肆一人之邪,而长海内之祸,此大伦之所不取也。所为立君者,以禁暴讨乱也。今乘万民之力,而反为残贼,是为虎傅翼,曷为弗除。

这些都表明帝王的一切作为,不是为自己的私欲、安乐,去"害百姓",而是为了民众的生存,去采取"利民"政策。就是说不利己而利民。封建帝王的一切作为能从"利民"出发,就可能达到"安民"的目的。

其次是"富民"政策。《人间训》借西门豹治邺之事,提出"富民"政策,并指出了"富民"政策的作用:

　　　　西门豹曰:"臣闻王主富民,霸主富武,亡国富库。今王欲为霸王者也,臣故蓄积于民。君(魏文侯)以为不然,臣请升城鼓之,甲兵粟米可立具也。"

显然,《淮南子》作者是站在西门豹一边,提倡"富民"政策,反对"亡国"的"富库"做法。西门豹的话说明,只有富民才能富国,蓄富于民,就能建立霸王之业。所谓"富民"就是使民众富裕。这一观念是由儒家孔子提出,《论语·子路》:"冉有曰:'既庶矣,又何加焉?'(孔子)曰:'富之。'"孔子还说"政有使民富且寿","薄赋敛则民富"(《说苑·政理》)。《管子·牧民》说:"仓廪实,则知礼节;衣食足,则知荣辱。"把"富民"观念与道德连在一起。《淮南子》总结了秦亡汉兴的历史教训,进一步发挥了前人"富民"思想。《齐俗训》说:

　　秦王之时,或人菹子,利不足也;刘氏持政,独夫收孤,财有余也。

　　夫饥寒并至,能不犯法干诛者,古今之未闻也……夫民有余即让,不足则争。让则礼义生,争则暴乱起……故物丰则欲省,求澹则争止。

这是把"富民"与"安民"结合起来了,民富则道德观念也会随之增强。秦始皇时,民众"利不足",竟有人宰食自己的儿子,汉初民众"财有余",独身男子也收养孤儿。《淮南子》认为民众的安定、安乐及民心的归顺都取决于"富民"。可见《淮南子》的"富民"政策是从历史经验和教训中总结出来的。

　　富民政策首要的是发展生产,搞好农业。《主术训》说,因为"食者民之本",所以它要求君主"上因天时,下尽地财,中用人力",做到"群生遂长,五谷蕃植";还要"教民养育六畜,以时种树(耕种)",因地制宜,不适合种五谷的地方则种植竹木瓜果,还要保护生物资源,如"草木未落,斤斧不得入山林,昆虫未蛰,不得以火烧田";"孕育不得杀,鷇(雏鸟)卵不得探,鱼不长尺不得取,彘不期年不得食"等,使"草木之发若蒸气,禽兽之归若流泉,飞鸟之归若烟云"。只有这样人民才能逐步富裕起来。再是要减轻民众的赋税负担。这也是富民的一个条件。《主术训》说,"仁君明王"能够做到"取下有节,自养有度",则民众不会遭受"饥寒之患";而"贪主暴君""侵渔其民,以适无穷之欲","则百姓无以被天和而履地德"。要富民,"人主租敛于民也,必先计岁收,量民积聚,知饥馑有余不足之数,然后取车舆衣食供养其欲"。即要求君主一定要考虑人民的负担能力,根据其财力适当地征收赋税。《主术训》还进行了具体的测算,得出富民必须重视粮食的储备:

> 夫民之为生也,一人跖耒而耕不过十亩,中田之获,卒岁之收,不过亩四石。妻子老弱,仰而食之,时有涔旱灾害之患,无以给上之征赋车马兵革之费。由此观之,则人之生悯矣!夫天地之大,计三年耕而余一年之食,率九年而有三年之畜,十八年而有六年之积,二十七年而有九年之储,虽涔旱灾害之殃,民莫困穷流亡也。

在当时生产力的情况下,常常发生水旱虫灾,还要上缴赋税供给官府车马军队的费用,看来,富民是很困难的,因此,只有发展生产,逐年积累财富,增加储备,才能达到民富国强。关于储备,《礼记·王制》也有类似的说法。《王制》只到9年为止,《淮南子》则增加18年和27年,显然强调了储备在富民政策中的重要性。另外,强调"与民休息"也是富民的条件。《人间训》借魏臣解扁治东封之事提出了"与民休息",减少徭役。解扁下令民众冬天伐木,春天再从河道运出去卖掉。魏文侯批评说:"民春以力耕,暑以强耘,秋以收敛,冬间无事,又伐林而积之,负辄而浮之河,是用民不得休息也,民以敝矣。虽有三倍之入,将焉用之?此有功而可罪者也。"增加徭役,人民得不到休养生息机会,民力已经疲惫不堪,虽然国家收入增多了,又有什么用呢?这是"有功"反而该受责备的例子。这说明,要富民,就要"与民休息"。这与汉初"轻徭薄赋"主张是一致的。

再则是"因民"的政策。《淮南子》在其无为论的指导下,提出了"因民"政策。它提出"安民",并非不讲法制和教化,而是用因民性、因民心、因民之欲而立法教人。《泰族训》说:

> 圣人之治天下,非易民性也……故先王之制法也,因民之所好而为之节文者也。因其好色而制婚姻之礼,故男女有别;因其喜音而正雅、颂之声,故风俗不流;因其宁家室、乐妻子,教之以顺,故父子有亲;因其喜朋友而教之以悌,故长幼有序。……故先王之教也,因其所喜以劝善,因其所恶以禁奸,故刑罚不用而威行如流,政令约省而化耀如神。故因其性则天下听从,拂其性则法县(悬之古字)而不用。

所谓"因民",就是依据民众的客观实际,去治理民众。《淮南子》认为圣人治理天下,并不是强行改变民众的品性,而是因循民众已经具有的素质,因势利导,劝善禁奸。这样做,就能使民众听从教化和号令。"赏一人而天下誉之,罚一人而天下畏之。故至赏不费,至刑不滥。"(《氾论训》)相反,违背民众的品性,法令公布出来也会失去其作用。可见"因民"政策对于"安民"有很大的作用。

第三,《淮南子》提出安民之"权要"在于君。

《淮南子》毕竟是古代封建君主制的拥护者。因此,民众始终是被治者。即使提出"民者,国之本也;国者,君之本也"(《主术训》),也不是把民众放在第一位,而只是为了说明能否安民取决于君主,即所谓"是故人君者上因天时,下尽地财,中用人力","得失之道,权要(关键)在主。"(《主术训》)可见,所谓"民者国之本",并不是让民众当家做主,而是把侧重点落在君主身上。"为治之本,务在于安民"(《诠言训》),而能否达到安民其根源和责任在君而不在民。

《淮南子》认为民众不能安定和安乐主要是由在上位的君主引起的。《主术训》说:

> 是以上多故则下多诈,上多事则下多态,上烦扰则下不安("安",作"定"),上多求则下交争。

> 一旦而有天下之富,处人主之势,则竭百姓之力以奉耳目之欲,志专在于宫室台榭,陂池苑囿,猛兽熊罴,玩好珍怪。是故贫民糟糠不接于口,而虎狼熊罴厌刍豢;百姓短褐不完,而宫室衣锦绣。人主急兹无用之功,百姓黎民憔悴于天下,是故使天下不安其性。

这里民不能安定、安乐地生活,是由于君主奢欲使民众贫困的缘故。此外,严刑峻法也是加剧社会矛盾,使民不安的重要原因。《齐俗训》说:

> 乱世之法,高为量而罪不及,重为任而罚不胜,危为禁而诛不敢。民困于三责,则饰智而诈上,犯邪而干免。故虽峭法严刑,不能禁其奸。何者? 力不足也。

《主术训》说:

> 政苛则民乱。

> 末世之政……执政有司,不务反道,矫拂其本,而事修其末,削薄其德,曾累其刑,而欲以为治,无异于执弹而

来鸟,挥梲而押犬也,乱乃逾甚。

《淮南子》认为只有君主为政好,才能国泰民安。《本经训》说:

> 古者圣人在上,政教平仁爱洽,上下同心,君臣辑睦,衣食有余,家给人足,父慈子孝,兄良弟顺,生者不怨,死者不恨,天下和洽,人得其愿。

为什么说安民之权要在于君呢?这与君主本身的思想素质有很大关系。《缪称训》说:

> 主者国之心,心治则百节皆安,心扰则百节皆乱。故其心治者,支体相遗也。
>
> 同言而民信,信在言前;同令而民化,诚在令外也。
>
> 上忧寻不诚,则不法民;忧寻不在民,则是绝民之系也。君反本而民系固也。

能否安民,最后不能不追到权力发源地的君主之心。所以,君主的自身的道德修养至关重要,关系到民心向背、国家治乱。《缪称训》还说:

> 唐尧之举错也,非以偕情也,快己而天下治;桀、纣非正贼之也,快己而百事废。喜憎议而治乱分矣。

人的一切言行都是感情的自然流露,君主情操的善恶美丑影响极大,决定着天下的治乱。因此《淮南子》要求君主加强自身的道德修养,在无为论的指导下,首先,对民众必须有儒家孟子提出的"恻隐之心"、"与民同乐",忧民之忧,乐民之乐。《主术训》说:

> 古之君人者,其惨怛于民也,国有饥者食不重味,民有寒者而冬不被裘……君臣正下同心而乐之。

其次,君主还必须有墨家勤俭为公、牺牲、服务的精神,"取下有节,自养有度","身被节俭之行而明相爱之仁"(《主术训》)。

《淮南子》特别推崇黄帝、尧、舜、禹、汤、文、武那样的圣主,这些圣主始终孜孜不倦地加强自我修养,积善成德,以至诚之心矢志利民爱民,感化民心,勤劳天下。《主术训》说:

> 尧之有天下也,非贪万民之富,而安人主之位也。……是故茅茨不翦,采椽不斫,大路不画,越席不缘,大羹不和,粢食不毁。巡狩行教,勤劳天下,周流五岳。……年衰志悯,举天下而传之舜,犹却行而脱蹝也。

这是《淮南子》赞扬"仁君明王"的一个例子,而它对暴君暗王却无情地谴责。《本经训》说:

> 纣为肉圃酒池,焚燎天下之财,罢苦万民之力,刳谏者,剔孕妇,攘天下,虐百姓。

《兵略训》又说:

> 二世皇帝……纵耳目之欲,穷侈靡之变,不顾百姓之饥寒穷匮也。兴万乘之驾,而作阿房之宫;发闾左之戍,收大半之赋;百姓之随逮肆刑,挽辂首路死者,一旦不知千万之数。天下敖然若焦热,倾然若苦烈……

仁君明王民必安,国必治;暴君昏王民不安,国必乱。这再次证明安民之权要在于君。

《淮南子》的民本思想,乃是其政治论的光彩部分。但是,其民本思想并不是出于封建统治阶级对民众的"仁爱"之心,专为民众着想的,而是通过总结秦亡的教训和汉初的治国经验而提出的,其目的是为了封建国家长治久安。在存在阶级压迫和剥削的社会里,其民本思想是不能实现的,最多只会影响到封建统治者的一些暂时性的政策,给民众造成一点幻想。尽管如此,它在当时历史条件下提出一些安民主张,在客观上有利于减轻人民的沉重负担,发展社会生产,仍有一定的积极意义。统治阶级所以会提出这些主张,也是由于广大劳动人民经过长期艰苦斗争的结果。《淮南子》的民本思想,把君主看成是传统政治的主角,民众仅仅是被君主所支配的对象,这显然与现代民主观念存在着本质的差别。这是时代造成的局限,我们不能把它的民本论估价过高。

(3) 君臣论

西汉王朝建立后,汉初统治者为了加强君主集权,特别注重建立新型的君臣关系。《淮南子》适应形势发展的需要,提出了新的君臣论。它的君臣论以其无为论为基本原则,融会了儒道法各家的理论,形成了自己的特点。其主要包括以下几个方面的内容:

第一,"君制臣,臣事君"的君臣关系。

《淮南子》论述君臣关系的话几乎各篇都有,主要集中在《主术训》中,其中下面这段论述较为典型:

> 主道员者,运转而无端,化育如神,虚无因循,常后而不先也。臣道方者(依王念孙校改),论是而处当,为事先倡,守职分明以立成功也。是故君臣异道则治,同道则乱。各得其宜,处其当,则上下有以相使也。夫人主之听治也,虚心而弱志,清明而不暗,是故群臣辐凑并进,无愚智贤不肖莫不尽其能者。则君得所以制臣,臣得所以事君,治国之道明矣。

这段话里,首先是提出了"君臣异道"的主张。所谓"君臣异道"是说做君主与做臣子各自所遵循的原则是不同的。这里"主道员(通圆)"、"臣道方"与《吕氏春秋》"主执圜(同圆),臣处方"(《圜道》)的主张是一脉相承的。它们都是根据"天道圜、地道方,圣王法之"(《圜道》)而得出"君臣异道"。《吕氏春秋》说:"因者,君术也。为者,臣道也"(《任数》),或者说:"大圣无事而千官尽能"(《君守》)即君道无为,臣道有为。《淮南子》这里说,君道"虚无因循,常后而不先"就是说君主应行贵"虚无"、贵"因循"、贵"后"的无为之道;臣道"论是而处当,为事先倡,守职分明以立成功"就是说臣子应行议论正确,处事恰当,遇事先行倡导,职责分明而不推委,以争立功绩的有为之道,把君道无为,臣道有为说得更具体,更明确。

　　《淮南子》反复论述君道无为。它认为君道是"通于天道"的,"天道玄默,无容无则,大不可极,深不可测",所以君道应效法天道,"处无为之事,行不言之教,清静而不动,一度而不摇,因循而任下,责成而不劳","进退应时,动静循理","事犹自然,莫出于己","灭想去意,清虚以待。不伐之言,不夺之事,循名责实,使有司任而弗诏,责而弗教。以不知为道,以奈何为宝。"(均见《主术训》)明确主张君道无为,"君道者,非所以为也,所以无为也"(《诠言训》)。

　　君道无为,必须臣道有为。《淮南子》多讲主术君道,而少及臣道,详君道而略臣道,但从臣道反于君道,君臣异道中,还是能看出臣道有为来。《泰族训》说,"立事者贱者劳而贵者逸",就是说,与"贵者逸"的君主相反,"立事"的臣子地位低下,而从事具体的工作,务劳,务动。也就是所谓"臣道方者,论是而处当,为事先倡,守职分明以立成功也"。除了做具体事情之外,臣子还必须具备忠信不欺的品德。《人间训》说:"忠臣不苟利。""忠臣之事君也,计功而受赏,不为苟得,积力而受官,不贪爵禄。其所能者,受之勿辞也;其所不能者,与之勿喜也……辞所不能而受所能,则无殒堕之势,而无不胜之任矣。"

这样,"君臣异道"即君行无为之道,臣行有为之道,则天下太平,国家大治;君臣同道即君和臣都有为或臣和君都无为,则天下就会乱套,出现灾祸。

其次是这段话里提出了君臣"各得其宜,处其当"的主张。所谓"各得其宜,处其当",就是君与臣各自得到所适宜的位置,处在各自恰当的地位。为什么君道无为而臣道有为呢?这完全是君臣各自的地位所决定的。《淮南子》认为,在封建社会里,君与臣同属于统治阶级,但是他们在政治体制中所处的地位是不同的。《缪称训》说:

> 君,根本也;臣,枝叶也。根本不美,枝叶茂者,未之闻也。

在整个执政集团中,君主是为政的主体,臣子是帮助君主为政的副体,所以这里说,君是根本,臣是枝叶,根本不健壮,却能枝叶繁茂,这是没有听说过的。在实际地位上,应当是君大而臣小,君贵而臣贱,君尊而臣卑。《说山训》说:"末不可大于本,指不可大于臂,下轻上重,其覆必易。"《主术训》也说:"枝不得大于干,末不得强于本,则轻重大小,有以相制也。若五指之属于臂,搏援攫捷,莫不如志,言以小属于大也。""人主之居也,如日月之明也。""得失之道,权要在主。""权势者,人主之车舆;爵禄者,人臣之辔衔也。"《诠言训》说:"处尊位者如尸(象征死者神灵的人),守官者如祝宰(分管其具体事务之人)。"这些都将君主与臣子所处的地位说得很清楚。由于君臣"各得其宜,处其当",所以君臣上下就可以配合默契,互为促进了。

再则是这段话里提出了"君制臣,臣事君"的主张。《淮南子》主张君道无为,但并不是君主无所作为,恰恰相反,它主张君主以无为去驾驭臣子,充分发挥臣子的聪明才智。所谓"夫人主之听治也,清明而不暗,虚心而弱志,是以群臣辐凑并进,无愚智贤不肖,莫不尽其能者。则君得所以制臣,臣得所以事君,治国之道明矣",就是说君主治理政务,心灵虚静,嗜欲减少,清明而不昏昧,那么群臣像车辐条凑聚于车轴上一样,入朝辅佐君主,不论是愚笨的还是聪明的,贤能的还是无能的,无不各尽其所能,这样,君主能够驾驭臣下,臣下能够效力君主,治国的方法就明确了。《主术训》还说:

> 乘众人之智,则天下不足有也;专用其心,则独身不能保也。是故人主覆之以德,不行其智,而因万人之所利。

> 夫乘众人之智,则无不任也;用众人之力,则无不胜也。

> 人主者,以天下之目视,以天下之耳听,以天下之智虑,以天下之力争。

这些都说明,君主治国要无为而治,不显露自己的聪明才智,但要善于放手让臣下施展其才华,集中臣下的智慧和力量为己所用。要做到这一点,君主必须以无为的姿态,利用法、术、势来驾驭群臣。《主术训》说:"人主执正持平如从绳准高下,则群臣以邪来者犹以卵投石。""人主诚正则直士任事而奸人伏匿矣。""人主贵正而尚忠,忠正在上位,执政营事,则谗佞奸邪无由进矣。"这就是以法来考核群臣。《主术训》说:"有术则制人,无术则制于人。""圣主之治也,其犹造父之御,齐辑之于辔衔之际,而急缓之于唇吻之和,正度于胸臆之中,而执节于掌握之间,内得于心中,外合于马志,是故能进退履绳,而旋曲中规,取道致远而气力有余,诚得其术也。是故权势者,人主之车舆也;大臣者,人主之驷马也。体离车舆之安,而手失驷马之心,而能不危者,古今未有也。"这就是说君主治国同驭手驾车一样,关键在于以权术驾御群臣。《主术训》说:"人主处权势之要,而持爵禄之柄,审缓急之度,而适取予之节,是以天下尽力而不倦。""权势之柄,其以移风易俗矣。""怯服勇而愚制智,其所托势者胜也。"都是说君主凭借所处在上位的权势去驾驭群臣,从而发挥群臣的才智和力量取得事业的成功,达到移风易俗,天下大治的目的。

从上述的君臣关系来看,《淮南子》除以无为论为指导外,显然移用了法家君尊臣卑的政治模式,又在这个模式中,填充了不少儒家思想。如《主术训》说:"夫臣主之相与也,非有父子之厚,骨肉之亲也,而竭力殊死,不辞其躯者何也?势有使之然也。……人之恩泽使之然也。……臣不得其所欲于君者,君亦不能得其所求于臣也,君臣之施者,相报之势也。""君不能赏无功之臣,臣亦不能死无德之君。"《缪称训》说:"臣之死君也,世有行之者矣,非出死以要名也,恩心之藏于中而不能违其难也。"这些正反映出新道家的特点。《淮南子》君臣关系论是历史正反两方面实践经验和教训的总结,符合汉初统治者加强君主集权的需要。

第二,"因循而任下,责成而不劳"的用人思想。

要造就"君制臣,臣事君"的君臣关系,任用人才是一个特别重要的问题。《主术训》说:"人主之一举也,不可不慎也。所任者得其人,则国家治,上下和,群臣亲,百姓附;所任者非人,则国家危,上下乖,群臣怨,百姓乱。"认为君主举用人才,一定要审慎、得当。如何任用人才呢?《主术训》提出了"因循而任下,责成而不劳"的思想,即在无为论的指导下,因循常规任用下属,监督他们各尽其责而君主自己不必操劳费力。这里包含有对人才的任用、管理等方面的思想。

首先,《淮南子》认为君主要最大限度地集中天下人的才智,充分发挥众人的力量。"因循而任下"之"因循",即前所论新道家无为论"以因循为用"的基本宗旨。也即《修务训》所谓"因资而立功"。君主所因之资,就是众人之智、众人之力。《主术训》说:

> 勇力不足以持天下矣。智不足以为治,勇不足以为强,则人材不足任,明也。而君人者,不下庙堂之上,而知四海之外者,因物以识物,因人以知人也。故积力之所举,则无不胜也;众智之所为,则无不成也。

这里所说的"智"和"勇",都是指君主个人的智和勇,这种君主个人的智和勇,是有限度的,不足以治理天下。所以说个人的才智是不够用的,只有集中众人的力量,发挥众人的才智,才能把事情办成功。《主术训》说:"人知之于物也浅矣",一个人的才能总是有限的。就算君主是天下耳最聪、目最明的人,他也照样是"目不能见十里之前,耳不能闻百步之外"(《主术训》);如果君主"以天下之目视,以天下之耳听,以天下之智虑,以天下之力争"(《主术训》),那情况就大不一样了。因此,君主不仅要提高自己的才智和能力,更重要的是要"总海内之智,尽众人之力"(《主术训》)。《淮南子》用樐(固定在船两侧的桨)来作比喻,《主术训》说:"七尺之樐而制船之左右者,以水为资。"君主治天下也是这个道理,只有以众人之智、众人之力为资,天下才会大治。《主术训》说:

> 夫乘众人之智,则无不任也;用众人之力,则无不胜也。千钧之重,乌获不能举也;众人相一,则百人有余力矣。是故任一人之力者,则乌获不足恃;乘众人之制者,则

天下不足有也。

这说明在任用人才上,集中众人的智与力而用之是极为重要的。

其次,《淮南子》认为君主要因材施用,各得其宜,不可"弃材"。所谓"因循而任下"不仅是因众人之智、力而用之,而且是因材施用,即根据臣下的不同才能给予不同的任用。《主术训》说:

> 贤主之用人也,犹巧工之制木也:大者以为舟航柱梁,小者以为楫楔,修者以为榱橑,短者以为朱儒枅栌,无小大修短,各得其所宜,规矩方圆,各有所施。……是故林莽之材犹无可弃者,而况人乎!今夫朝廷之所不举,乡曲之所不誉,非其人不肖也,其所以官之者非其职也。……才有所修短也。是故有大略者,不可责以捷巧;有小智者,不可任以大功。人有其才,物有其形,有任一而太重,或任百而尚轻。是故审豪厘之计者,必遗天下之大数,不失小物之选者,惑于大数之举。

贤明的君主任用人才,就像灵巧的工匠裁取木料一样,无论大小长短,都让它们派上恰当的用场,各得其所宜,规矩方圆,都用得恰到好处。森林里的木材尚且没有可以丢弃的,更何况是人呢!如今朝廷不提拔那些不被乡里赞誉的人,并不是他们无才缺德,而是对这些人用非所能。一种才能有其长处,也有短处。有雄才大略者,不可以苛求他会雕虫小技,对只有小聪明的人,就不可以委任以大事。人有其才能,物有其形状,有人担负一份工作而觉得太重,也有人担负百份工作还觉得轻。所以,计较于毫厘之细的,一定遗失整个天下的大数。不愿放弃小事的计较的人,就会困惑于大事的实行。《泰族训》说:

二 《淮南子》的主要思想

勇者可令进斗,而不可令持牢;重者可令填固,而不可令凌敌;贪者可令进取,而不可令守职;廉者可令守分,而不可令进取;信者可令持约,而不可令应变。五者相反,圣人兼用而财使之。

这里也是说君主对各种人才要"兼用",更要"财使",即既要综合使用更要恰当地使用他们。这才是正确的任用人才之道。

因材施用的用人之道,还牵涉到评价人才的标准。《淮南子》主张君主在评价人才的时候,要把握大的原则,看其主流,而不要纠缠鸡毛蒜皮的小事。《氾论训》说:"故人有厚德,无问其小节;而有大誉,无疵其小故","诚其大略是也,虽有小过,不足以为累;若其大略非也,虽有间里之行,未足大举。"《道应训》说:"权而用其长者。"因为人才很难十全十美。"自古及今,未有能全其行者也"(《氾论训》),不能因有某些不足而全盘否定其任用价值。只要他有一点长处,就一定有可利用的价值,就一定要任用其长,这样才能做到国无"弃材",人才悉为君主所用。

另外,《淮南子》认为在任用人才上要坚持公正的原则,不因人废言,也不因人废法。《主术训》说:

使言之而是,虽在褐夫刍荛,犹不可弃也;使言之而非也,虽在卿相人君,揄策于庙堂之上,未必可用。是非之所在,不可以贵贱尊卑论也。

这就是说,英明的君主是不依据人的贵贱尊卑的地位来论定是非在谁的身上。卑贱的役夫樵民的正确言论,不能弃之不用,而高贵的卿相人君的错误言论,也不一定要采用。

再则,《淮南子》认为君主对于所任用的人才要加强管理,对于臣下要加强督核。所谓"责成而不劳",并不是什么事情都不做，而是要监督臣下，使已任用的人才各尽其责；君主"不劳"具体之事，不与臣下争职，但管理人才，督察考核官吏，却是他的重要职责。君主怎样才能做到"责成而不劳"呢？《主术训》说：

> 古之为车也，漆者不画，凿者不斫。工无二伎，士不兼官。各守其职，不得相奸。人得其宜，物得其安。是以器械不苦，而职事不嫚。夫责少者易偿，职寡者易守，任轻者易权。上操约省之分，下效易为之功。是以君臣弥久而不相厌。

这样分官分职，各守其职，一方面有利于发挥人才的效用，"有一形者处一位，有一能者服一事"（《主术训》）。另一方面有利于君主管理人才，督核官吏。"上操其名以责其实；臣守其业以效其功，言不得过其实，行不得踰其法，群臣辐凑，莫敢专君。"（《主术训》）君主明确规定各官位职事的权限，使其发挥各自的长处，各守其职，各安其位，做好各自的工作。同时君主根据各官位职事的规定，考核各官职的治绩，使臣下尽职尽责搞好各自的职事。君主也就可以"不劳"了。

《淮南子》"因循而任下，责成而不劳"的用人思想，以新道家无为论为指导，吸收了儒家尚贤、知人善任的思想和法家因任授官、循名责实的思想，使之更有利于封建君主集权统治。

第三，严以律己的君主自身修养学说。

封建社会里，君主是无为而治的直接实践者，安民、用人等无为政治主张的实行，关键决定于君主自身的思想素质。《淮南子》以老庄道家虚静无为的基本精神为指导，吸收了儒家重道德修养的修身工夫，提出了君主自身修养的学说。

《淮南子》认为君主自身道德修养至关重要：它不仅关系

到民心向背(这一方面在前面"安民之权要在于君"已有论述,不再重复),而且对于臣下的作为及整个社会的治乱影响很大。《主术训》说:

> 是以上多故则下多诈,上多事则下多态,上烦扰则下不安,上多求则下交争。

《缪称训》说:

> 骄溢之君无忠臣。

这说明君主是臣子的榜样,如果君主不注重自身修养,那就会影响臣下及整个社会风气,所以君主必须注意自身的修养。

君主怎样修养呢?《淮南子》从各个方面进行了论述。首先要求君主做到清静无为,廉俭守节,处愚称德。《主术训》说:

> 清静无为,则天与之时。廉俭守节,则地生之财。处愚称德,则圣人为之谋。

这里提出了"清静无为"、"廉俭守节"、"处愚称德"的修养原则。"清静无为"是君主自身修养的总原则。天、地及产生天地万物的道都是清静无为的,《精神训》说:"天清以静,地定以宁","静默者神明之宅也,虚无者道之所舍也。"而人的生命由道天地所产生,人也就应有清静无为的本性。《原道训》说:"人生而静,天之性也。"《齐俗训》说:"人之性无邪。"《人间训》说:"清静恬愉,人之性也。"人只有效法道及天地,保持清静无为的本性,才能生存。《精神训》说:"天清以静,地定以宁,万物失之者死,法之者生。"《俶真训》说:"静默恬淡所以养性也。"君主自身的修养更是如此。《主术训》说:"君人之道,处静以修身","圣人事简而易治,求寡而易澹,不施而仁,不言而信,不求而得,不为而成。块然保真,抱德推诚,天下从之","有道之主,灭想去意,清虚以待。"这些说明清静无为是君主自身修养的最高境界，君主必须加强清静无为的修养。"廉俭守节"是"清静无为"派生出来的一个修养原则。所谓"廉俭守节"就是要求君主通过修养达到廉洁节俭，持守操行，节制情欲。廉俭守节与聚敛多欲是相对的。君主多欲，臣下就聚敛。《说山训》说："上求材，臣残木；上求鱼，臣干谷；上求楫而下致船；上言若丝，下方若纶。"这样下去就会弄得国危民乱。君主多欲，结果是不得其欲。《主术训》说："君人之道，处静以修身，俭约以率下，静则不扰矣，俭则民不怨矣。"《原道训》说："圣人之治也……约其所守，寡其所求，去其诱慕，除其嗜欲，损其思虑。约其所守则察，寡其所求则得。"都是把"廉俭守节"作为君主自身修养的一项原则。"处愚称德"也是"清静无为"派生出来的一个修养原则。所谓"处愚称德"就是要求君主通过修养达到能以愚自居，称举贤德之士。要处愚称德，君主就要去智，废智。《原道训》说："圣人之治也，掩其聪明，灭其文章，依道废智，与民同出于公。"《览冥训》说："耳目之察不足以分物理，心意之论不足以定是非，故以智为治者难以持国。"《主术训》说："智不足以安危。"《诠言训》说："弃智则道立矣。"《精神训》说"弃聪明以反太素，休精神而弃知。"这些说明君主个人的智慧是有限的，所以要反对智巧，反对妄自造作，要达到清静无为的修养目标，君主要处愚，安守愚钝。这样就能用众智，举贤德之人。《主术训》说："夫人主之听治也，清明而不暗，虚心而弱志，是故群臣辐凑并进，无愚智贤不肖，莫不尽其能。""乘众之之智，则天下不足有也。""乘众人之智则无不任也"。做到了这些，君主便可以无为而治了。清静无为、廉俭守节、处愚称德的修养原则要求君主严以律己，以身作则。这既是对老庄道家修养原则的继承和发挥，又是对汉初君主修身实践的理论总结。

其次,要求君主修身从自己身边小事做起,积小善成大德,要恒一,终身不懈。《缪称训》对君主自身修养问题作了详细的论述。它要求君主从自己做起,从身边小事做起,注重小节,正所谓"至德小节备,大节举"。具有最高德行的君主不忽略任何小节,也注重大节。"君子不谓小善不足为也而舍之,小善积而为大善。不谓小不善为无伤也而为之,小不善积而为大不善。"认为君主注重微细之处,不以小善不值得做就放弃,也不以小恶无大害就去做;因为小善能积累成大善,小恶积累多了就成了大恶。"壹快不足以成善,积快而为德;壹恨不足以成非,积恨而成怨。"君主做善事,不做恶事并不是用以追求声名,"圣人为善,非以求名",因此,尤其要持守独处之时,"君子慎其独也,释近斯远塞矣"。君主修身要时时处处严格要求自己,在别人看不到听不着独自一个人的情况下,也能按照道德规范办事。"若行独梁,不为无人不兢其容。故使人信己者易,而蒙衣自信者难。"就是说,道德的原则一刻也不能抛弃和放松,像走在独木桥上,不因为没有人而不戒慎自己的仪容。所以,让旁人相信自己容易,而蒙上衣服要自己相信就难了。只有不自欺才能不欺人。放弃眼前自身的修养指望实现远大的目标是行不通的。《缪称训》还要求君主修养"求诸己"。它说:"无诸己,求诸人,古今未之闻也。""怨人不如自怨,求诸人不如求诸己,得也。""知此之道,不可求于人,斯得诸己也。释己而求诸人,去之远矣。"这些是说,君主的修养完全要靠自己的努力来达到。自己做不到的,却要别人做到,从古到今都没有听到过。埋怨别人不如埋怨自己,要求别人不如要求自己,这才是对的。通晓一个道理,也不能求之于人,而要得之于自己。放弃自己而去求之于人,那么离开道就远了。所以,修养的关键在于自己的努力。《缪称训》认为君主修养不仅要从小事做起,从自己做起,而且要持之以恒,终身不懈。所谓"老而弗舍,通乎存亡之论者也",就是说,到老而不放松自己的修养,能够到老不松懈修养自己的道德,就能通晓事物存亡的道理了。这里所论述的修养态度和修养方法多取自儒家,而成为《淮南子》君主自身修养学说的重要组成部分。

再次,要求君主无论能否成为圣王,都要加强自身的修养。《缪称训》认为君王能否修养成功,有主观原因,也有客观因素。《淮南子》有时强调主观原因。"福生于无为,患生于多欲。"(《缪称训》)"积爱成福,积怨成祸","有阴德者必有阳报,有阴行者必有昭名"(《人间训》)。有时又强调客观因素。"人之为,天成之。终身为善,非天不行;终身为不善,非天不亡。故善否,我也;祸福,非我也。""君子能为善而不能必得其福,不忍为非而未能必免其祸。"(《缪称训》)这两种说法,从表面上看是相互对立的,因此有人认为《淮南子》对此问题"找不出一个满意的答案","论后不顾前,自相矛盾"。其实不然。这两方面的看法都符合客观实际,正反映了《淮南子》的辩证思想。它认为君主终身修养道德还不能直接带来善报,成就不了圣王功业,是因为客观因素,主要是"天"决定的。这里的"天"是时势、机遇的意思,也就是所谓时运、命运。如果君主有崇高道德却不能成为圣,如果君主终身行善却不免杀身之祸,这就是他的时运不好。但在正常的情况之下,君主的修养是能得到好的结果的,正所谓"圣人为善,非以求名,而名从之,名不与利期,而利归之"。所以它认为"福由己发,祸由己生"(《缪称训》),祸福都是由自己的主观因素引起的。《淮南子》强调加强君主自身修养,发挥主观能动作用,从自己做起,争取好的结果。它说:

"圣人为善,若恐不及,备祸若恐不免。""圣人不求誉,不辟诽,正身直行,众邪自息。""善否,我也;祸福,非我也。故君子顺其在己者而已矣。"(《缪称训》)"古之圣人,其和愉宁静,性也;其志得道行,命也。是故性遭命而后能行,命得性而后能明。"(《俶真训》)这里《淮南子》提出了君主自身修养的理想境界。要求君主无论能否成就圣王功业,都要加强自身的道德修养。只有君主加强修养才有可能成为圣王。

(4) 新道家政治论体系

关于《淮南子》的政治论体系,有的学者强调其对儒墨名法的批判,有的学者强调其对儒法道的吸收。其实,两者兼有之。《淮南子》作者是站在新道家的立场上,对西汉以前的诸子百家论政言治进行了系统的总结,建构了新的政治理论体系,为新生的统一的封建国家提供治国纲领。《泰族训》说:

> 昔者五帝三王之莅政施教,必用参五。何谓参五?仰取象于天,俯取度于地,中取法于人。乃立明堂之朝,行明堂之令,以调阴阳之气,以和四时之节,以辟疾病之灾。俯视地理,以制度量,察陵陆水泽肥墝高下之宜,立事生财,以除饥寒之患。中考乎人德,以制礼乐;行仁义之道,以治人伦,而除暴乱之祸。乃澄列金木水火土之性,故立父子之亲而成家;别清浊五音六律相生之数,以立君臣之义而成国;察四时季孟之序,以立长幼之礼而成官。此之谓参。制君臣之义、父子之亲、夫妇之辨、长幼之序、朋友之际,此之谓五。乃裂地而州之,分职而治之,筑城而居之,割宅而异之,分财而衣食之,立大学而教诲之,夙兴夜寐而劳力之。此治之纲纪也。

"此治之纲纪"就是《淮南子》治国的方略。在这个方略中，以老庄道家思想为主体和核心，而"采""撮"了各家之"善"和"要"。按司马谈的说法，阴阳家之"善"和"要"是"其序四时之大顺，不可失也"（《史记·太史公自序》，下同），这里是以阴阳五行的变化规律为具体依据；儒家之"善"和"要"是"其序君臣父子之礼，列夫妇长幼之别，不可易也"，这里"参五"的内容，几乎全是采撮儒家的"善"和"要"。所谓"裂地而州之，分职而治之"当然与法家主张有关，而"分财而衣食之"与墨家思想也不无关系。《淮南子》政治论体系采撮各家"善"和"要"，在这段治国方略中已见端倪，那么它对各家的"善"、"要"是怎样采撮的呢？为什么要这样采撮呢？对这些问题，下面作进一步的申述。

第一，对法家政治思想理论的批判和吸收。

《淮南子》对先秦各家的政治论都有批判，也有所吸收。在这方面，对法家政治理论的态度最为典型。

首先是对极端专制主义的法家理论的批判。《淮南子》作者和其他汉初思想家一样，十分注重总结秦亡汉兴的历史教训，严厉批判了秦王朝的暴政和韩非等的法家政治论。秦始皇行韩非法治主张，统一了中国，建立了统一的封建专制主义中央集权国家。此后，他继续推行法家主张，"事统上法"，"事皆决于法"（《史记·秦始皇本纪》），重徭厚赋，严刑峻法。《兵略训》说，秦二世"纵耳目之欲，穷侈靡之变，不顾百姓之饥寒穷匮也；兴万乘之驾，而作阿房之宫；发闾左之戍，收太半之赋；百姓之随逮肆刑，挽辂首路死者，一旦不知千万之数。天下敖然若焦热"。民众苦不堪言，陈胜起兵而天下响应，导致了秦王朝迅速灭亡。《氾论训》也说，"秦之时"，大造台榭苑囿，繁徭重赋，"道路死人以沟量"，"忠谏"、"仁义"之人不用，直到"高皇帝,存亡继绝,举天下之大义",灭秦而兴汉。这些都是对秦王朝崇尚法治,行暴政的批判。不仅如此,《淮南子》还从理论上批判了法家的治国方法。《览冥训》说:

> 申、韩、商鞅之为治也,挬拔其根,芜弃其本,而不穷究其所由生。何以至此也?凿五刑,为刻削,乃背道德之本,而争于锥刀之末,斩艾百姓,殚尽太半,而忻忻然常自以为治。……所以然者何也?皆狂生而无其本者也。

这里认为申不害、商鞅、韩非等所主张的严刑苛法治国方法是背本趋末,坑害百姓的理论。这种理论,背离道德的根本,一心追逐刀尖锥末的微薄利益。所以,《淮南子》一再强调要"除苛削之法,去烦苛之事"(《览冥训》),做到"上无苛令,官无烦治"(《齐俗训》)。这样,才有可能达到国泰民安。而"政苛则民乱",国家政治弄成民心思乱,"刑罚不足以移风,杀戮不足以禁奸"(《主术训》)。用严刑峻法来治乱,那就等于"抱薪而救火","凿窦(穴)而止水"(《览冥训》),越治越乱。所以,"乱世之法,高为量而罪不及,重为任而罚不胜,危为禁而诛不敢,民困于三责,则饰智而诈上,犯邪而干免。故虽峭法严刑,不能禁其奸。何者?力不足也"(《齐俗训》)。这是站在封建王朝的立场上总结历史教训,批判法家单纯"以法治国"的主张。

其次是对法家思想的吸收。对于法家的法治,《淮南子》和其他新道家一样并不排斥。而是"撮名法之要"。《淮南子》肯定"法"的作用。它说:"所谓亡国者,非无君也,无法也。"(《主术训》)"主政者不能废法而治民。"(《氾论训》)"法律度量者,人主之所以执下,释之而不用,是犹无辔衔而驰,群臣百官反弄其上。"(《主术训》)承认"法"的重要性。关于法的公正、平等性,《商君书·赏刑》说:"刑无等级";《韩非子·有度》说:"法不阿贵","刑过不辟大臣,赏善不遗匹夫";《管子·任法》甚至说"君臣上下贵贱皆从法",这也就是司马谈所说的"不别亲疏,不殊贵贱,一断于法"。这是法家之"要",《淮南子》也吸收了。《主术训》说:"言事者必究于法","中程者赏,缺绳者诛,尊贵者不轻其罚,而卑贱者不重其刑。犯法者虽贤必诛,中度者虽不肖必无罪。""人主之用法,无私好憎,故可以为命",而应该"喜不以赏,怒不以罚"。提出"法者,天下之度量,而人主之准绳也"。以"法"来"禁君,使无擅断"。即认为法令面前人人平等。法不仅是君主为政理官治民的依据,也应当是自己行事的标准,君主自身也纳入法令的管理系统之中,并把"法"作为限制暴君专制的手段。关于法的公开性,《商君书·定分》说:"圣人为法,必使之明白易知,名正,愚知(智)徧(遍)能知之。"《韩非子·难三》说:"法者编著之图籍,设之官府,而布之于百姓者也。"《淮南子》吸收了这一点,《主术训》说:"县(悬)法者,法不法也;设赏者,赏当赏也。"县,悬也,悬挂法律条文,是为了惩罚犯法者;设立奖赏章程,是为了奖赏应当奖赏的人。

再则对法家法治提出"无为"的要求。《主术训》说:"是故明主之治,国有诛者而主无怒焉,朝有赏者而君无与焉。诛者不怨君,罪之所当也;赏者不德上,功之所致也。民知诛赏之来,皆在于身也。故务功修业,不受赣于君……故太上,下知有之。"这里"下知有之"就是无为,实行刑赏也要求无为。《主术训》的另一处说得更明白:"今夫权衡规矩,一定而不易……常一而不邪,方行而不流,一曰刑之,万世传之,而以无为为之。"法治要无为,必须注重法的订定与法的施行。在法的订定上要因民情,而不能依君主自己的私意。《泰族训》说:"先王之制法也,因民之所好而为之节文者也。……因其性则天下听从,拂其性则法县而不用。"《主术训》说:"法生于义,义生于众适,众适合于人心,此治之要也。""法者非天堕,非地生,发于人间,而反以自正。""无为"就是因循自然,不遂意妄行。这里民性也是自然,"因民性"、"合于人心"、"发于人间"是法制定中的"无为"要求。在法的施行上,要君明、臣贤。君臣上下都能公正执法,就可以做到"无为"。《缪称训》说:"明主之赏罚,非以为己也,以为国也。适于己而无功于国者,不施赏焉;逆于己便于国者,不加罚焉。"认为君主实行法治不是为了自己的私利,而是为了国家利益。法不仅用于民而且也要用于君主自己。《主术训》说:"人主之立法,先自为检式仪表。""所立于下者,不废于上;所禁于民者,不行于身。""禁胜于身,则令行于民"。君主执行法治,只有公正行法,以身作则才能达到"无为而治"。《泰族训》说:"法虽在,必待圣而后治;律虽具,必待耳而后听。"执法者除了君主之外,还有百官有司。君主无为全靠有司有为。直接用法于民的,主要是有司。因此臣子有司的品德,以及执法的态度和能力,就成为"无为而治"的关键。《泰族训》说:"国之所以存者,非以有法也,以有贤人也;其所以亡者,非以无法也,以无贤人也。"法靠人来执行,得贤臣而用,也就成为君主治国的要务。《泰族训》说:"守不待渠堑而固,攻不待冲降而拔,得贤之与失贤也。""故圣主者举贤以立功,不肖主举其所与同……故观其所举,而治乱可见也。"得贤人还是失贤人关系到政治的成败。臣下愈贤,君主愈能无为而治。

第二,对儒家仁义礼乐的吸收。

《淮南子》政治论的主旨与儒家不同,但却把儒家的一些思想和主张吸收过来,作为其政治理论体系的内容。如前述民本论中,就吸收了孟子"仁政"学说与民本思想的许多合理成分；又如在君主自身修养上亦多取自儒家,其所谓"求诸己"、"慎独",都是典型的儒家修身工夫。对于儒家的核心思想——仁义礼乐,《淮南子》更是不排斥,而是给予适当的地位,加以总结和吸收。

首先,《淮南子》承认仁义礼乐在治国治民中的作用。《淮南子》和其他新道家一样,不同意老庄道家"绝仁弃义",认为仁义礼乐是客观存在的,是政治体系中不可缺少的一部分。《齐俗训》说：

> 所谓礼义者,五帝三王之法籍风俗,一世之迹也。

> 礼者实之文也,仁者恩之效也。故礼因人情而为之节文,而仁发怦以见容。礼不过实,仁不溢恩也,治世之道也。

《主术训》说：

> 国之所以存者,仁义是也。

《氾论训》说：

> 乱国之君,务广其地而不务仁义,务高其位而不务道德,是释其所以存,而造其所以亡也。

《本经训》说：

> 是故仁、义、礼、乐者,可以救败……夫仁者,所以救争者；义者,所以救失也；礼者,所以救淫也；乐者,所以救忧也。

以上说明儒家所提倡的仁义礼乐,不仅是客观存在的,而且是治国治民所不可缺少的。《淮南子》认为仁义礼乐是"治世之道",是"国之所以存"的必不可少的条件之一,肯定"仁义礼乐可以救败"的作用。因此接受并吸收了仁义礼乐。为什么要接受和吸收"仁义礼乐"呢？这是由其无为论的"待时而变"的特

征所决定的。这在《氾论训》中有论述:

> 故五帝异道而德覆天下,三王殊事而名施后世。此皆因时变而制礼乐者。

不同的时期,治国的方法是可以不同的,都是因时势的变化来制定礼乐。所以它还说:"先王之制,不宜则废之;末世之事,善则著之。"并进一步阐述说:

> 故圣人制礼乐而不制于礼乐。……故圣人法与时变,礼与俗化。衣服器械,各便其用;法度制令,各因其宜。故变古未可非,而循俗未足多也。百川异源,而皆归于海;百家殊业,而皆务于治。

这与司马谈《论六家要旨》中的说法是一致的,因为他们都是新道家。正因为"百家殊业,而皆务于治",所以儒家的仁义礼乐也好,法家的法度制令也好,其"善"或者"要"都是可以"采""撮"吸收的。

其次,《淮南子》认为仁义礼乐是衰落之世产生出来的,并为末世所运用的。《老子》说:"大道废,有仁义"(十八章),又说:"失道而后德,失德而后仁,失仁而后义,失义而后礼。"(三十八章)《淮南子》继承了这一思想。《缪称训》说:

> 故道灭而德用,德衰而仁义生。故上世体道而不德,中世守德而弗坏也,末世绳绳乎唯恐失仁义。

《齐俗训》说:

> 率性而行谓之道,得其天性谓之德,性失然后贵仁,道失然后贵义。是故仁义立而道德迁矣,礼乐饰则纯朴散矣,是非形则百姓眩矣,珠玉尊则天下争矣。凡此四者,衰世之造也,末世之用也。

《本经训》说:

> 德衰然后仁生,行沮然后义立,和失然后声调,礼淫然后容饰。

这些话,都认为仁义礼乐产生于道德衰落之后。道德衰落的时代,人们应该崇尚仁义礼乐,"唯恐失仁义",是"末世"之人所应有的原则。显然这一思想源于老子,但却对老子思想作了改造和积极的发挥。为什么衰世要崇尚仁义礼乐呢?《本经训》作了回答:

> 逮至衰世,人众财寡,事力劳而养不足,于是忿争生,是以贵仁。仁鄙不齐,比周朋党,设诈谞,怀机械巧故之心,而性失矣,是以贵义。阴阳之情莫不有血气之感,男女群居杂处而无别,是以贵礼。性命之情,淫而相胁,以不得已则不和,是以贵乐。是故仁、义、礼、乐者,可以救败,而非通治之至也。

从这段论述仁义礼乐在衰世时要"贵"的原因中,可以看出《淮南子》将仁义礼乐的作用限定在衰世。仁义礼乐,可以用来防范或制止某一方面的品行败坏,但不是日常治理及修养品性的最有效的方法和手段。

再则,《淮南子》认为必须坚持以道与德总统仁义礼乐。它认为"道"与"德"是治国之本。《氾论训》说:

> 国之所以存者,道德也。……故国之亡也,虽大不足恃;道之行也,虽小不可轻。……存在得道,而不在于大也;亡在失道,而不在于小也。

这是在总结秦亡汉兴的历史经验基础上所得出的结论。道德是国家长治久安的根本的永恒的法宝,执道行德则国存,失道去德则亡国。《淮南子》所谓的"道德",并不是儒家作为伦理观念意义上的"道德",而是符合无为原则的道家理论中的"道

德",是作为治国纲纪的"道"与"德"。道德是本,仁义礼乐为末。《本经训》说:

> 是故知神明然后知道德之不足为也,知道德然后知仁义之不足行也,知仁义然后知礼乐之不足修也。今背其本而求其末,释其要而索之于详,未可与言至也。

这里道德是本,它符合其因民性、因人力、无为而治的主张,所以说"知神明"。仁义礼乐是末,是暂时、局部起作用的治标之术。认为背本求末,释要索详的人,不可跟他去讲论最高深的道德。《齐俗训》也说:

> 世之明事者多离道德之本,曰:"礼义足以治天下。"此未可与言术也。所谓礼义者,五帝三王之法籍风俗,一世之迹也。譬若刍狗、土龙之始成,文以青黄,绢以绮绣,缠以朱丝,尸祝袀袨,大夫端冕,以送迎之。及其已用之后,则壤土草薊而已,夫有孰贵之!……今欲学其道,不得其清明玄圣,而守其法籍宪令,不能为治亦明矣。

这里说"道德"是"清明玄圣"的根本性的治国原则,而"礼义"则是用于一时的具体的规定和习俗,时过境迁,就如祭祀时用的刍狗和求雨时用的土龙,等到用过之后,就只是泥土草芥而已,批驳了儒家"礼义足以治天下"的理论。《氾论训》说:"故圣人所由曰道,所为曰事。……故法制礼义者,治人之具也,而非所以为治也。"在《淮南子》看来,道德是总统仁义礼乐的根本原则,而仁义礼乐只是统治的手段,即所谓"治人之具"。离开了道德这个根本,仁义礼乐是不足为治的。

《淮南子》在坚持以道德统仁义礼乐的同时,也反对儒家一些不合理的东西。《氾论训》说:

> 夫殷变夏,周变殷,春秋变周,三代之礼不同,何古之

> 从……今世之法籍与时变,礼义与俗易。为学者循先袭业,据籍守旧教,以为非此不治……欲得宜适致固焉,则难矣。今儒墨者称三代文武而弗行,是言其所不行也……称其所是,行其所非。是以尽日极虑而无益于治,劳形竭智而无补于主也。

这里一方面反对儒家复古守旧的主张,认为治国不能只是"循先袭业,据籍守旧教",另一方面认为儒家那些繁文缛节的礼乐是劳形竭智,是不符合无为政治原则的。

第三,道、儒、法相融的政治理论体系。

《淮南子》的政治理论体系主要采撷道、儒、法三家思想。以道家虚静无为作为其最高原则,兼采儒、法之要,形成道、儒、法相融的政治理论体系。那么,"道"、"仁义"、"法"对于政治体系的作用及其相互关系又怎样呢?

首先,"道"是总统仁义、法的根本原则。前面已论及了道德总统仁义礼乐。《淮南子》也认为道总统"法"。《泰族训》说:

> 故有道以统之,法虽少,足以化矣。无道以行之,法虽众,足以乱矣。……治国,太上养化,其次正法。

"法"必须在"道"的总统之下才能发挥其作用。所以《泰族训》说:"法者,治之具,而非所以为治也。"《氾论训》也说:"法制","治人之具也,而非所以为治也。"都是说"法"只是统治的手段而不是统治的目的。可见仁义和法都在"道"的总统之下。

其次,作为治世方法,仁义为本,法为末。新道家"兼儒墨,合名法",包容诸家,博采众长。《淮南子》的政治理论体系正是这样,它不排斥仁义,也不废弃法治,把儒家的仁义和法家的法治都吸收到其政治理论体系中来,作为治国治民的工具和手段。《泰族训》说:

> 民无廉耻,不可治也。非修礼义,廉耻不立。民不知礼义,法弗能正也。非崇善废丑,不向礼义。无法不可以为治也,不知礼义不可以行法。法能杀不孝者,而不能使人为孔、曾之行;法能刑窃盗者,而不能使人为伯夷之廉。

这里"礼义"也可称"仁义",是儒家"仁政"的治国方法;法是刑法、权术、权势之类,是法家法治的方法。这两种不同的治世政策和方法并不是绝对不相容的,而是可以相济相助,相辅相成的。仁义可以感化人民,是很有作用的,但它终究是抽象的精神,而不是具体的法令法规,因此不能只用仁义而不用法。没有法也不行,但只有法而没有仁义也不行。二者缺一不可。《淮南子》认为就仁义和法对治国治民及其相互关系来讲,又有本末之分。《泰族训》说:

> 治之所以为本者,仁义也,所以为末者,法度也。

> 故仁义者治之本也。今不知事修其本,而务治其末,是释其根而灌其枝也。且法之生也,以辅仁义。今重法而弃义,是贵其冠履而忘其头足也。故仁义者,为厚基者也,不益其厚而张其广者毁,不广其基而增其高者覆。赵政(秦始皇)不增其德而累其高,故灭;智伯不行仁义而务广地,故亡其国。

仁义是用仁爱之心感化人,具有无形而自化的特点;法治以法令赏罚善恶,具有有形而强制的特征。由此看来,仁义比法治更合无为政治的原则,更合安民、利民主旨,所以仁义和法,前者是本,后者是末,前者是主,后者是辅。所以《淮南子》在治国治民的方法上,将法置于仁义之下,把法作为治世之末节。《泰族训》说:

> 民交让争处卑,委利争受寡,力事争就劳,日化上迁

善而不知其所以然，此治之上也。利赏而劝善，畏刑而不
为非，法令正于上，而百姓服于下，此治之末也。

用仁义教化是"治之上"，用法令赏罚是"治之末"。《淮南子》要求君主和百官在为政治民时要不失仁义，多以仁义教化，宽以法刑。《主术训》说："府吏守法，君子制义，法而无义，亦府吏也，不足以为政。"要想为政成功必须行君子的仁义教化，而不只行府吏法治。《泰族训》说："所谓仁者，爱人也；所谓智者，知人也。爱人，则无虐刑矣；知人，则无乱政矣。""若不修其风俗而纵之淫辟，乃随之以刑，绳之以法，虽残贼天下，弗能禁也。"都是说治国治民应以仁义为主，以法治为辅。君主只有"治由文理"，"刑不侵滥"（《泰族训》），"法宽刑缓"（《主术训》），才能做到"上无烦乱之治，下无怨望之心"（《泰族训》），天下大治。这种仁本法末的政治理论体系是从秦亡汉兴的历史经验中得出来的。

再则，在其政治体系的构成方式上，移用法家模式，而填充儒家思想内容。《淮南子》和其他新道家一样，极为重视对治国经验和治国思想的选用，从而创立新的政治理论体系。它以老庄道家的虚静无为作为其政治体系的最高指导原则，但由于道家对于政治理论主要只能提供一种基本原则，并没有适合于统一王朝具体可遵循的方案，因此在政治理论体系上，《淮南子》不得不采用较为具体详备的法家模式。它采撮法家尊君明法，治官分官分职，循名责实，君主兼用法、术、势为施政主体，臣子是佐治的副肢，君尊臣卑，君静臣动等一套政治体系，来适应统一封建国家的需要。同时在法家的政治模式中，采撷儒家思想去填充它，从而改变了法家模式的精神与方向。法家以法为惟一的治国之道。商鞅说："仁者能仁于人而不

能使人仁,义者能爱于人而不能使人爱。是以知仁义之不足以治天下也。……圣王者不贵义而贵法。"(《商君书·画策》)提出:"言不中法者,不听也;行不中法者,不高也;事不中法者不为也。"(《商君书·君臣》)。《韩非子·五蠹》说:"仁义用于古而不用于今也",认为仁义治国已过时,并提出"以法治国"的主张。秦始皇行法治主张,"事统上法","事皆决于法"(《史记·秦始皇本纪》)。《淮南子》则以道家虚静无为为指导,糅合儒家教化思想,去取代法家心目中法治的崇高地位,甚至把法治贬为末节,它理想的完美治国之道是"神化"。《主术训》说:

   刑罚不足以移风,杀戮不足以禁奸,唯神化为贵,至精为神。

这里的所谓"神化",就是以"无为而治"为特点的精神上的、无形的感化,其中包含有儒家的重教化思想。由于以"神化"为贵,就会出现"威厉而不杀,刑错而不用,省而不烦,故其化如神……莫不听从","法宽刑缓,囹圄空虚,而天下一俗,莫怀奸心"(《主术训》)的局面。

  法家所讲的法治,不是近代意义上的民主政治,正好相反,它是为君主独揽大权服务的,是专制主义的政治学说。法家赋予专制君主无限的权力,立法权属于国君。《管子·论法》说:"生法者,君也;守法者,臣也;法于法者,民也。"就是说,法令惟一的设立与修正者是君主,而臣民只有执法、尽法的义务。由于全国上下只能以君主所"生"之法为言行准则,这就将君主的意志强制灌输到社会各个层面,从而强化了君主的权力。于是,君主便可利用法"独制四海之内"(《韩非子·有度》),法便成了国君"以一人之力禁一国"(《韩非子·难三》)的工具。可以君主在"法"之上,它是超乎"法"上的绝对存在。

实行法制的君主要执掌国家最高权力,即《韩非子·扬权》所谓"圣人执要。"不能给予臣下过多的权力和信任。因为,"爱臣太亲,必危其身;人臣太贵,必易主位"(《韩非子·爱臣》),"万乘之患,大臣太重;千乘之患,左右太信。此人主之所公患也。"(《韩非子·孤愤》)只有君主抓住最高权力,那么"人主虽不肖,臣不敢侵也"(《韩非子·忠孝》)。君主要以"法"控制臣下,即"人主使人臣虽有智能,不得背法而专制,虽有贤行不得逾功而先劳,虽有忠信不得释法而不禁,此之谓明法。"(《韩非子·南面》)在极端法家理论中,不仅臣子难以得到一定的政治尊严,民众更是居于政治体系的最下层,更是法令所约束的对象。民众利益与国家、政权利益(实为君主利益)处于相对立的地位,《商君书》说:"民弱国强,国弱民强,故有道之国务在弱民。"(《弱民》)"民胜其政,国弱;政胜其民,国强"(《说民》)。认为"君尊则令行……法制明,则民畏刑"(《君臣》)。《韩非子·显学》也说:"今不知治者,必曰:'得民之心。'欲得民之心而可以为治,则是伊尹、管仲无所用也,将听民而已矣。民智之不可用,犹婴儿之心也。……婴儿子不知犯其所小苦,致其所大利也。今上急耕田垦草,以厚民产也,而以上为酷;修刑重罚,以为禁邪也,而以上为严;征赋钱粟,以实仓库,且以救饥馑、备军旅也,而以上为贪;境内必知介而无私解,并力疾斗,所以禽虏也,而以上为暴。此四者,所以治安也,而民不知悦也。"它们是反对"民本"思想的,认为君主和民本在本质上是对立的、矛盾的。

　　《淮南子》的高明之处,便是针对法家偏重"法治",剥夺民众利益的理论,采撷儒家重教化的理论调和之。它把儒家仁义的道德观念,注入法家政治体制的构造中,以转换民与君对立的形态,使"安民""利民"成为超乎"法"与"君"的最高原则,仁义变成了政治的基本要素,从而降低了君主地位,规范了"法"的作用。《主术训》说:"法生于义,义生于众适,众适合于人心,此治之要也。"认为"法"在民众利益与仁义之下,法要符合民众的利益,依据仁义而定而用。君主与臣民都在法的约束之下。君主遵法,驭其臣;臣依法,忠君以治民;民奉法受治。《主术训》说:"其立君也,所以剬有司使无专行也。法籍礼义者,所以禁君使无擅断也。人莫得自恣则道胜,道胜而理达矣,故反于无为。"把"法"作为限制君主、臣子的一种手段。《主术训》又说:"国之所以存者,仁义是也;人之所以生者,行善是也。国无义,虽大必亡,人无善,志虽勇必伤。"这些论述,使法家法治的政治形态,变成充满仁义、有治无争的太平景象。从表层来看,《淮南子》政治体系似乎是法家的,其实它所采自法家的,仅是表层的模式,真正支撑这一模式的,是儒、道思想,这使其政治体系较其他新道家更为完善。

三 《淮南子》与中国古代政治观

《淮南子》和其他新道家著作一样,其主要目的是阐述新道家的政治主张和政治理论。新道家政治论体系的核心是提倡黄老之术,兼采各家学说之"善"、"要",不偏执一家之言。这不仅开创了一代学术风貌,而且为封建国家的长治久安奠定了政治思想基础,对中国古代政治观念、政治体制、政治生活产生了较大的影响。

1.《淮南子》与"霸王道杂之"

《淮南子》"因阴阳之大顺,采儒墨之善,撮名法之要"(《论六家要旨》),系统地总结了西汉以前诸子百家的政治思想,建构了新的政治理论体系,为新的统一的封建国家提供了治国纲领。这个治国方略就是《泰族训》中所说的"治之纲纪":

昔者五帝三王之莅政施教,必用参五。……乃裂地而州之,分职而治之,筑城而居之,割宅而异之,分财而衣食之,立大学而教诲之,夙兴夜寐而劳力之。此治之纲纪也。

这个治国方略,以老庄道家思想为主体和核心,又兼采儒法名墨之要。这一政治观念对西汉及以后王朝政治有很大影响。汉宣帝就深知西汉政治起指导作用的是道、儒、法结合的思想而并非单独儒家思想。汉元帝为太子时"柔仁好儒",见其父宣帝所用"多文法吏,以刑名绳下",用黄老思想,尝对其父说:"陛下持刑太深,宜用儒生。"(《汉书·元帝纪》)意欲纯用儒术。宣帝作色曰:"汉家自有制度,本以霸王道杂之,奈何纯〔任〕德教,用周政乎!且俗儒不达时宜,好是古非今,使人眩于名实,不知所守,何足委任!"(《汉书·元帝纪》)汉宣帝"霸王道杂之"的提出,既是像《淮南子》一样对汉王朝统治思想的概括和总结,也是受了《淮南子》政治思想的影响。实际上《淮南子》的政治影响和历史作用是很大的。

(1) 汉初政治的王道、霸道并用

"霸王道杂之"这一汉家制度,是新道家《淮南子》的特点。班固的"兼儒墨、合名法"与司马谈的"因阴阳之大顺,采儒墨之善,撮名法之要"是对这一特点的概括。但是这个制度并不是《淮南子》出现之后才产生出来的,也不是汉代一开始就有的,而是汉王朝在创建过程中,汉初统治集团,根据政治形势的需要,在不断总结经验教训的基础上逐步形成的。

就政治观而言,王道为儒家所提倡,霸道为法家所崇尚。它们各有一套理论和学说。秦始皇用的是韩非的学说,即韩非所说"治民无常,唯法为治"(《韩非子·心度》)的法治,完全排

斥王道、仁义等儒家学说。这是把王道与霸道完全对立起来。专用法家霸道的局限性因秦朝的灭亡而暴露出来。

有了秦亡的经验教训，以刘邦为首的汉王朝统治集团，在基本上还是秦政秦法的模式上，加以修正，改变其政治指导思想，将王道、霸道结合起来，确立了霸王道杂之的基本方向。刘邦早在起兵反秦的时候，已经注意收揽民心。当初怀王与众将有约，谁先入函谷关，就可在关中地封王，即占有当时最好的地区。项羽残暴，多次屠城，坑杀降卒，因此怀王不派遣项羽西进，而派遣有着"宽大长者"（《史记·高祖本纪》）名声的刘邦西进。刘邦入关，听从樊哙、张良建议，"封秦重宝财府，还兵霸上"，与关中父老"约法三章"："杀人者死，伤人及盗抵罪"，废除秦朝苛法，让秦的旧有官吏保留原职，"皆案堵如故"。并宣传："凡吾所以来，为父老除害，非有所侵暴，无恐。"得到秦地民众拥护，"唯恐沛公不为秦王"（均见《史记·高祖本纪》）。这种收揽民心的做法，奠定了他统一全国的基础，同时这也是霸王道杂之的开端。

刘邦战胜项羽，统一全国之后，十分重视对治国经验的总结和治国思想的选择。他本来讨厌儒生，看不起儒家的说教，甚至常溺儒冠。但在探讨长治久安的国策过程中，刘邦逐渐改变了态度。起初，刘邦自以为天下乃靠武力得之。陆贾识见不同，时常对他称说《诗》、《书》，刘邦不耐烦，破口大骂：老子的天下是马上得来的，要《诗》、《书》有何用？陆贾有胆有识，并不退缩，针锋相对，批评说：

> 居马上得之，宁可以马上治之乎？且汤、武逆取而顺守之，文武并用，长久之术也。昔者吴王夫差、智伯极武而亡，秦任刑法不变，卒灭赵氏。向使秦已并天下，行仁义，

法先圣,陛下安得而有之?(《史记·郦生陆贾列传》)
这段话打动了刘邦。他接受了陆贾的意见,并指示陆贾著书论为治之道。陆氏《新语》每成一篇,即呈奏刘邦过目,"每奏一篇,高帝未尝不称善"(《史记·郦生陆贾列传》)。这样,刘邦由鄙薄儒学转到重视儒学,霸王道杂之的政策明确了。

霸王道杂之的汉家制度的形成与充实,不仅与刘邦有关,而且同辅佐他的许多臣下有关。《史记·萧相国世家》说:

> 萧相国何于秦时为刀笔吏,录录未有奇节。及汉兴……何谨守管钥,因民之疾秦法,顺流与之更始。

这里说,这位秦时当刀笔吏的萧何,因为民众痛恨严酷的秦法,因此顺应民心,采取新措施。史书记载,萧何跟随刘邦入关,一直很得民心,在公元前195年刘邦出征黥布时,刘邦甚至怕他过于得民心而危及自己的帝位。由此可见,萧何入关已经采用王道,用仁德来争取民心了。当然,萧何并没有完全摈弃秦朝法律。刘邦建立汉朝后,认为"三章之法,不足以御奸"(《汉书·刑法志》),便令萧何根据秦律制定汉律,萧何删去秦的夷三族、连坐等苛法,修成《九章律》,即《汉书·刑法志》所说:"于是相国萧何攟摭秦法,取其宜于时者,作律九章"。这说明,萧何所制定的汉律基本上采用秦律,同时又顺应民心作了修改,这正是霸王道杂之的特点。

刘邦属下的儒生,也由于形势的需要,向王道、霸道并用的方向转变。叔孙通就是这方面的典型人物。叔孙通原是一个秦博士,后归附刘邦。刘邦厌恶儒服,他就换穿短的楚服并和楚人打成一片,为刘邦建汉尽力。在当时,他仍带着儒生一百余人,但他向刘邦所推荐的都不是儒生,专门荐举能打仗的"故群盗壮士"。当刘邦统一了天下之后,叔孙通才开始向刘邦进言说:"夫儒者难与进取,可与守成。臣愿征鲁诸生,与弟子共起朝仪。"而且说:"五帝异乐,三王不同礼。礼者,因时世人情为之节文者也。故夏、殷、周礼所因损益可知者,谓不相复也。臣愿颇采古礼与秦仪杂就之。"他为高祖刘邦创制朝仪后,高祖满意地说:"吾乃今日知为皇帝之贵也。"(《汉书·郦陆朱刘叔孙传》)叔孙通这才向刘邦推荐其弟子,得到封赏。司马迁评价说:"叔孙通希世度务,制礼进退,与时变化,卒为汉家儒宗。"(《史记·叔孙通列传》)可见,汉家的儒宗叔孙通也不是纯儒,他顺应时世人情采取不同的做法,也可算是霸王道杂之。

刘邦及其臣下,在夺取天下及治天下的初期,初步形成的"霸王道杂之"思想,具有更为广泛的内容。《汉书·刑法志》说:

> 汉兴,高祖躬神武之材,行宽仁之厚,总揽英雄,以诛秦项。任萧、曹之文,用良、平之谋,骋陆、郦之辨,明叔孙通之仪,文武相配,大略举焉。

这里点明了刘邦时期霸王道杂之的特点和内容。臣下行王道、霸道并用者,除萧何、叔孙通外,还有张良、陈平、陆贾、郦生等人,也包括韩信、彭越等人,其中曹参尤为重要。从政治思想的学派来看,霸王道杂之只是一种概略的提法,除儒家、法家之外,还有道家、名家、阴阳家、纵横家、兵家以及其他各家的主张,只要有用,刘邦等人都是兼容并蓄的。刘邦去世之后,其后继者惠帝、吕氏、文帝、景帝继续霸王道杂之。

汉惠帝共在位七年。前两年,萧何为相;曹参继之为相三年;后又以陈平、王陵为相。实际的制度,并无变更,他们都是在黄老之学推向全国的同时大力提倡儒术:薄敛、减刑、除"挟书律",所以班固称惠帝"可谓宽仁之主"(《汉书·惠帝纪》)。吕后称制八年中,大赦天下,再省刑罚,除三族罪及妖言令,近乎儒术;而当时汉律已经形成,在执法、守法等政策上又有法家思想成分。显然,惠帝、吕氏也是霸王道杂之。

汉文帝是高祖的中子,初封为代王,刘邦旧臣和同姓王以其"仁孝宽厚"(《史记·吕太后本纪》)而拥之为帝。文帝大力提倡孝悌、力田等教化措施,和整饬吏治。文帝说:"孝悌,天下之大顺也。力田,为生之本也。三老,众民之师也。廉吏,民之表也。"(《汉书·文帝纪》)除了寻求社会安定之外,文帝还求政治安定,如济北王反,赦降者;吴王不朝,而赐几杖;对淮南王长一再忍让而不诛,后又封淮南王子四人。这些言行虽有其政治目的,但也表现了儒家的"亲亲"之仁。同时文帝在实际政治上也离开不了法。《史记·儒林列传》又说文帝"好刑名之言"。他曾去收帑相坐律令,除肉刑法,废三族罪及妖言令,这是所谓的儒家仁政,与法家不合。但三族罪,在新垣平谋反时,又重新复用,可见是霸王道杂之。贾谊深知文帝是以王道、霸道并用,他在《治安策》中说:

> 夫仁义厚恩,人主之芒刃也;权势法制,人主之斤斧也。今诸侯王皆众髋髀也,释斤斧之用,而欲婴以芒刃,臣以为不缺则折。"(《汉书·贾谊传》)

这里所说的"仁义厚恩",即儒家的德政;而"权势法制"则是法家的法治。贾谊这种德刑并行论就是文帝王道、霸道并用的写照。

景帝也是王道、霸道并用。文帝传至景帝,法家法治的一面更浓一些。文帝时除盗铸钱令,即允许私人铸钱币。以至于吴王得以"即山铸钱,煮海水为盐","乱天下币"(《史记·吴王濞列传》)。景帝在"七国之乱"后,定"铸钱黄金弃市律",更进一步加强中央集权。由于文帝、景帝霸王道杂之,因而收到了良好的政治成效,出现了"文景盛世"的太平景象。班固称文帝:"专务以德化民,是以海内殷富,兴于礼义,断狱数百,几致刑措,呜呼,仁哉!"(《汉书·文帝纪》)"孝景遵业,五六十载之间,至于移风易俗,黎民醇厚。"(《汉书·景帝纪》)司马迁也引孔子的话来称赞文帝说:"必世然后仁,善人之治国百年,亦可以胜残去杀。"(《史记·文帝本纪》)文景之治被称为仁,似乎是以儒家思想为指导,而实际上却是重用法家人物。文帝任命张释之为廷尉,这个人执法公正。《史记·张释之列传》记载,当时太子与梁王不守宫廷之法,张释之强行依法制止,并劾彼等"不敬"。直至文帝免冠而谢,太后才使承诏特赦。文帝因而看重张释之。这正是法家"王子犯法,与庶人同罪"的精神。一次文帝御驾出行,经过一座桥。有一人从桥下走上来,惊了御马。廷尉张释之依律判此人当罚金。而文帝以为判得太轻而怒,但张释之却说:"法者,天子所与天下公共也,今法如此,而更重之,是法不信于民也。且方其时,上使立诛之则已。今既下廷尉,廷尉,天下之平也。一倾,而天下用法皆为轻重,民安所措其手足"(《史记·张释之列传》),文帝才认为判得对。又有一次,有人偷了高庙座前玉环,张释之依律判弃市,文帝大怒欲致族之。张释之说:"依律只能这样判。假如灭其族,万一有个愚民'取长陵一抔土'(指挖掘刘邦坟墓),陛下又将如何处之?"文帝最后也只得承认他判得正确。文帝能以张释之为当,则表明是遵从法家精神的。晁错是一个法家,曾学申商刑名之学于张恢先,后又学《尚书》于伏生。他既通晓法术、兵事,又兼通儒学。在文帝时,他"以《书》称说",又"言削诸侯事"(《史记·袁盎晁错列传》)。《书》是儒家的经典,用以"称说",是其儒家的一面。"削诸侯"行集权又是法家的一面。文帝虽不从晁错之言,但却"奇其材"。景帝时从晁错之言削诸侯,引起"七国之乱",结果以晁错为牺牲。

西汉初期,从皇帝到大臣,都十分注意总结秦王朝覆灭的教训,从而逐步制定了比较符合历史要求的"霸王道杂之"的汉家制度。这一政治主张和措施取得了巨大的成功,出现了辉煌的"文景之治"。《淮南子》写作于文景之世,总结了汉初王道、霸道并用的成功经验,形成了以道家思想为核心,兼儒墨,合名法的政治体系。《淮南子》道、儒、法相融合的政治思想体系告诉我们,仁义道德与法并不是绝对不相容的,王、霸道可以杂用,儒家的人治、德治与法家的法治、术治是可以相辅相成,相济相助的。《淮南子》道、儒、法兼合的政治理论对以后各代影响极大,对于汉宣帝"霸王道杂之"的提出,起了很大的促进作用。

(2)汉武帝儒、法、道兼治

《淮南子》总结的汉初以来王道、霸道并用的传统,对汉武帝有没有影响?汉武帝采纳董仲舒的建议,"罢黜百家,独尊儒术",是否改变了汉初以来形成的王道、霸道并用的传统呢?回答这些问题,必须考察一下汉武帝时期政治思想领域的实际状况。

首先汉武帝对《淮南子》十分重视,对其思想内容非常赏识,至少是愿意接受的。汉武帝即位之初,淮南王刘安"入朝,献所作《内篇》(即《淮南子》)新出,上爱秘之"(《汉书·淮南衡山济北王传》)。汉武帝对刘安献上的《淮南子》一书"爱秘之",

就表明他对其思想是赏识、赞同和愿意接受的。其次,《淮南子》的思想有可能在统治集团上层发生影响作用。《汉书·淮南衡山济北王传》记载:"安初入朝,雅善太尉武安侯(田蚡),武安侯迎之霸上,与语曰:'方今上无太子,王亲高皇帝孙,行仁义,天下莫不闻。宫车一日晏驾,非王尚谁立者!'淮南王大喜,厚遗武安侯宝赂。"这里可见刘安与武安侯的关系极为亲密,刘安初入朝时的地位是显赫的。由此推之,《淮南子》的思想会在武安侯这些上层人物中流传。因此,可以说《淮南子》一问世,就对武帝时期的政治思想有着深刻的影响。

汉武帝提出"罢黜百家,独尊儒术"之后,仍然没有改变《淮南子》总结的汉初以来王道、霸道并用的传统。第一,罢黜百家,独尊儒术,并没有禁止儒家之外各家思想的传播,更没有在实际措施中拒绝采纳其他各家的主张和办法。首先从尊儒的实质来看,罢黜百家,只是把儒学之外的各家学说,排斥在官学之外,使之与仕途隔绝。独尊儒术,是举贤良时,只有学习儒术的人才有资格,使官吏全部来自儒生。这种政策,使儒家思想成为正统思想,使儒学成为当官的敲门砖。这种政策,符合汉武帝削弱地方郡国势力和消除匈奴侵边的外患,建立高度专制主义中央集权的大一统的汉帝国的需要。同时,豪强地主随着其经济力量的增长,急于要参与国家政权也是促使汉武帝尊儒的一个原因。实际上,武帝对儒家出身的官吏的任用颇为谨慎,《汉书·百官公卿表》所载武帝时名列三公的30余人中,崇尚儒术的只有窦婴、田蚡、兒宽、公孙弘、赵绾等5人。相反,汉武帝要有效地打击豪强地主势力,要取得对外战争的胜利,就不得不大量起用法家人物。对此,大臣汲黯看得很清楚,他曾对武帝说:"陛下内多欲而外施仁义,奈何欲效唐虞之治乎！"（《史记·汲黯传》）这话点明了武帝内法外儒的实际。"唐虞之治"就是尧舜之治，是儒家理想的治世。汲黯认为汉武帝私欲多，而只是表面上讲讲儒家的仁义，那是不能达到尧舜那种治世的。这些都说明，汉武帝尊儒只是外表，或只是为政的一个方面，不是完全按儒家思想和主张行事。其次，从汉武帝时的实际统治来看，武帝要完成建立统一的封建汉帝国的任务，单靠儒家是不行的，还需要有一批能够富国强兵的法家人才。整个武帝时代，儒家虽在学术上被定为正统，但真正活跃在政治舞台上的却多是法家人物。在中央，掌握实权的是以治淮南王之狱而起家的酷吏张汤和法家出身的著名理财家桑弘羊。张汤为武帝制定了若干法律条文，桑弘羊则通过各种途径聚敛财物以解决战争带来的财政危机。在地方上，有许多执行法家严刑峻法的酷吏。著名的酷吏有杜周、宁成、周阳由、赵禹、王温舒、尹齐、杨仆、咸宣等。他们不择手段地完成中央下达的赋税任务，镇压农民起义与不法豪强。再次，汉武帝还好神仙方术，这同儒家思想也不相同。关于武帝的祭神求仙活动，司马迁以其亲身见闻，在《史记》的《封禅书》、《武帝本纪》中作了详细的记载。他刚即位后，就特别注重祭祀鬼神。后来一位名叫李少君的方士，以其"祠灶、谷、道、却老方"（即炉火炼丹之事，《史记·封禅书》），得到武帝宠信。他自称曾同神仙安期生在海上相遇，有办法求仙不死。汉武帝完全按照他的办法去做，当然没有结果，而李少君却病死。武帝不仅没有因此觉悟，反而认为李少君乃成仙而去。于是，有更多的方士上书谈神仙之事，献方士之术。据《史记·封禅书》所记武帝一朝有名的方士除李少君外还有谬忌、少翁、栾大、公孙卿、勇之、公玉带、宽舒等人。其中少翁和栾大更为著名，他们以方术取得汉武帝的信任,先后被封为将军。栾大更在数月之间封侯、尚公主,"佩六印,贵震天下"(《史记·封禅书》)。他们的本领施尽而无一应验,先后被诛杀,但汉武帝求神仙之心并未稍减,多次东巡,都与求仙有关。汉武帝16岁即位,71岁死去,当了五十多年的皇帝,也求神仙五十多年,可以说是当了皇帝想成仙的典型,在这方面他效法秦始皇,又大大超过了秦始皇。这从一个侧面可以看出汉武帝对"儒术",并未达到"独尊"的地步,而是以儒家学说文饰各方面的措施,就连他求仙的措施,也要以儒术来文饰。

第二,从社会政治形势的表面来看,是执行"罢黜百家,独尊儒术",但从渗透于社会各方面的实际思想来分析,本来意义的儒、法、道各自真正的"独尊"局面都已不复存在,都已被儒、法、道各家思想的合流所代替。《淮南子》对百家之言的一致和相同处有深刻的认识,它说:"百家殊业,而皆务于治。"(《氾论训》)"百家之言,指奏相反,其合道一体也。"(《齐俗训》)它在总结诸子百家思想进程的基础上,以西汉前期新道家思想为核心,熔铸儒、法、阴阳等各家思想为一体,以构筑其新的理论体系,为封建帝国奉献治国纲领。《要略》说:"若刘氏之书,观天地之象,通古今之事,权事而立制,度形而施宜,原道之心,合三王之风,以储与扈冶,玄眇之中,精摇靡览,弃其畛挈,斟其淑静,以统天下,理万物,应变化,通殊类,非循一迹之路,守一隅之指,拘系牵连之物,而不与世推移也,故置之寻常而不塞,布之天下而不窕。"这段话充分表现了《淮南子》的政治理论上儒、法、道诸家兼合的特点。汉武帝时期儒法互济,各家思想合流正是受《淮南子》的影响。

首先作为官方正统思想的儒家思想适应统一的中央集权

封建制度的需要,吸取了各家思想。董仲舒的儒术已经不完全是先秦儒家学说,而是融合和搀杂了别家的主张。在董仲舒的思想体系中,阴阳家的思想占有重要位置,如他所说:"春者天下之所以生也,仁者君之所以爱也;夏者天之所以长也,德者君之所以养也;霜者天之所以杀也,刑者君之所以罚也。由此言之,天人之征,古今之道也。孔子作《春秋》,上揆之天道,下质诸人情,参之于古,考之于今。故《春秋》之所讥,灾害之所加也;《春秋》之所恶,怪异之所施也。"(《汉书·董仲舒传》)董仲舒把儒家政治理论与阴阳家学说融为一体。所以司马迁说他是"以春秋灾异之变,推阴阳所以错行,故求雨闭诸阳,纵诸阴,其止雨反是。"(《史记·儒林列传》)董仲舒还用阴阳五行学说来论证"三纲"、"五常"。他说:"君为阳,臣为阴;父为阳,子为阴;夫为阳,妻为阴"(《春秋繁露·基义》),而任何时候都是阳尊阴卑,所以"三纲"也就是天经地义的了。他还说:"木神则仁,金神则义,火神则礼,水神则智,土神则信"(《春秋繁露·五行敦变》),把"五常"赋予了神秘主义的属性。同时,董仲舒还吸收法家政治思想。他不只讲儒家的仁义道德,还公开讲生杀争夺。他说:"为人主者,争夺生杀,各当其义,若四时;列官显吏,必以其能,若五行;好仁、恶戾、任德、远刑,若阴阳。此之谓配天。"(《春秋繁露·天地阴阳》)他与法家一样主张"赏"、"刑",并说:"圣人副天之所以为政,故以庆副暖而当春,以赏副暑而当夏,以罚副凉而当秋,以刑副寒而当冬。庆赏罚刑,事异而同功,皆王者之所以成德也。"(《春秋繁露·四时之副》)他主张以教化为主,辅之以刑罚,他说:"教,政之本也;狱,政之末也。"(《春秋繁露·精华》)董仲舒也强调权势。他说:"未有去人君之权,能利其势者也;未有贵贱无差,能全其位者也。"(《春秋繁露·王适》)这些是综合儒法的主张,也符合"霸王道杂之"的汉家制度。董仲舒还吸取道家虚静无为思想,提出"为人君者,居无为之位,行不言之教"。要"虚心静处","以行赏罚之象"(《春秋繁露·保位权》),要"安精养神,寂寞无为"(《春秋繁露·立元神》),"以无为为道,以不私为宝"(《春秋繁露·离合根》)。另外董仲舒讲仁,强调"仁之法在爱人,不在爱我","质于爱民,以下至于鸟兽昆虫无不爱"(《春秋繁露·仁义法》)。这已远离了先秦儒家"仁者爱人"中的"亲亲"原则,而接受墨家"兼爱"了。他讲"义"说:"天之生人也,使之生义与利。利以养其体,义以养其心。"(《春秋繁露·生之养重于义》)义利并提,更显然是综合儒墨。可见,董仲舒虽然是正统的儒家,但他的思想体系是以儒家思想为主导,融合各家思想而形成的。这就像淮南王刘安的《淮南子》以道家思想为主导,融合各家思想一样。

其次,武帝时期法家也多儒家化。在汉武帝大倡儒术时,真正受到重用的是法家人物。而这些法家也开始有了变化。在地方上的酷吏中,虽有"斩伐不避贵势"的尹齐和"直法行治,不避贵戚"的义纵(《汉书·酷吏传》),他们坚守着法家"法不阿贵,绳不绕曲"(《韩非子·有度》)的原则,但更有一批酷吏开始执法而曲法,如周阳由之"所爱者,挠法活之;所憎者,曲法灭之"。王温舒也是"有势家,虽有奸如山,弗犯;无势,虽贵戚必侵辱"(《汉书·酷吏传》)。在中央,法家人物张汤,除了根据具有法家精神的汉律来判案以外,还找些儒生来附会些儒家的理论。他们以董仲舒提出的"引经决狱"办案,即以《春秋》经义作为审理狱讼和定罪量刑的最高依据。据说董仲舒老病家居后,汉武帝还"数遣廷尉张汤亲至陋巷,问其得失",董仲舒则"动以经对",并作《春秋决狱》232事。董的弟子吕步舒以经义治淮南狱,汉武帝"皆以为是"(《史记·儒林列传》)。以儒家理论决狱,以经代律是法家儒家化的一种具体的方式。同时,张汤不再像张释之那样"守天下之平"(《汉书·张冯汲郑传》)了,而是秉承皇帝的主观意志曲法枉法。《汉书·张汤传》说,张汤执法乃是"所治及上意所欲罪,予监吏深刻者;即上意所欲释,予监吏轻平者"。继张汤之后的廷尉杜周就更是这样了。因此,有人责备他说:"君为天下决平,不循三尺之法,专以人主意指为狱,狱者固如是乎?"而杜周却说:"三尺法安出哉?前主所是著为律,后主所是疏为令;当时为是,何古之法?"(《汉书·杜周传》)由此可见,这时的法家思想起了变化。法家的尊君应是以法尊君,如《韩非子·八经》说:"大臣有行则尊君",但"法之所外,虽有难行,不以显焉",尊君必以法尊之,"法之所外"就不能算是尊君了。张、杜的承君意决狱,是法家由以法尊君转向了尊君坏法。出现这种变化,一方面是因为在封建制度尚未稳定时,君主必须以法才得以尊,到政权稳定之后,君主已不需以法来使其尊了。另一方面,法家所主张的法治是为君主专制服务的,立法权掌握在君主手里,使得君主可以运用立法权来改变已有的法律。这反映这时法家的法治与儒家的人治已是一种混合的形态。这种法治以君主威势为中心,其法律是建筑在义务而非权利之上的治国方略。这是一种维护君势王权的法治,其要旨是治下而不治上,目的是巩固封建等级秩序和君主专制。武帝时法家"儒家化"最典型的人物要算是公孙弘。他原本是狱吏出身,40岁才学《春秋》杂说,60岁于武帝时以儒家姿态出现,所以《汉书·艺文志》儒家类著录《公孙弘》10篇。班固说他是"习文法吏事,缘饰以儒术"及

"外宽内深"(《汉书·公孙弘卜式儿宽传》)。所谓"文法吏事"就是法家之学,而儒术只是作为"缘饰";"外宽"是儒家的宽惠,"内深"是法家的本质。这正是"外儒内法"或"名儒实法"的写照。汉武帝曾采纳了公孙弘置学官之议。学官制度是一套由中央到地方的教育系统,公孙弘认为其功用是为天子达成"昭至德,开大明,配天地,本人伦,劝学兴礼,崇化厉贤,以风四方,太平之原也"(《汉书·儒林传》)的目的。"劝学兴礼"所以为"太平之原",公孙弘认为这是因为"夫虎豹马牛,禽兽之不可制者也,及其教驯服习之,至可牵持驾服,唯人之从"(《汉书·公孙弘卜式儿宽传》)。由此可见公孙弘所劝的学和所兴的礼绝不是儒家的。儒家从没有把自己看成"虎豹马牛"之类的禽兽,让君主去"驾服",而是近于法家的。不过法家是要以法、术、势,让臣下驯服,而公孙弘却是以"劝学兴礼"让民众在精神上驯服。这正反映了武帝时的法家儒家化。公孙弘还说:"致利除害,兼爱无私,谓之仁;明是非,立可否,谓之义;进退有度,尊卑有分,谓之礼;擅杀生之柄,通雍之涂,权轻重之数,论得失之道,使远近情伪必见于上,谓之术。凡此四者,治之本,道之用也。"(《汉书·公孙弘卜式儿宽传》)这是他"劝学兴礼"的具体内容,即仁、义、礼、术。但这四者之中,"术"是法家的主张,与儒家无关。再则对于儒家仁、义、礼等名目,填充了法家的内容。如儒家的仁是"亲亲",而不是"兼爱无私","兼爱"是墨家的口号,"无私"是法家的主张。其"义"、"礼"也同样是用法家思想来解释的。

第三,新道家对武帝政策的批评与武帝晚年向黄老思想的返归。汉武帝以武力的手段对汉代新道家代表人物淮南王进行镇压之后,黄老新道家仍然相当活跃。《汉书·叙传》说:

"嗣虽修儒学,然贵老、严(庄)之术。"班嗣为史学家班固的伯父。大学者刘向的父亲刘德,仕于武帝之时。《汉书·楚元王传》说:"德字路叔,修黄、老术,有智略。少时数言事,召兄甘泉宫,武帝谓之'千里驹'。德常持《老子》知足之计。"颜师古注:"《老子·德经》云'知足不辱'。"而刘向著有《老子说》,可知父子都是黄老之学的爱好者。武帝时学者邓章以研治黄老而名扬朝廷。《史记·爰盎晁错列传》中说:"建元中,上招贤良,公卿言邓公。时邓公免,起家为九卿。其子章,以修黄老言显诸公间。"杨王孙笃信黄老,倡导裸葬,返璞归真。《汉书·杨胡朱梅云传》说:"杨王孙者,孝武时人也。学黄老之术,家业千金,厚自奉养生,亡所不致。及病且终,先令其子,曰:'吾欲赢葬,以反吾真,必亡易吾意。死则为布囊盛尸,入地七尺,既下,从足引脱其囊,以身亲土。'"颜师古注:"赢者,不为衣衾棺椁者也。反,归也。真者,自然之道也。"隐士严君平,传授《老子》,名重巴蜀。《汉书·王贡两龚鲍传》说:"蜀有严君平。君平卜筮于成都市。裁日阅数人,得百钱足自养,则闭肆下帘而授《老子》。博览无不通,依老子、严(庄)周之指著书十余万言。"由此可知,新道家虽然受到"独尊儒术"的打击,但其黄老思想已深入人心。这一思想对汉武帝的政治活动也会有一定的影响。

首先,新道家人物站在黄老思想的立场上对武帝的政策进行了批评。他们当中,汲黯与司马谈、司马迁父子是突出的代表。据《史记·汲郑列传》所载,汲黯生活于景武年间。景帝时,"为太子洗马"。后武帝即位,"黯为谒者"。以后"迁为荥阳令"、"拜为中大夫"、"迁为东海太守"。"黯学黄老之言,治官理民好清静,择丞史而任之。其治,责大指而已,不苛小。黯多病,卧闺阁内不出。岁余,东海大治,称之。上闻,召以为主爵都尉,列于九卿。治务在无为而已,弘大体,不拘文法。"他在运用黄老之学治官理民方面颇有成就。汲黯曾针对武帝"招文学儒者"的重儒、尊儒倾向,提出过批评意见,他说:"陛下内多欲而外施仁义,奈何欲效唐虞之治乎!"这里的"内多欲",是明确指责武帝离开了黄老之治的政治路线。对于武帝"大事四夷",他"乘上间,常言与胡和亲",又指出不能因战事而破坏社会安定的大局,以"至今天下骚动"。他还根据黄老思想的军事观点,反对武帝为"利"和"行忿"而战,并主张把战争中得到的奴婢"赐从军死事者家;所卤获,因予之,以谢天下之苦,塞百姓之心"(《史记·汲郑列传》)。对于这些批评,武帝虽然不高兴,但仍然肯定了汲黯的忠诚,说:"古有社稷之臣,至如黯,近之矣。"(《史记·汲郑列传》)司马谈、司马迁父子更是武帝政策的反对者。司马谈是一个新道家,他生长于文景时期,仕于武帝"建元、元封之间",曾"习道论于黄子"(《史记·太史公自序》),"黄子"是一位研究黄老之术的专家,"道论"就是黄老之学,集新道家理论之大成的《淮南子》所讲各种理论,可以总名之曰"道论"。司马谈的《论六家要旨》可以说是黄老之学的一种理论上的概括。他说:"道家使人精神专一,动合无形,澹足万物。其为术也,因阴阳之大顺,采儒、墨之善,撮名、法之要,与时迁徙,应物变化,立俗施事,无所不宜,指约而易操,事少而功多。"(《汉书·司马迁传》)司马谈的用意,显然和《淮南子》一样企图推行黄老思想。汉武帝不重用司马谈,乃至于封泰山这样的根本大事,作为在职务上还有关系的太史公都不得参与其事,所以他悲愤而死。这也可以看出,他的思想和《老子》与世无争,隐忍、超脱之类的先秦道家思想不同,他是黄老新道家思想,他所提的主张是对君主的要求,而不是用来律己的。黄老思想也为司马迁所重视,后来班固攻击他"论大道则先黄老而后六经"(《汉书·司马迁传赞》),就是证明。他在所著《史记》中,表明了他的态度。司马迁对儒家并不尊崇,反对严刑酷法,对黄老新道家予以歌颂。

其次,武帝晚年向黄老思想回归。汉武帝开始并没有采纳黄老新道家的意见,直到他统治的晚年,大规模的农民起义即将爆发之际,他才认识到黄老思想的合理之处。征和二年(前91年),他对卫青说:"汉家庶事草创,加四夷侵陵中国,朕不变更制度,后世无法,不出师征伐,天下不安。为此者不得不劳民。若后世又如朕所为,是袭亡秦之迹也。"(《资治通鉴》卷22)。征和四年(前89年)他对群臣说:"朕即位以来,所为狂悖,使天下愁苦,不可追悔。自今事有伤害百姓,糜费天下者,悉罢之。"大鸿胪田千秋遂上言:"方士言神仙者甚众,而无显功,臣请皆罢斥遣之。"武帝立即接受了这一意见。他说:"大鸿胪言是也"。于是悉罢诸方士候神人者。此后,武帝还经常对臣下追悔说:"向时愚惑,为方士所欺。天下岂有仙人?尽妖妄耳!节食服药,差可少病而已。"(《资治通鉴》卷22)同时又拒绝法家桑弘羊与丞相、御史在轮台屯田远戍的要求,并且下了著名的"轮台诏"自责,"深陈既往之悔",提出"当今之务在禁苛暴,止擅赋,力本农,修马复令以补缺,毋乏武备而已";而且"封丞相车千秋为富民侯,以明休息,思富养民也"(《汉书·西域传》)。武帝终于冲破法家的障碍,重新回到了"与民休息"的黄老思想的统治策略上来。从其政策的改变和更张来说,汉武帝比秦始皇略胜一筹。

汉武帝尊儒并未禁止各家思想的传播,他除了重用儒家以外,还重用法家。同时儒家思想和法家思想也发生了变化,儒家思想吸取了各家的思想；法家理论也"儒家化"，另外，新道家人物也很活跃，因此，完全可以说，汉武帝时代，同汉初一样仍然是霸王道杂之，所不同的是其侧重点有所区别。

(3) 霸王道杂之的影响

《淮南子》总结汉初王道、霸道并用的实践，提出儒、法、道兼取并治的政治思想，对当时的政治有很大的影响。经过汉武帝的政治实践，到汉宣帝正式提出了"霸王道杂之"的政策。这一政策原则，体现了《淮南子》多元政治、多元文化的思想，中国政治文化中王道与霸道共生共存的格局也从此确定下来。汉代"霸王道杂之"对后世封建社会的政治观有深远的影响。

第一，汉末以后出现了不少儒法并用的政治家。

三国时期曹操和诸葛亮，在治国的方略上，都是霸王道杂之。

历史上的曹操是封建地主阶级的政治家，并不是小说或戏剧舞台上的白脸大奸臣。他明法严刑，赏功罚罪，打击豪强大族，加强中央集权，注意实行屯田，奖励耕战，足食强兵，坚持用人惟贤，循名责实，好用权术等等这些都是法家的传统。同时，他重视学术文化，沦落匈奴十多年的女文学家蔡文姬，就是经他出力赎回来的。曹操自己也多才多艺，他长于书法，精于围棋，特别在文学上有很高的造诣，文章和诗歌都写得很好。在他写的文告表章中，经常论说仁义。如建安八年(203年)平定袁绍之后，他下令说："丧乱已来，十有五年，后生者不见仁义礼让之风，吾甚伤之。其令郡国各修文学，县满五百户置校官，选其乡之俊造而教学之，庶几先王之道不废，而有以益于天下。"(《三国志·魏志·武帝纪》)在政权建立之初，他就重视儒家的教化。可以看出曹操懂得马上得天下,不能马上治天下的道理,是儒法并用,霸王道杂之。只是直到他去世,统一还未完成,战争还在继续,其儒家的一面表现得不太显著。建安二十四年,孙权和刘备的联盟破裂后,孙权向曹操称臣,称说天命,劝曹操当天子。曹操"以权书示外曰:'是儿欲踞吾着炉火上邪!'"曹操的臣下也乘势劝进。但曹操不同意,说:"若天命在吾,吾为周文王矣。"(《三国志》注引《魏略》)这说明,曹操只愿做周文王,让其子去当天子。这固然表现曹操处理代汉的问题态度慎重,同时也说明儒家的君臣观念对他影响很深。他早已是事实上的天子,但他只愿当周文王而不愿意当王莽。

诸葛亮是三国时期又一个有影响的历史人物,被统治者说成是儒士学习的楷模。他不辞劳苦,忠心耿耿地辅佐刘备、刘禅父子立国兴邦,终身以复兴汉室为目标,最后病死于北伐军中,真正做到了"鞠躬尽瘁,死而后已"。他一点当皇帝的野心也没有,袁准《诸葛公论》称他:"受六尺之孤,摄一国之政,事凡庸之君,专权不失礼,行君事而国人不疑。"他勤政爱民,《诸葛亮传》说他"抚百姓,示仪轨","开诚心,布公道",死后百姓私祭在田间路旁,可见他深得民心。从这些方面看来,他似乎是儒家的理想人物。但是诸葛亮的理想不同于儒家。他隐居隆中期间,"自比管仲、乐毅"(《三国志·蜀志·诸葛亮传》),是一个很有抱负的青年。管仲帮助齐桓公称霸,为政治家;乐毅为燕国大将,是军事家,他们都不是儒家人物。诸葛亮根据自己多年的观察和判断,提出占领荆州,夺取益州,联合孙权,抗拒曹操,安定内部,积聚力量,等待时机,最后完成统一的"隆中对策"以及"赤壁之战"前劝说孙权同刘备联盟抗拒曹操的说词,颇具战国纵横家的风格。他行军打仗很有章法,并著有《兵法》五卷(已失传),说明他对兵家很有研究。他为人淡泊,其《诫子书》中说:"夫君子之行,静以修身,俭以养德,非淡泊无以明志,非宁静无以致远。"他又有道家气息,为政、治军赏罚分明,不断加强中央集权,注意耕战等等这些又是法家的主张。

第二,儒佛道并用。霸王道杂之,在显性模式上确立了儒家的地位,而在隐性模式上确立了法家的地位。《淮南子》对汉代以后的中国古代政治观的影响,体现在多元政治、多元文化上。儒、法、道、墨各家思想的进一步融合,对于吸收外来文化,对于中华民族多元文化的形成与发展都有积极的作用。由于法家等思想湮没在儒家思想之中,儒家思想成为中国古代政治思想的主要部分,而道教在汉代以后形成和发展,从而在中华大地上正式形成了自己民族的宗教;从印度传入的佛教,与我国固有文化相结合形成了中国佛教。道教、佛教与两汉以来处于独尊地位的儒学,经过矛盾冲突而趋于调和融合。这一文化趋向,在政治方略上表现得颇为明显。

儒、佛、道三家是矛盾和冲突的,但统治者往往都是三家并用。魏晋南北朝时期佛教兴盛,儒佛道的矛盾冲突颇为激烈。但是,无论是北方的少数民族的统治者,还是南方的汉族统治者,绝大多数都是三家并用。南朝梁武帝萧衍,是这一时期最为信仰佛教的统治者,他宣布佛教为国教,大修佛寺、佛塔,他本人几次到同泰寺舍身去做"寺奴",然后每次都得要臣下用亿万钱把他赎出来,他这样做,无非是要提倡佛教,抬高佛教的地位。但同时梁武帝也十分重视儒学,精通儒学。他曾经亲自讲授儒家经典,注疏儒家经典,设置五经博士,让通晓儒学的士子当官。他把佛教放在最高的位置,并认为老子、孔子都是佛的弟子,提倡三教同源,佛儒道并用。北方少数民族统治者都接受汉族文化,大都儒佛道并用。北周武帝推行毁佛,并非他的本意。他十分重视儒学,宣布其次第:儒第一,道次之,佛最后。由于当时佛教势力大,反对这种次第,矛盾激化演变而为毁佛。由于这一时期,国家分裂,政权多,朝代更替频繁,因此不可能有统一的方针。但总的趋势是儒佛道三家并用。

隋唐时期大统一,儒、佛、道都有很大的发展。这时的统治者都制定了儒、佛、道并用的政策。唐太宗李世民是推行这一政策的典型。唐太宗是我国历史上一位杰出的封建帝王,他随唐高祖李渊起兵时,就已经注重儒学,如建立文学馆,以杜如晦等人为十八学士。即位以后,他进一步采取一系列措施推崇儒学,如考定"五经",搞"五经定本",开设学校,建立国子监,以儒学取士等,都是他即位后创设或完善的。他曾说:"朕今所好者,惟在尧舜之道,周孔之教,以为如鸟有翼,如鱼依水,失之必死,不可暂无耳。"(《贞观政要·慎所好》)他对儒学极为重视。唐太宗认识到人民群众有翻天覆地的力量,强调对人民的剥削必须有所节制。他依据先秦儒家荀子的话说:"舟所以比人君,水所以比黎庶,水能载舟,亦能覆舟"(《贞观政要·教戒太子诸王》),用以自鉴和训诫太子。他"轻徭薄赋,选用廉吏,使民衣食有余"(《资治通鉴》卷192)。这些言论和政治措施,都符合儒家仁政的精神。唐太宗也尊崇佛教和道教。著名僧人玄奘在唐太宗贞观三年(629年)从长安出发,经过千辛万苦到达印度,在那烂陀寺学习了5年,在印度各地游学4年,往返路程走了8年,于贞观十九年(645年)回到长安,唐太宗对他大力资助,支持玄奘翻译各种佛教经典。如唐太宗曾对玄奘说:"自法师行后,造宏福寺,其处虽小,禅院虚静,可以翻译。所须人、物、吏力,并与玄龄商量,务令优给。"(《续高僧传·玄奘传》)在优厚的条件下,玄奘翻译经典74部1335卷。唐太宗为之作序,这就是著名的《大唐三藏圣教序》。他还支持建寺度僧等活动,唐太宗曾下有《为战阵处立寺诏》。由于李渊起兵时曾得道士的支持,又因为老子与唐朝皇帝同姓李,老子、道教受到李唐王朝特殊的尊重和保护。武德八年(635年)李渊曾正式下诏宣布三教先后:道先,儒次,释再次。李世民没有公开否定这个次序,但从他的实践看,是把儒学放在首要地位,同时对佛、道都加以尊崇和利用。唐代的君主基本沿袭儒佛道并用的政策,即使略有侧重,但总的方针没有改变。

宋辽金元时期,统治者对儒佛道并用的政策,基本上没有变,只是侧重点不同罢了。如宋徽宗,特别迷信道教,自称"教主道君太上皇帝",金朝前期的几代皇帝崇信佛教,元朝早在成吉思汗时就把佛教放在第一位,而三家并用的格局始终不变。

经过长期的儒佛道并用,封建统治者以及三家的思想家总结出儒佛道协调和分工的方案。南宋孝宗说:"以佛治心,以道治身,以儒治国。"(《三教平心论》卷上)禅宗高僧万松,也对元朝大臣耶律楚材提出过"以儒治国,以佛治心"(《湛然居士集》卷13),为耶律楚材所采用。儒、佛、道各为一体,原有不少思想观念是对立的。如佛教厌生,道教恶死;儒学轻鬼神,道教敬鬼神等等。现在发挥其各自的长处而用,佛教修持讲究觉悟,用来治心;道教追求长生久视,用来治身;儒家提倡三纲五常,用来治国。这样儒佛道并用就有了发展,不再是简单地排列先后次序,而是有了明确分工,用其所长。这种用其所长的政策,不仅有利于儒佛道取长补短,共同发展,而且对巩固封建统治更为有利。明清两代大都采用这一政策。明代十分明确地提出以儒治国:开国皇帝朱元璋在投奔起义队伍前,曾经做过几年和尚,虽然他的出家完全是为了混口饭吃,但他毕竟还是入了佛门的人。他自己也俨然以弥勒佛转世,和尚做皇帝是顺理成章,奉天承运。为此朱元璋推崇佛教。同时他又利用道教神学为自己装点上奉天承运的光辉,又利用道士和道教方术为自己出谋效力。由于朱元璋对佛教、道教持着较为清醒的认识,因而他虽然利用它们来神化自己的政权,但是并未沉溺于宗教之中。他真正重视并用以治国的是儒学。朱元璋命人编定儒家经典,供士人学习。他把唐宋以来的学校、科举制度,进一步制度化。从中央到地方,都设立学校,扩大教育对象,科举考试最重经义,以四书五经命题,以程朱理学为解释儒家经典的标准,把士人的思想统一在儒学的框框之中。考试用八股文,形式死板,内容空洞,千篇一律,成为愚民政策的工具。朱元璋虽然尊崇儒学,但不能容忍儒家学说中具有的民主性思想。他对孟子书中"民为贵,社稷次之,君为轻"等民本思想极为不满,下令删削《孟子》一书,只刊《孟子节文》,并说孟子,"此老在今日,宁得免乎"。(《鲒埼亭集》卷35)就是说,孟子如果在大兴文字狱的明代,岂能允许他活下去!这些做法使儒学日益失去原有的进步性。

从西汉到明清的两千多年中,从霸王道杂之到儒佛道并用的政策,都是以儒家学说为主,吸取和融合各种思想学说,从而不断地有所发展。但是这种以儒学为主,兼容别种思想的政策,是有局限的。当19世纪,以民主、自由为核心的西方思想传入中国时,封建统治者不能像过去那样,对民主、自由思想采取兼容并蓄的政策,因为它超出了封建主义所能容许的范围。

2.《淮南子》与无为政治

《淮南子》通过总结黄老新道家的政治理论,从道本源论直接引申出与老庄不同的无为政治观。《修务训》说:

> 若吾所谓无为者,私志不得入公道,嗜欲不得枉正术,循理而举事,因资而立功,推自然之势,而曲故不得容者。

《道应训》说:

> 所谓无为者,不先物为也;所谓无不为者,因物之所为也。

这种无为政治几乎全面吸取了老庄道家的清静、虚无、自然无为思想,同时发挥新道家"因"思想,使之成为其理论的应用原则,并结合法家的"时变"思想使其理论更强调人的能动作用。这种具有显著特点的"无为无不为"的无为政治观,是对汉初无为政治的总结,对汉代以后的封建社会政治产生了深远的影响。

(1) 盛况空前的汉初无为而治

《淮南子》的无为政治观,从理论渊源上说,是力图批判地总结先秦诸子之学,集黄老新道家理论之大成的;从政治上说,是继承汉初六七十年实践中收到了成效的"无为而治"传统,力求为巩固西汉新王朝的封建统治而效力。

三 《淮南子》与中国古代政治观

"无为而治"是汉初政治生活的主流。汉王朝是在秦王朝的废墟上建立起来的,汉初统治者为了免蹈覆辙,不得不认真地总结历史教训,探讨秦亡汉兴的原因。他们从历史教训中认识到:法家的专靠刑罚治国之道已经不行了,而不知时宜的儒家的方法又无助于解决汉初的社会危机,于是采用了新道家的无为而治。汉初由于坚持无为而治,很快地恢复了战争创伤,繁荣了社会经济,稳固了新政权,取得了积极的社会效果。

第一,汉初推行无为而治的原因。首先,无为而治的推行是出于当时形势的需要。战国时期,战争绵延不绝,人民饱受战乱之苦。因此广大人民迫切需要休养生息。而秦统一后并没有给人民带来这种机会,秦始皇推行严刑苛法、繁徭重赋的极端专制主义的法家政策,结果加剧了社会矛盾。秦二世、赵高统治时期,更是变本加厉,滥用民力,残暴荒淫,从而激起了人民的强烈反抗。结果,貌似强大的秦王朝很快就在农民起义的大风暴中土崩瓦解了。之后又经过了五年楚汉战争,社会生产力遭到了严重的破坏。当西汉新王朝初建之时,所面临的是经济凋敝、人民穷困、土地荒芜的局面:"汉兴,接秦之敝,诸侯并起,民失作业,而大饥馑。凡米石五千,人相食,死者过半。"甚至于"自天子不能具醇驷,而将相或乘牛车"。(《汉书·食货志》)在这样的情况下,饱尝战祸之苦的人民急需的是休养生息、安居乐业。新王朝的统治者也需要有一个相对稳定的发展时期,以便逐步积蓄自己的力量,实现自己的战略目标。而且,经过长期战乱的人民,已经不可能提供很多财富供统治者享乐挥霍。司马迁对当时的情况看得很清楚,他说:"孝惠皇帝、高后之时,黎民得离战国之苦,君臣俱欲休息乎无为。"(《史记·吕后本纪》)这说明,久经战乱之后,休养无为乃是朝野上下的共同愿望,统治者只有实行黄老新道家的"无为而治",才能为恢复生产、发展经济提供有利的环境。除此之外,汉初无为而治的推行也反映出当时封建专制主义中央集权的局势尚未巩固。西汉新王朝不但对外不能有效地防御北方匈奴族对中原地区的侵扰,而且对内也没有足够力量实行极端专制主义的高压政策。外戚、功臣、诸侯王还有着相当大的势力。在这种形势下,推行无为而治,才能调和矛盾,稳定政局。其次,汉初能推行无为而治,是与当时君臣积极实践这一政策分不开的。从历史记载可以看到,汉初的几位皇帝或太后,从汉高祖、汉惠帝、吕太后到文帝、景帝乃至窦太后掌权的武帝初年,都是推行无为而治。汉高祖刘邦即位以后,变更秦政,"约法省禁,轻田租,什五而税一,量吏禄,度官用,以赋于民"(《汉书·食货志》)。他指示陆贾著《新语》一书,总结秦亡汉兴的历史经验,提出新的治国方略,并且接受了陆贾"无为而治"的政治方略。惠帝、吕后时期,继承了汉高祖的统治政策,实行无为而治。《史记·吕太后本纪》说:"惠帝垂拱,高后女主称制,政不出户,天下晏然。刑罚罕用,罪人是希;民务稼穑,衣食滋殖。"这说明他们所推行的无为而治,收到了积极的效果。汉文帝继续奉行无为而治。《史记·孝文本纪》说他"以示敦朴,为天下先。治霸陵皆以瓦器,不得以金银铜锡为饰,不治坟,欲为省,毋烦民。……与匈奴和亲,匈奴背约入盗,然令边备守,不发兵深入,恶烦苦百姓。……专务以德化民,是以海内殷富,兴于礼义"。景帝对文帝的治国功绩给予了高度评价。他说:"孝文皇帝临天下,通关梁,不异远方。除诽谤,去肉刑,赏赐长老,收恤孤独,以育群生,减嗜欲,不受献,不私其利也。罪人不奴,不诛无罪,除宫刑,出美人……此皆上古所不及。"(《史记·孝文本纪》)这段话表明景帝赞同文帝无为而治的治国方略。景帝在位期间,也确实遵循了无为而治的原则。后来司马贞赞曰:"景帝即位,因修静默,勉人于农,率下以德。"(《〈史记〉索隐述赞》)可见汉景帝治国也是无为而治的。汉初不仅帝王推行无为而治,许多谋臣如陆贾、萧何、曹参、陈平、田叔、汲黯等都在政治上努力实践无为而治。其中尤以曹参成就卓著。他任齐相时,以黄老学者盖公为师,"其治要用黄老术,故相齐九年,齐国安集,大称贤相"(《史记·曹相国世家》)。惠帝时,萧何死,曹参升任为汉相国,"举事无所变更,一遵萧何约束",将曾在齐国颇见成效的"无为而治"推行于全国。他死后,百姓歌之曰:"萧何为法,顜若划一,曹参代之,守而勿失。载其清静,民以宁一。"司马迁评述说:"参为汉相国,清净极言合道,然百姓离秦之酷后,参与休息无为,故天下称其美矣。"(《史记·曹相国世家》)继曹参之后,汲黯在运用"无为而治"方面也很有成就。他生活在景帝、武帝时期,《史记·汲郑列传》说:"黯学黄老之言,治官理民好清静,择丞史而任之。其治,责大指而已,不苛小。黯多病,卧闺阁内不出。岁余,东海大治,称之。上闻,召以为主爵都尉,列于九卿。治务在无为而已,弘大体,不拘文法。"武帝时,独崇儒术,"而黯常毁儒,面触(公孙)弘等徒怀诈饰智以阿人主取容,而刀笔吏专深文巧诋,陷人于罪,使不得反其真,以胜为功"。并在武帝高谈儒家理想时,他却批评说:"陛下内多欲而外施仁义,奈何欲效唐虞之治乎?"从这些情况来看,汲黯一直是坚持无为而治的。

第二,汉初推行无为而治的做法。首先,汉初统治者除烦去苛,营造宽松的环境。汉高祖约法省禁的政策,为其后继者所继承。惠帝、吕后统治时期,颁布了一系列废除严刑酷法的政令。惠帝四年（前191年）废除挟书律。高后元年（前187年），除三族罪、妖言令。文帝即位后，进一步宽刑简政。他在即位的第一年（前179年）就废除了"收孥诸相坐律令"。文帝二年，下令废诽谤、妖言之罪。文帝七年，令列侯、太夫人、夫人、诸侯、王子及吏二千石，无得擅征捕。文帝十三年（前167年）下令"除肉刑"。又"除宫刑"，"出美人"（《史记·孝文本纪》）。景帝元年（前156年）下令"减笞刑"。又规定，断案判刑时，如有疑狱，则可交付有司重新审议量刑，然后再送廷尉。景帝中元六年（前144年），再减笞刑。这些政令的施行，使人们在较大程度上脱离了严刑酷法之苦，为社会经济的恢复和发展，提供了必要的条件。其次，采取轻徭薄赋，减轻农民负担。早在刘邦称帝之初，面对经济凋残的现状就制定了"轻田赋"的政策："什五而税一，量吏禄，度官用，以赋于民。"（《汉书·食货志》）由于当时军旅未休，用度不足，这种"十五税一"的办法，大概施行的时间不长就废止了，所以汉高祖十二年（前195年）高祖崩，惠帝即位，即于是年"减田租，复十五税一"（《汉书·惠帝纪》）。文帝即位后第二年（前178年），就下诏"赐天下民今年田租之半"（《汉书·文帝纪》），将这年的田租减半征收，也就是所谓"三十而税一"。文帝十二年（前168年）又用晁错议再减半征收当年的田租。文帝十三年又诏"除田之租税"（《汉书·文帝纪》），全部免除了全国农民的田租。直到景帝元年（前156年）"令田半租"（《汉书·景帝纪》），才又恢复"三十而税一"的办法，此后这种办法基本上就成为了汉朝田租租率的定制。文帝时还减少地方徭役、卫卒，停止郡国岁贡，开放山泽禁苑给贫民耕种，振贷鳏寡孤独等等。这些措施的施行，减轻了农民的负担，使农民生活得到相对安定。为了避免人民负担过重,汉初统治者不搞对外战争和大兴土木。他们在对匈奴关系的问题上持谨慎态度。如惠帝、吕后时"不复议击匈奴事"(《汉书·季布传》)。文帝多次遣使者与匈奴单于谈判,采取和亲政策与之"结兄弟之义,以全天下元元之民",避免战争。在匈奴背约而入境的情况下,也只是"令边备守,不发兵深入",以免"烦苦百姓"(《史记·孝文本纪》)。在兴土木方面汉初统治者也注意节俭。如文帝为自己筑治陵墓时,嘱咐"皆以瓦器,不得以金银铜锡为饰"。因山为陵,不治坟,"欲为省,毋烦民"。他想修建个"露台",一计算需要费百金(据《史记·平准书》,一金值万钱,百金则值一千贯钱),相当于十户中等人家的财产。于是,他取消了这个计划(见《史记·孝文本纪》)。再次,宽律弛禁,经济政策也有所松弛。惠帝、吕后时,"复弛商贾之律"。文帝前五年(前175年),"除盗铸钱令,使民放铸"(《西汉会要》卷53),即允许私人铸钱币。文帝前十二年(前168年),罢关卡税,并允许商人自由往来,取消出关、入关用"传"(刻木为符,作为通行凭证)的制度。文帝后元六年(前158年),弛山泽之禁,即允许私人入山采矿、下泽捕鱼、煮海水为盐等。

第三,汉初无为而治的社会效果。西汉初期无为而治的推行,取得了明显的社会效果。惠帝、吕后时,已经由天下初定时的"民无盖藏"的凄惨局面变为"天下晏然"、"衣食滋殖"(《史记·吕太后本纪》)的兴旺景象。文帝时,"百姓无内外之徭,得息于田亩,天下殷富,粟至十余钱,鸣鸡吠狗,烟火万里,可谓和乐者乎"(《史记·律书》)。景帝时也是这样。《汉书·景帝纪》说:"周秦之敝,网密文峻,而奸轨不胜。汉兴,扫除烦苛,与民休息。至于孝文,加之以恭俭,孝景遵业,五六十载之间,至于移风易俗,黎民醇厚。周云成康,汉言文景,美矣!"出现了

"文景之治"的太平景象。《汉书·食货志》总结说:"(汉初)至武帝之初七十年间,国家亡事,非遇水旱,则民人给家足,都鄙廪庾满,而府库余财。京师之钱累百巨万,贯朽而不可校;太仓之粟陈陈相因,充溢露积于外,腐败不可食。众庶街巷有马,仟佰之间成群,乘牸牝者摈而不得会聚。"这就是历代史家所称道的所谓"文景之治"。它是我国封建社会史上的第一个"盛世",与汉高祖初年的凄惨形势形成了强烈对照。上述史料中,有不少是史家的夸饰之词,溢美之词,未必句句可信。然而,与秦相比,这时整个社会富饶起来,为西汉的强盛积蓄了富厚的国力,这是毋庸置疑的历史事实。而造成这一强盛的原因,除了根本在于劳动人民努力生产之外,一个重要原因,就是汉初统治者能够针对当时社会现实情况,实现了黄老新道家所主张的"无为而治"的基本政策。撰写于此时的《淮南子》总结了汉初"无为而治"的成功经验,将"无为而治"的理论,进一步完善、成熟。对以后的中国封建社会政治生活产生了极大的影响。

(2) 无为政治的影响

《淮南子》继承和发展了《老子》无为论,把汉初"无为而治"的政策和实践理论化,为西汉王朝提供了更为完善的无为政治的治国方略。但汉武帝毕竟没有接受《淮南子》的无为政治观,而是选择了董仲舒的新儒学思想。此后,历史上公开提无为政治的不多见了。但《淮南子》无为政治的实质是与民休息,特别是动乱之后的新建王朝,不能不以此作为恢复生产甚至长治久安的重要国策。西汉以后的每一个新的封建王朝的建立,差不多都吸取了《淮南子》无为政治的思想成果,与民休养生息，治理战乱创伤，缓和社会矛盾，使社会由动乱转化为安定，从而巩固新政权。这对《淮南子》无为政治来说，是师其意而不师其辞，新道家的统治方术和其政治学说的"救世"作用也正好表现在这里。

第一，东汉前期的"柔道"政策。

汉初盛行的"无为而治"经过《淮南子》的总结，更为理论化、系统化。但是汉武帝并没有选择《淮南子》无为政治的理论，直到武帝晚年尤其是汉昭帝、汉宣帝时，统治者才又重新实行"与民休息"的无为政治。《汉书·昭帝纪》"赞"曰："承孝武奢侈余敝，师旅之后，海内虚耗，户口减半。光知时务之要，轻徭薄赋，与民休息"，取得了较好的社会效果。随着统治政策的变化，西汉晚期各种社会矛盾逐步尖锐。土地兼并日益剧烈，奴婢数量不断增多，统治阶级生活腐朽、政治黑暗。王莽代汉与改制不仅没有缓和社会矛盾，反而使之激化，促使绿林赤眉起义的爆发。借农民起义之机而起兵最后夺取政权的刘秀，出身于豪族并在豪族支持下重建了新的封建王朝。为了皇族的利益和整个地主阶级的长远利益，他们在吸取西汉和王莽新朝灭亡教训的基础上，在政治上，他们既不像汉武帝那样"独尊儒术"，也不像王莽后期严刑酷法，而是采用了无为政治。《后汉书·循吏列传》说这时的政策是"务用安静"，"解王莽之繁密，还汉世之轻法"，就是说恢复西汉初期的无为而治。光武帝刘秀称自己治理天下的政策是"柔道"政治。

东汉光武建武十七年（41年）冬天，一次刘秀宴请宗室，几位皇族老太太因为喝了酒就兴奋地谈起往事来，说："文叔（刘秀的字）少时谨信，与人不款曲，唯直柔耳。今乃能如此！"说着都笑了。刘秀也笑着说："吾理天下，亦欲以柔道行之。"（《后汉书·光武帝本纪》)刘秀的"柔道"不是那种作为健身术的体育运动,而是一种屈伸得宜、以柔克刚的韬略思想和温和安抚的统治政策。刘秀平时似个书生,但在战争中,他却表现出惊人的胆略和决断,勇猛冲杀,以少胜多,建立战功。而刘秀在其兄刘缜被杀时,他却没有怒发冲冠,也不为其兄哭丧,反而向仇人更始帝刘玄叩头请罪,表现得至柔至顺。但当他一旦得势,就毫不犹豫地夺取了农民起义的胜利果实。取得胜利后,刘秀继续运用"柔道"来安民治国。东汉初年,由于经历了长期战乱和伴之而来的饥荒疫疾,生产破坏,人口锐减,社会经济凋敝。刘秀认识到"天下疲耗,思乐息肩"(《后汉书·光武帝纪》),要以"柔道"治天下的道理,所以他实行了许多减轻封建赋役负担的措施。

刘秀在河北时,就曾"除王莽苛政,复汉官名"(《后汉书·光武帝纪》),博取当时官僚地主的支持。他即位初在争夺统治权的兼并战争中,曾采取什一之税,而到建武六年(公元30年)即重申三十税一的旧制。裁并地方官僚机构,罢除都试制度。这些措施除有意加强集权外,也含有改变"官多役烦"(《续汉书·郡国志》并注),缓和人民反抗情绪的用意。他曾下诏说:"明兵革既息,天下少事,文书调役,务从简寡"。(《后汉书·光武帝纪》)针对西汉末以来的奴婢问题,刘秀在统一战争过程中,曾先后颁布过六次释放奴婢、三次禁止虐杀奴婢的诏令。尽管这些诏令有很大的局限性,但毕竟使一部分奴婢获得解放,未释放的奴婢在法律地位上有了改善。面对西汉末年以来的土地兼并的加剧和当时土地占有实际,刘秀于建武十五年(公元36年)颁发了度田令。度田,即丈量土地,包括核实户口。在豪强地主的反对下,度田令随之失效,但土地兼并在某些地区,同西汉相比有了一定程度的缓和。刘秀还组织军队屯田、整顿混乱的币制,这一系列政策的实行,使社会秩序按定下来,人民得以休养生息,社会经济也渐渐复苏。

对于开国功臣宿将,刘秀没有采用汉高祖曾经采用过的"狡兔死,走狗烹"的强硬手段,而是采取了保全功臣的柔道。即所谓"退功臣而进文吏"(《后汉书·光武帝纪》),大封功臣365人,外戚45人,给其尊崇的地位和优厚的待遇,但却解除了他们的实权。除邓禹、李通等少数得参议军政或任边将外,其余都在京城以列侯奉朝请。所用文吏,多为熟悉封建典章制度者,他们无功可居,对刘秀惟命是从。这样刘秀巩固了皇权,还落得个不杀功臣的美名。

在中原与边疆、中国与异邦的关系上,以往常是以武力对武力。刘秀也不采取这种政策,而是采取立足于中原,立足于国内,强大自身的柔道。他曾遣还十六国少数民族的"侍子"并"厚加赏赐"。结果边疆的兄弟民族和异邦的使者,络绎不绝地来到京城洛阳,朝见天子。东汉中元二年(公元57年)日本国土上倭奴国派遣使臣与汉通好,刘秀遂以"汉倭奴国王"金印相赠。这颗金印已于1784年在日本九州志贺岛叶崎村出土。从此,它成为中日两国人民友好的历史见证。刘秀的"柔道"政治适应了东汉初经过长期社会大动乱后人心思治的要求。此后,经过六十余年的休养生息,促成了社会经济的空前繁荣。

光武帝死后曾有遗诏说:"朕无益百姓,皆如孝文皇帝制度,务从约省。"(《后汉书·光武帝纪》)这虽是一个关于处理其丧事的意见,实际上也可以看做是对其统治政策的总结,就是说光武帝奉行的是"务从约省"的无为政治。这种无为政治,在汉初执行过,经过《淮南子》的总结,光武帝刘秀同样实行着。光武帝之子孝明帝继承其父之遗教,"遵奉建武制度,无敢违者"(《后汉书·孝明帝纪》)。由此可见,无为政治在东汉初期再一次得到复兴。章帝虽比其父、祖父更加好儒术,但基本上也还是遵"先帝法制",以无为政治治国,这不仅表现在其颁布的诏令和实行的各项政策中,而且对黄老新道家的重用也说明了这个问题。如章帝时,拜"少好黄老书"的郑均为尚书,"数纳忠言,肃宗敬重之"(《后汉书·郑均传》)。又迁"少好黄老"的任隗为将作大匠"自建武以来常丞者兼之,至隗乃置真焉"(《后汉书·任隗传》)。章帝以后受重用的黄老新道家人物也不少。如"善说《老子》,清静不慕荣名"的淳于恭,在肃宗时"迁侍中骑都尉,礼待甚优,其所荐名贤,无不用。进对陈政,皆本道德,帝与之言,未尝不称善"(《后汉书·淳于恭传》)。这些都说明,东汉初期是实行黄老新道家无为政治的。

第二,贞观君臣遵循无为政治。

隋末农民起义爆发于隋朝还处于强盛的时期,而又推翻了这个强盛王朝。这个事实使唐初统治者感到震惊。唐太宗李世民认识到人民群众具有翻天覆地的力量,要使唐朝免蹈亡隋的覆辙,对人民的剥削必须有所节制,特别是徭役不可太重,应该实行无为政治,减轻人民的负担。李世民说:"君无为则人乐。"(《贞观政要·务农》)大臣魏征说:"无为而治,德之上也。"(《贞观政要·君道》)。监察御史高季辅要求李世民"敦朴素,革浇浮……杜其利欲之心,载以清静之化"(《旧唐书·高季辅传》)。就连宫中的妃嫔,也大谈"为政之本,贵在无为"(《贞观政要·安边》)。贞观君臣对于无为政治的崇尚和运用,主要体现在以下几个方面。

首先,唐太宗实行轻徭简政,注意减轻人民的经济负担。

因久经战乱,国库空虚,要做到薄赋是有困难的,唐太宗就把轻徭作为与民休养的主要手段。他说:"自朕有天下以来,存心抚养,无有所科差,人人皆得营生,守其资财,即朕所赐。向使朕科唤不已,虽数资赏赐,亦不如不得。"(《贞观政要·政体》)他同时还运用法律手段来约束官吏滥征徭役。鉴于隋朝令烦刑重的弊病,唐初统治者还采取了轻刑简政的做法。早在唐高祖李渊起兵后,就"布宽大之令","尽削大业所用烦峻之法"(《旧唐书·刑法志》)。唐太宗即位,就下诏说,"有隋御宇,政刻刑烦,自今以后,宜革前弊"(《大唐新语》卷十),进一步实施轻刑方针。在简政方面,一是不轻易变制,二是精简法律条文。唐太宗说:"法令不可数变,数变则烦,官长不能尽记,又前后差违,吏得以为奸。自今变法,皆宜详慎而行之。"(《资治通鉴》卷194,贞观十一年)"国家法令,惟须简约,不可一罪做数种条。"(《贞观政要·赦令》)这些措施,对于安定民心、稳定社会秩序是有效的。

其次,唐太宗根据魏征的意见,制定出"偃武修文,中国即安,四夷自服"的方略(《资治通鉴》卷192,贞观二年),对于小国和少数民族,也采取了比较和缓的政策。贞观四年(630),西南小国林邑对唐朝的"表疏不顺",有人上书建议发兵征讨,唐太宗没有采纳。他说:"兵者凶器,不得已而用之。自古以来,穷兵极武,未有不亡者也。"(《贞观政要·征伐》)因此他没有对林邑发兵。又如,贞观初,岭南诸州官吏上奏说,岭表的蛮族首领冯盎等人反叛唐朝。朝中不少人主张用兵镇压。唐太宗却接受了魏征的建议,遣使前往抚慰,使"岭表悉定"。李世民感慨地说,因为听从了魏征"怀之以德的谏言","遂得岭表无事,不劳而定,胜于十万之师"(《贞观政要·征伐》)。唐初,突厥多次进犯,贞观初,突厥已经陷入分崩离析的状态,唐的一些大臣屡次请求发兵出击。唐太宗考虑到民生凋敝,准备不足,就假借严守信义为名而加以拒绝。李世民认为:"吾即位日浅,国家未安,百姓未富,且当静以抚之。一与房战,所损甚多;房结怨既深,惧而脩备,则吾未可以得志矣。"而暂时"卷甲韬戈",麻痹敌人,使之"不复设备,然后养威伺衅,一举可灭也"(《通鉴纪事本末》卷28,《太宗平突厥》)。到贞观三年(629年),李世民便抓住战机,一举击溃突厥,消除了边患。对于劳百姓以取异国依附的虚名之事,唐太宗不做。贞观五年,远处葱岭外的康国请求依附于唐,但李世民考虑到百姓尚未恢复元气,而康国内附后,如有急难,唐必须前往营救,"师行万里,岂不疲劳!劳百姓以取虚名,朕不为也"。他没有接受康国的要求,从而减去了一件"无益于用而糜弊百姓"的事情(《资治通鉴》卷193,贞观五年)。对于有利于缓和民族矛盾的事,唐太宗热心去做。七世纪初,吐蕃强大起来,松赞干布几次向唐请婚,唐太宗赞同两族联姻,贞观十五年(641年),把宗室女文成公主嫁给松赞干布,与吐蕃建立了亲密的关系。唐太宗采取偃武方略,缓和民族矛盾,使国内和平,取得了明显的效果。据称,不到20年时间,"天下大宁,绝域君长,皆来朝贡,九夷重译,相望于道"(《贞观政要·诚信》)。唐太宗曾得意地说:"昔人谓御戎无上策,朕今治安中国,而四夷自服,岂非上策乎?"(《资治通鉴》卷193,贞观三年)贞观年间,国内稳定,边疆安宁,中外交流频繁,这与无为政治的影响是分不开的。

再次,唐太宗对自己抑情损欲、谦退去智。李世民将抑情损欲去奢省费付诸实际行动。贞观二年秋,臣下认为宫中卑湿,建议李世民修造一阁以居之。当时李世民虽患有气病,不宜居低下潮湿之处,但他考虑到修建楼阁"糜费良多",并追思汉文帝不起露台而惜十户中等人家之产一事,认为"朕德不逮于汉帝,而所费过之,岂谓为民父母之道也"(《旧唐书·太宗本纪》),所以他没有接受修阁的建议。对于自己认为必须做的事,也因臣下的反对而暂缓实行。贞观四年(630年)唐太宗下令征发民众修洛阳宫,给事中张玄素上书谏止说:"且以陛下今时功力,何如隋日;承凋残之后,役疮痍之人,费亿万之功,袭百王之弊,以此言之,恐甚于炀帝远矣!"太宗说:"卿以我不如炀帝,何如桀纣!"张玄素并不退缩,坚持说:"若此殿卒兴,所谓同归于乱。"(《贞观政要·纳谏》)李世民就停止了这次征发,一年以后,才下令修建。李世民不仅自己抑情损欲,而且还以此来教育和要求臣下和王公贵戚。他曾下令:"自王公以下,第宅车服、婚嫁丧葬,准品秩不合服用者,宜一切禁断。"(《贞观政要·俭约》)李世民还倡导薄葬。他下诏说:前代帝王中实行厚葬的人"莫不因多藏而速祸,由有利而招辱"。他告诫人们:"由此观之,奢侈者可以为戒,节俭者可以为师矣。"(《贞观政要·俭约》)为了防止子孙为自己操办后事,"劳扰百姓",他特意预为终制,明示子孙:"务从俭约,于九嵕之山,足容棺而已。"(《旧唐书·太宗本纪》)由于唐太宗较能抑情损欲,因而上行下效,"由是二十年间,风俗简朴,衣无锦绣"(《贞观政要·俭约》)。这对社会的发展是有利的。

唐太宗广泛听取众人之言,谦退去智,放权分权,以诚信待下。臣下对此议论也颇多。张玄素曾指出,隋亡的重要原因就是"其君自专",因而"其法日乱"。他认为,"君主自专庶务,日断十事而五条不中",这样,日积月累则乖缪益多,"不亡何待"。"如其广任贤良,高居深视,百司奉职,谁敢犯之!"(《旧唐书·张玄素传》)魏征也曾说:"人君虽圣哲,犹当虚己以受人,故智者献其谋,勇者竭其力。炀帝恃其竣才,骄矜自用,故口诵尧舜之言,而身为桀纣之行,曾不自知,以至覆亡也。"又说:"人君兼听广纳,则贵臣不得壅蔽,而下情得以上通也。"(《资治通鉴》卷192,贞观二年)李世民认为,一人不能遍知天下之事,也就不应独断天下之务,因此,一方面他注意在统治集团内部,兼听博采,从贞观初起,他就命令京官五品以上,轮流直宿中书内省,"问以民间疾苦,政事得失"。另一方面,他更重视发挥各级官吏的作用,对于重要的政务,"皆委百司商量,宰相筹画,于事稳便,方可奏行"(《贞观政要·政体》)。此外,他还命令各行政部门,在接到诏敕后,如果认为不尽稳便,也要据理执奏,不一定立即执行。他指出:"人心所见,互有不同,苟论难往来,务求至当,舍己从人,亦复何伤。"他要求官吏不要护己之短,也不要相惜颜面;要"灭私徇公"(《贞观政要·政体》)。决不能苟且雷同,草率从事。贞观时期君臣的纳谏和直谏,是封建社会少见的良好的政治风气。唐太宗极为重视谏官的人选,并提高他们的地位。他规定宰相入阁论事,必使谏官随入,遇有失误,即行论谏。当时的直谏者,除了被李世民誉为明镜的魏征之外,见于史书的,还有薛收、孙伏伽、温彦博、虞世南、马周等十余人(见〔清〕赵翼《廿二史劄纪》卷19),直谏不易,纳谏更难,尽管在唐太宗身上有时也有拒谏的情形发生,但总的说来,他在求谏、纳谏上,是封建帝王中做得最好的一个。李世民还认为,"使得各当所任,则无为而治矣"(《贞观政要·择官》)。就是说,要达到无为而治,使官员各当其任极为重要。要做到官员"各当其任",除了择选人才之外,更紧要的是要敢于放手使用官员,让官员"各当所任"。李世民对官员不滥施权术，不猜忌苛察，以诚信待下。李世民还有谦下的作风，他认识到："凡为天子，若惟自尊崇，不守谦恭者，在身倘有不是之事，谁肯犯颜谏奏？"（《贞观政要·谦化》）要做到不争，不居功自傲。这些政治作风是与其无为政治一脉相通的。

贞观君臣遵循无为政治是当时的历史条件和政治目的所决定的。对统治者来说，清静无为是一种对自身的全面约束，阶级本性决定他们是不可能自觉地约束自己的，他们的清静无为是被迫的，当迫使他们受约束的客观条件一旦改变，当他们感觉到统治已经巩固了的时候，就开始转化，贞观后期推行无为政治明显地不如前期了。唐太宗开始变得不喜欢听不同意见，还屡次兴兵，劳民伤财，甚至迷信神仙长生之术，结果他自己就因为服用一种"金石秘剂"中毒死了。

第三，朱元璋的成功经验。

元末农民大起义推翻了元朝的统治。原是农民起义领袖的朱元璋，转化为地主阶级的代表，建立了明朝。朱元璋在夺取全国胜利之后，曾总结自己成功的经验说："（张）士诚恃富，（陈）友谅恃强，朕独无所恃。惟不嗜杀人，布信义，行节俭，与卿等同心共济。"（《明史·太祖本纪》）这几条，除布信义之外，其他三条都与无为政治有关。在他当皇帝期间与民休息的方针，更是无为而治思想的体现。

"不嗜杀人"是无为政治在元末群雄并起、征战不已时的一种体现。朱元璋认识到，不乱杀人、纪律严明才能收服人心，壮大自己的力量，平定天下。他遵循这一原则，迅速发展了自己的地盘和势力。元至正十九年（1359年），朱元璋攻下婺州（今浙江金华），他告谕众将士说："克城以武，戡乱以仁。吾比入集庆，秋毫无犯，故一举而定。今新克婺州，正宜抚绥，使民乐于乡附,则彼未下诸路,亦必闻风而归。吾每闻诸将下一城,得一郡,不妄杀人,辄喜不自胜。盖为将者能以不杀为武,岂惟国家之利,即子孙实受其福。"(《明通鉴》卷2,至正十九年)朱元璋平定南方后,提出"号令严肃,秋毫无犯"的保证,并告诫将士:"克城勿妄杀人;勿夺民财,勿毁民居;勿废农具;勿杀耕牛;勿掠子女;获有遗孤孩还之。"(《明太祖洪武实录》卷21)洪武元年(1368年),朱元璋遣师北伐,他告谕统兵北伐的大将军徐达说:"中原之民,久为群雄所苦,流离相望,故命将北征,拯民水火。……前代革命之际,肆行屠戮,违天虐民,朕实不忍。诸将克城,毋肆焚掠妄杀人。"他还强调:"不恭命者罚无赦。"不久,他又向部下重申:"新克州郡毋妄杀。"(《明史·太祖本纪》)

与不嗜杀人原则紧密相联的措施是慎刑轻典。元至正十六年(1356年),朱元璋被诸将奉为吴国公,总理江南行中书省时,他就开始实行一些轻刑的措施。他曾对执行轻刑有疑问的官员说:"自丧乱以来,民初离创残以归于我,正宜抚绥之。况其间有一时误犯者,宁可尽法乎!大抵治狱,以宽厚为本,而新国则宜用轻典。执而不变,非时措之道也。"即位后,朱元璋继续坚持轻刑原则,"乃罢极刑而囚"(《大明太祖高皇帝御注道德真经·序》)。他还谕中书省臣说:"法有连坐之条,吾以为鞫狱当平恕,非大逆不道,则罪止其身。先王罪不及孥,罚勿及嗣,忠厚之至也。自今民有犯者,毋连坐。"(《明太祖实录》卷25)朱元璋还特别强调慎刑。他说:"用刑不当,则无辜受害,故刑不可不慎也。夫置人于捶楚之下,何求不得?古人用刑,本求生人,非求杀人,故钦恤为用刑之本。"(《明史纪事本末》卷14《开国规模》)朱元璋在令臣下省定律令时,向其负责人李善长、杨宪、刘基等人强调立法宜宽简的原则。他说:"立法贵取简当,使人易晓。若条绪繁多,或一事而两端,可轻可重,使贪吏得藉手为奸,则所以禁残暴者,适以贼良善,非良法也。夫网密则水无大鱼,法密则国无全民。卿等宜尽心参究。"当律令编成后,朱元璋亲自阅视,并加以"去烦减重",才"命颁行之"(《典故纪闻》卷2)。不过,从当时执法的实际情况来看,不嗜杀人和轻刑往往只是在言谈和诏令中强调得多,而实际生活中则往往施行重典。特别是对于谋杀、谋大逆等罪的量刑均重于唐律,无论首从一律凌迟处死,其祖父、父子、兄弟和同居之人,不分异姓,伯、叔、侄,不限同籍一律处斩。绝对保护皇权不受侵犯,不许大臣私自选授官吏,交结朋党,违者处斩。他先后以谋不轨和谋反罪诛杀胡惟庸、李善长、蓝玉等开国元勋,受株连者4万余人,他还实行廷杖制度,使臣下惶惶不可终日,这些事实说明,当大权在握以后,朱元璋的宽刑、不嗜杀人等承诺,是要大大地打折扣的。

"行节俭"是朱元璋一生所奉行的信条。朱元璋特别强调君主行节俭的重要性。他说:"居上能俭,可以导俗;居上而侈,必至厉民。独不见茅茨卑宫,尧、禹以崇圣德;阿宫、西苑,秦、隋以失人心?"(《明实录》卷106)他曾作《资世通训》一书,首章为《君道》,凡十八事,"俭"、"素"二事被列为首要之事(见谈迁《国榷》卷六,洪武八年)。朱元璋还多次以国家兴亡的高度来认识崇俭抑奢的重要性。他说:"勤俭为治身之本,奢侈为丧家之源……自今宜量入为出,裁省妄费,宁使有余,勿令不足。"(《典故纪闻》卷3)他以元代君主的实例来说明这个道理,并用以教育子孙后代。他说:"元世祖在位,躬行俭朴,遂成一统之业。至庚申帝骄淫奢侈,饫粱肉于犬豕,致怨怒于神人,逸豫未终,败亡随至。此近代之事,可为明鉴,朕常以此训诸子,使之所警戒,则可以长保国家。"(《明太祖实录》卷106)有了这些认识,朱元璋较能注意节制侈心,以防骄淫奢侈,他回顾自己的生活说:"朕常念昔居淮右,频旱饥馑,艰于衣食,鲜能如意。今富有四海,何求不遂,何欲不得?然检制其心,惟恐骄盈不必度量再三,不获已而后为之,为之未尝过度。"(《明太祖实录》卷116)"吾平日无优伶赞近之狎,无酣歌夜欲之娱,正宫无自纵之权,妃嫔无宠幸之昵。"(《典故纪闻》卷4)根据史籍所载,朱元璋的这些话还是比较符合实际的。

早在元至正二十一年(1361),方国珍遣使来谢,且献上饰金玉马鞍,朱元璋命却之,并说:"今有事四方,所需者人材,所用者粟帛,其他宝玩,非所好也。"至正二十四年(1364),江西行省献上陈友谅的镂金床,朱元璋看后说:"此与孟昶七宝溺器何以异!一床工巧若此,其他可知。陈氏父子穷奢极靡,焉得不亡!"命令臣下将此床毁掉(见《明通鉴》卷3)。即位之后,朱元璋所建的宫殿"皆朴素,不为饰"。他还命人将古人可资鉴戒之事及《大学衍义》书于壁间,并对人说:"前代宫室,多施绘画,予用此备朝夕观览,岂不愈于丹青乎!"当臣下建议以瑞州所出产的文石来装饰地面时,朱元璋批评说:"敦崇俭朴,犹恐习于奢华,尔不能节俭之道事予,乃导予奢丽耶!"(《明史纪事本末》卷14《开国规模》)朱元璋反对将皇宫中的珍异财宝作为个人的娱乐享受之用,他说:"此皆民力所供,蓄积为天下之用,吾何敢私?苟奢侈妄费,取一己之娱,殚耳目之乐,是以天下之积为一己之奉也。今天下已平,国家无事,封赏之外,正宜俭约,以省浮费。"(《典故纪闻》卷2)负责朱元璋车舆服御等物的官员上奏说,这类物品应饰以黄金,他却特令以铜为之,并告诫他们:"朕富有四海,岂吝于此?然所谓俭约者,非身先之,何以率下,且奢侈之厚,未有不由小至大者也。"(《明史纪事本末》卷14《开国规模》)《典故纪闻》卷2载:"太祖视事东阁,天热甚,汗湿衣,左右更衣以进,皆经澣濯者。"《东谷赘言》卷下载:"乾清宫御床,若无金龙在上,与中人之家卧榻无异。宫中每日断膳,止用蔬菜。凡若此类,皆以俭德示天下。"可见,朱元璋的服装、卧床及饮食都较为俭朴。直到临死之前,朱元璋还留下遗言:"丧祭仪物,毋用金玉,孝陵山川因其故,毋改作。"(《明史·太祖本纪》)嘱咐后人从简安排葬事,不要过于浪费人力修筑陵墓,以免劳民。

"与卿等同心共济"这一原则朱元璋在打江山和坐江山的前期基本做到了的。他曾说:"天下无难治,惟君臣同心一德,则庶事理而兆民安矣。唐虞三代之时,君臣同德,故能致雍熙太和之治。……朕今简用贤能,以任天下之政,思与卿等求如古之君臣,同心一德,协于政治,以康济斯民,卿等勉之!"他又说:"君臣之间,两相猜忌,上下乖隔,情意不孚。君言善而臣违之,臣论是而君咈之,如此欲臻至治,胡可得也?"(《典故纪闻》卷4)他认为君臣同心共济可以达到天下大治,而君臣之间互相猜忌是无法达到"至治"的。

在君臣互相信任上,朱元璋做得较好。早在打集庆时,他说以诚信不疑的态度收服了几万降众之心。当时,元将陈兆先战败,率36000人投降。降兵不知将被如何处置,非常疑惧不安。朱元璋察觉后,就从中挑选500个降兵,夜间让他们守卫自己军帐睡觉,不用平时的卫士,他"解甲酣寝达旦"以表示对降兵的信任(见《明史·太祖本纪》)。这种以诚相待的态度,使众降兵大为感动,因而安心为朱元璋效命。即位之后,朱元璋在较长的一段时间里也能与臣下保持这种互相信任的关系。他曾说："君之于臣，好而信之，谗言虽至而不入；恶而疑之，毁谤不召而自来。苟能以大公至正之心以待人，则自无独信偏疑之私。"(《典故纪闻》卷 5)在用人时，朱元璋不过于苛求于人。他说："良工琢玉，不弃小疵，朝廷用人，必赦小过。故改过迁善，圣人与之，弃短录长，人君务焉。苟因一事之失而弃一人则天下无全人矣。"他命令："凡士人因小过罢黜及迁谪远方者，如其才德果优，并听用。"(《典故纪闻》卷 5)当时有不少有才干而犯有小过失被免职的官员，在朱元璋的诏令下回京城任职。

为了得天下，坐天下，朱元璋广求人才，礼贤下士。打天下时，他每占领一地，便访求贤人，让他们为自己的事业服务。即位后又下诏，"天下之治，天下之贤共理之"(《明史·太祖本纪》)，求贤辅治。朱元璋不但广求人才，而且善于使用人才。在他的手下，众人的才能都能得以发挥。

与臣下同心共济，必须兼听纳谏。朱元璋很看重这一点。他说："朕观往古任智自用之君，饰非拒谏多取灭亡。成汤改过不吝，故为三代盛主，唐太宗屈己从谏，亦能致贞观之治，此皆后世罕及也。人君苟能虚己以受言，人臣能尽忠以进谏，则何事业不可成哉？"(《明太祖实录》卷 106)他并反复强调直言上谏的重要。为了给臣民上言提供方便，朱元璋"令天下臣民，凡言事者，实封直达朕前"(《典故纪闻》卷 3)。这一措施，有利于朱元璋真正了解臣民的意见和建议。朱元璋如此之襟怀，的确是值得称道的。

然而，出于巩固专制皇权的需要，朱元璋在政局稳定之后，采取多种手段，任用特务人员(锦衣卫)对功臣、官员将领暗地侦察，以致不惜任意猜疑，诛杀。甚至连与丞相共治天下的局面也不能容忍。洪武十三年(1380)朱元璋借丞相胡惟庸"谋反",将他灭族处死,并乘机废掉中书省,罢丞相不设,从此废除了自秦汉以来存在一千余年的丞相制,独揽大权。这说明,与群臣同心共济在专制集权的君主制度下,只能是一种策略性的、为时不可能久远的措施。

明朝建立后,社会经济因长久战乱而破敝不堪,为了巩固自己统治的经济基础,朱元璋注意到与民休息的重要性。洪武元年(1368年)他告诫府州县官说:"天下初定,百姓财力俱困,譬犹初飞之鸟不可拔其羽,新植之木不可摇其根。"其安定社会的指导思想是"要在安养生息"(《明太祖洪武实录》卷25)。在这种思想的指导下,朱元璋推行了一系列与民休息的措施。

出于使民众休养生息的目的,朱元璋多次减免各地的田租。《明史·太祖本纪》记载明初几乎每年都有减免田租的诏令:对于新附地区的夏税秋粮,多次进行蠲免。江南地区也以兴王之地,支持战争有功,多次优免税粮。对受灾地区,也以免税为救济。对新开垦的土地也免除赋税。除了减免田租外,朱元璋还注意减轻徭役。即位之初,他与中书省官员讨论役法时说:"民力有限,徭役无穷,当思节其力,毋重困之。民力劳困,岂能独安?自今凡有兴作,不得已者,暂借其力;至于不急之务,浮泛之役,宜罢之。"(《典故纪闻》卷2)与此同时,朱元璋还对赋役制度进行了整顿,在普查人口的基础上编定了黄册,作为征调赋役的根据。又在普遍丈量土地的基础上,绘编了鱼鳞图册。此册以田为主,是国家承认土地所有权的凭证和征收赋税的根据,黄册和鱼鳞图册的制定,不仅使大量漏落的土地、人口被登记固定下来,同时,也打击了一部分大地主,减少了豪强地主把财政负担转嫁给贫苦农民的弊端。朱元璋较严格地执行赋役制度,对于那些聚敛民财的官吏,他则予以治罪,对于贪官惩治尤为严厉。凡贪赃数额达60两银以上者,就予以剥皮并枭首示众。这样做固然是保护王朝的经济利益,但同时也是为了制止聚敛之巨过分伤民。

朱元璋还推行徙富民,抑豪强,奖励开垦,移民屯田,解放奴隶,兴修水利等措施,这些方面的互相配合,大大刺激了广大农民的劳动积极性。洪武时期,农业生产迅速恢复发展,到洪武二十六年(1393年),全国垦田面积达到8507623顷(《明史·食货志》),和洪武十四年官田总数相比,增加1倍还多。比洪武初增加4倍有余。与此相应,洪武二十六年(1393年)全国收入税粮为32789800石,比元代全国税粮增加了近两倍(《明太祖洪武实录》卷230)。当时全国各地的仓储甚为丰裕,"米粟自输京师数百万石外,府县仓廪蓄积甚丰"(《明史·食货志·赋役》)这些都充分显示了农业生产的恢复与繁荣。

朱元璋的成功经验再次证明,新道家无为政治对于安定人民的生活,减轻人民的负担,调整统治集团内部的矛盾,促进社会经济的恢复和发展,都是具有积极意义的。

新道家无为政治,经《淮南子》的总结,成为较为全面、系统的政治理论。它包含着不少高超的领导艺术和合理的社会管理原则,对封建政治产生了深刻的影响。它对于缓和各类社会矛盾,抑制无限膨胀的封建专制皇权,有着一定的积极作用。特别是用它来医治久经战乱的社会创伤,恢复衰败残破的社会经济,更是有着独到的功效。诸多历史事实都证明,顺应和遵循无为政治,不但能在群雄并起的局面中后来居上,独占鳌头,建功立业,而且能在成就帝业之后,拨乱反正,补偏救弊,休养生息,从而缓和各种矛盾,稳定局势,发展经济,巩固政权。不过,由于无为政治是在特定的历史条件下,对统治者本身的一种约束和限制,它与封建君主专制制度的一些原则是相冲突的。因而,封建统治者往往又不可能长期地实行无为政治。一旦这种约束、限制统治者的历史条件消失,他们就要违背和舍弃无为政治,这样一来,则又将导致朝政走向腐败,言路阻塞,君臣离心,民不聊生。另外,无为政治虽然以无为无不为的"无为论"为基础,但统治者对无为无不为的分寸难以把握。把握不当又容易流于放任自流,从而导致经济秩序混乱和地方势力的膨胀,造成新的社会矛盾。而一些昏庸腐朽的君主则往往以"无为"为借口,荒于政事,丧失了治国安邦的责任和除弊革新的魄力,使大权旁落,朝政腐败黑暗。对于这些消极的影响也要吸取教训。

四 《淮南子》与传统教育观

中国传统教育是一个十分复杂的集合体系,它受中国传统思想的影响。从显性上看传统教育受儒家思想的影响,从隐性上看受道家思想的影响。《淮南子》站在新道家的立场上,提出了儒道结合、互补的教育观。

1. 《淮南子》与德育教育观

中国传统教育以道德教育为首要。《淮南子》也十分重视德育教育,提出了儒道结合的道德教育论。

(1) "循性保真""率性而行"的道德本源论

在道德起源问题上,《淮南子》以老庄的"抱朴归真"为主,并把它与孟子的"人性本善"论相结合,提出"循性保真","率性而行"的道德本源论。《本经训》说:

> 太清之始也,和顺以寂漠,质真而素朴,闲静而不躁。……其心愉而不伪,其事素而不饰。
>
> 神明定于天下,而心反其初。心反其初,而民性善。……道德定于天下而民纯朴。

这里认为,原初纯朴的人性是善的。所谓为善者,静而无为,所谓为不善者,躁而多欲。人性本来是善的,所以《齐俗训》中说:"率性而行谓之道,得其天性谓之德。"《淮南子》在人性的本质问题上,是采取孟子的"性善论",而在达到"至善"的途径上,是主张老庄"返朴归真"说,这与其"无为论"是一致的。

汉武帝以后,中国封建社会长期占统治地位的思想是儒家思想,传统德育教育与儒家的关系最密切。不过受《淮南子》"儒道结合"德育思想的影响,一些教育家也用道家德育传统补充儒家德育思想。

南宋著名的思想家、教育家朱熹为了论证封建伦理道德的合理性和永恒性,说明道德教育的必要性和可能性,也继承《淮南子》儒道结合的思想,提出道德教育的宗旨在于"存天理,灭人欲"。他说:"人之一心,天理存则人欲亡,人欲胜则天理灭,未有天理人欲夹杂者。"(《朱子语类》卷13)"修德之实,在乎去人欲,存天理。"(《与刘共文》)朱熹认为:"三纲五常"等封建伦理纲常是源于"理"(即天理),"未有这事,先有这理,如未有君臣,已先有君臣之理,未有父子,已有父子之理"(《朱子语类》卷95)。他在《孟子集注》中写道:"仁、义、礼、智,皆天所与之良贵","仁义,根于人心之固有,天理之公也。"这就是把"三纲五常"说成是天赋的,与生俱来的,永恒不变的先天存在的"天理"。这与《淮南子》没有多大差别,都是发展孟子"性本善"的思想。在道德教育的过程中,朱熹特别强调"灭人欲",他认为人性和人的情感、欲望不同。前者是指人们固有的伦理道德观念,后者是指人们的喜怒哀乐感情和物质要求,如果不加约束就会破坏固有的伦理道德观念。因此,必须加以节制,使之纳入封建道德的轨道。朱熹说:

> 未动为性,已动为情,仁义礼智,性也;恻隐羞恶,辞让是非,情也。(《宋元学案·晦翁学案》)

> 欲是情发出来底,心如水,性犹水之静,情则水之流,欲则水之波澜。但波澜有好底,有不好底。欲之好底如"我欲仁"之类,不好底则一向奔驰出去,若波澜翻浪。(《朱子语类》卷5)

这两段话清楚地点明了"性"与"情"、"欲"的关系,就是"情"为"性"之动,"欲"为"情"之大动。所以,一个人的情感旺盛或放荡,就会破坏人所固有的善性。解决这一问题的办法,就是采取强制的"灭人欲",从而控制住自己的情感和欲望。这些论述与《淮南子》的"循性保真","率性而行"思想是一致的。《淮南子·原道训》说:

> 人生而静,天之性也;感而后动,性之害也。物至而神应,知之动也;知与物接而好憎生焉。好憎成形而知诱于外,不能反己而天理灭矣。

又说:

> 夫喜怒者,道之邪也。忧悲者,德之失也。好憎者,心之过也。嗜欲者,性之累也。

可见,朱熹与《淮南子》一样,在道德本源论上,是采取儒道结合的思想。

朱熹把封建伦理纲常教育内容提到了"天理"的高度,把违背或反对"三纲五常"的言行统统说成是"人欲",这种"存天理,灭人欲"德育宗旨是《淮南子》儒道结合德育思想的发展,对传统德育教育影响很大。

(2) 儒道结合的德育评价标准

在德育评价标准上,《淮南子》也是儒道结合,提出自己独特的观点。《淮南子》一方面把"道"作为德育评价的最高标准,另一方面又极力提倡儒家的"仁义"。《氾论训》说:

圣人所由曰道,所为曰事,道犹金石,一调不更;事犹琴瑟,每弦改调。故法制礼义者,治之具也,而非所以为治也。故仁以为经,义以(为)纪,此万世不更者也。

在儒道结合的德育评价标准的思想中,《淮南子》认为德育评价的标准是多方面的,是可以改变的,对道德思想、行为的评价应该有一定的灵活性。《氾论训》说:"君臣、上下、夫妇、父子有以相使也。此之是,非彼之是也;此之非,非彼之非也。譬若斤斧椎凿之各有所施也。"意思是说,看人应从多方面去看,因为人都各有所长、各有所短,并且由于所处的地位不同,所起的作用也不同,不可以此论彼。《氾论训》还说:"先王之制,不宜则废之;末世之事,善则著之。是故礼乐未始有常也。故圣人制礼乐而不制于礼乐。""治国有常,而利民为本……苟利民,不必法古;苟周于事,不必循旧。""变古未可非,而循俗未足多也。"这些论述,批判了儒家拘守礼乐的错误,指出了改变礼乐的标准在于利民。认为不论何时何人所提出的礼乐标准,只要不合时宜,就应加以改变。这些主张也与一味柔弱守静的先秦道家思想不同。《淮南子》还用许多传说故事来说明"诚实与非诚实","恭敬与非恭敬"都不足作为一个人道德品质评价的绝对不变的标准,强调道德评价不能只就表面问题,按照常规简单地去评价,而是应该坚持灵活、实质性的分析和评价。

《淮南子》关于德育评价标准的思想基本上是正确的、可取的。但是,这种儒道结合的做法,并没有得到封建统治者的赏识。自汉代董仲舒以后,儒家思想在封建社会成为正统的官方思想,占据统治地位。《淮南子》虽然也有儒家思想,但儒、道结合的做法,实际上却起到了动摇儒家思想的作用,这与封建统治者的政治需要是不相适应的。虽然从汉代直到宋明,在儒学内部不断涌现出批评、抨击正统儒学的声音,但像《淮南子》那样以儒道结合的方式提出自己独特的德育评价标准的却未见到。明末清初反理学的德育教育,体现了新的时代气息。明清之际的许多思想家、教育家,继承和发展了《淮南子》儒、道结合的方式,在德育评价标准上,反理学,提出了与《淮南子》相似的观点。

在明末清初反理学的进步思想家中,最早的杰出代表是李贽。在道德教育评价标准上,李贽认为不应像正统理学那样,把封建纲常形而上为天理,使其成为"一定不可易之物","正以条约之密",对每个个体"一一而约束之,整齐之"(《明灯道古录》卷上),束缚个性的自由发展。这种所谓的道德教育是"欲强天下使从己,驱天下使从礼",是"俗吏之所为,非道之以德之事也"(《明灯道古录》卷上)。李贽指出,正统理学德育评价标准是单方面的,即"咸以孔子之是非为是非"(《藏书·世纪列传总目前论》)。李贽认为以孔子的观点作为评价善恶的惟一德育标准,就是用封建伦理纲常压抑个体的自由发展。在他看来,"无以孔子之定本行罚赏也,则善矣"(《藏书·世纪列传总目前论》)。取消统一的德育标准,改变为多方面、灵活的德育标准,在道德教育中就会尊重个体的独特个性而不会人为地强求一律。他认为,德育"不必矫情,不必逆性,不必昧心,不心抑志"(《失言三首》,《焚书》卷二),要求德育在志、情、性、心各个方面听任个性自由发展,使每个人都可以选择自己的道路,追求自己的欲望,去发展自己的长处或优点,实现自己的意愿,"天下之民,各遂其生,各获其所愿"(《明灯道古录》卷上)。这些关于德育评价标准的论述,表现了李贽反理学思想中的近代启蒙因素,具有深刻的时代意义,同时这也是与《淮南子》德育评价观点一脉相承的。

  王夫之也对宋明理学作了比较全面的批判总结,在德育教育标准上提出了自己的主张。他认为人和禽兽是不同的,禽兽只能"用其初命",天生的本能决定它们的一生;而人则不满足于天生的本能,不断地变化"初命",这就有了"日新之命"。因此在王夫之看来,人性的形成是不断地生成、发展的过程,"夫性者生理也,日生则日成也"(《诗广传·大雅》)。在这样一个不断地"日生则日成"过程中,人主动地权衡取舍,"自取自用,则因乎习之所贯,为其情之所歆,于是而纯疵莫择矣"(《尚书引义》卷三)。人们顺着自己的爱好和习惯去"取用",因而人性有了纯疵之别。这就是"习与性成"(《尚书引义》卷三)。王夫之的"习与性成"认为人的道德品质主要是后天不断养成变化的,他把道德教育看做是"继善成性"的过程。造就德性(成性)主要应在"继"字上用功,"继"是指在实践中吸收良性的浸染并发扬之、扩张之。所以,他说:"继之则善矣,不继则不善矣。天无所不继,故善不穷。人有所不继,则恶兴焉。"(《周易外传》卷五)从道德标准来看,王夫之"继善成性"的道德教育标准也是多方面的。它注意到了知(理智)、意(意志)、情(情感)三者的全面发展,包含着真、善、美相统一的道德要求和道德标准。

这种全面发展的人,并非是正统理学所称道的以"无我"为最高道德标准的圣人。王夫之说:"或曰圣人无我,吾不知其奚以云无也?我者德之主,性情之所恃也。"(《诗广传·大雅》)理智、意志、情感统一于"我",道德的最高境界决不是泯除自我意识,而是要全面发挥"我"的关键作用。这是对《淮南子》德育评价标准是多方面的这一思想的发展,也映现出呼唤自我觉醒的近代人文主义道德教育的火花。

同时,王夫之"继善成性"的德育标准也是灵活的、可变化的。客观世界是时刻处在运动变化之中,"今日之风雷,非昨日之风雷,是以知今日之日月,非昨日之日月"(《思问录·外篇》)。人们必须在行动中时时坚持着对善的关注,时时自觉地按新的善的要求去行事。王夫之说:"何以谓之德,行焉而得之谓也。何以谓之善?处焉而宜之谓也。不处胡德?不处胡宜?"(《思问录·内篇》)这不仅仅说明行动是德育的出发点和根本途径,也说明德育评价标准是不断变化、更新的。

2.《淮南子》与智育教育观

在智育教育上儒道两家有着不同的观点,儒家总的说,是主张有为和人治的,因而较为欣赏才智,重视智育,但又强调要受道德规范的制约。道家推崇自然无为,反对恃智逞强、背离大道。如果说道家也有智育思想,那它则是一种潜隐的智育思想。《淮南子》集儒道两家智育观于一体,一方面高度推崇智育,另一方面又强调人的智愚要因时而用。这对后世有着一定的影响。

（1）"仁智统一"与"掩其聪明"的才智论

仁智统一是儒家的传统。这一传统是由儒家的开创者孔子奠定的。《论语·颜渊》说："樊迟问仁,子曰:'爱人。'问知,子曰:'知人。'"《论语·里仁》说："仁者安仁,知者利仁。"孔子明确地把"知"的任务规定为认识"仁"的伦理关系,认为有了这种"知"就会利于人的行"仁"。因此,孔子认为一个贤才,首先必须具有仁的思想,同时也必须有广博的知识、很高的智慧。他常把智与仁紧密地联系起来,他教育弟子时强调："知者不惑,仁者不忧,勇者不惧。"(《论语·子罕》)"智仁勇三者天下之达德也。"(《中庸》)孟子进一步从仁智统一的角度对"智"下了定义："仁之实,事亲是也;义之实,从兄是也;智之实,知斯二者弗去是也。"(《孟子·离娄上》)荀子观点尽管和孔孟不尽相同,但也坚持智仁统一。他说："故知者为之分别,制名以指实,上以明贵贱,下以辨同异。"(《荀子·天论》)可见智仁统一的才智论是儒家的传统。

道家极力贬低儒家关于社会的等级和仁义礼法的知识,老子声称"绝圣弃智"(《老子·十九章》),庄子也说："天下每每大乱,罪在于好知。故天下皆知求其所不知,而莫知求其所已知者;皆知非其所不善,而莫非其所已善者,是以大乱。""圣人之利天下也少,而害天下也多。"(《庄子·胠箧》)道家似乎是反对智育,或者是没有智育思想。但是,道家又主张依循自然规律而养成大智慧。老子说："知人者智,自知者明。"(《老子·三十三章》)这里的智是小智不是大智,小智是逐物而获得的知识,大智是内在本心的颖慧之智。只有自知的人求知于内、于心,所获得的深刻的自我之内心世界,才是"大智",或者说是"明"。看来道家是有着潜隐、自然超越的智育思想。

《淮南子》吸收了儒道两家的才智论,并加以归纳和阐发。它承认才智的作用,并主张合理发挥这一作用。

首先,《淮南子》高度推崇才智,主张仁、智结合。《氾论训》说:"夫存危治乱,非智不能。"强调才智的重要性。《主术训》从君主治国的角度出发,一方面要实行无为而治,"人主之术,处无为之事,行不言之教"。另一方面要依靠大众之智,"总海内之智,尽众人之力","乘众人之智,则无不任也"。《主术训》还说:

> 凡人之性,莫贵于仁,莫急于智。仁以为质,智以行之,两者为本,而加之以勇力、辩慧、捷疾、劬录、巧敏、迟利、聪明、审察,尽众益也。身材未修,伎艺曲备,而无仁智以为表干,而加之以众美,则益其损。

这里认为,人材的培养,其结构是多方面的,其中"仁"、"智"的统一、结合是最为重要的。所谓"莫贵于仁,莫急于智。仁以为质,智以行之,两者为本",就是把仁智结合,并列为才智之本。强调如果没有仁、智去统领内外,那么人材的培养是会受到更多的损害的。它赞扬智者"不可惑",智者"寡患",智者可"独断"。在"仁"与"智"的关系上,《淮南子》是以"仁"为本体,用"智"来推行它。《泰族训》也说:"虽有知能,必以仁义为本,然后可立也。"显然是将"知能"放于仁义之下,并要求智者"择善而为之,计义而行之"(《泰族训》)。这些论点都是阐发儒家的才智观点。

其次,《淮南子》也有主张"废智"的一面。《原道训》说:

> 是故至人之治也,掩其聪明,灭其文章,依道废智,与民同出于公。约其所守,寡其所求,去其诱慕,除其嗜

欲。

这是本自于老子"绝圣弃智"的主张,是道家的才智观,不过这里所说的"废智"不等于"弃智"、灭智、无智,只是"掩其聪明"而已,即不因恃智逞能而行逆道之举。为什么要人们"掩其聪明"、"依道废智"呢?《原道训》认为天是"纯粹朴素,质直皓白"的,而人往往"偶睼智故,曲巧伪诈",背离天道。恃智者易狂,狂则"不能避水火之难,而越沟渎之险"。溺死的多是善游者,坠马的多是善骑者,才智不仅有违天道之嫌,而且有伤身体之虞。从个人处世角度来说,"释道而任智者必危,弃数而用才者必困",只有"守其分,循其理,失之不忧,得之不喜"(《诠言训》),做到"掩其聪明",才能明哲保身,以免招灾惹祸。从治国成效角度来说,刻意追求智愚贤否是没什么意义的,《俶真训》认为,"世治则愚者不能独乱,世乱则智者不能独治"。《主术训》指出:"无为者,道之宗。故得道之宗,应物无穷;任人之才,难以至治。"文中列举汤武、伊尹、孔墨等圣贤的局限性,认为"人知之于物也浅矣,而欲以遍照海内,存万方,不因道之数,而专己之能,则其穷不达矣。故智不足以治天下也。"这些都是立足于道家的观点。

再次,《淮南子》把贤智之士分为若干层次。《泰族训》说:

> 智过万人者谓之英,千人者谓之俊,百人者谓之豪,十人者谓之杰。明于天道,察于地理,通于人情,大足以容众,德足以怀远,信足以一异,知足以知变者,人之英也。德足以教化,行足以隐义,仁足以得众,明足以照下者,人之俊也。行足以为仪表,知足以决嫌疑,廉足以分财,信可使守约,作事可法,出言可道者,人之豪也。守职而不废,处义而不比,见难不苟免,见利不苟得者,人之杰也。英俊

豪杰,各以小大之材,处其位,得其宜。
这里提出了关于人才鉴评的具体标准,这些标准中既有道家的成分,也有儒家的成分。并规定,小材小用,大材大用,因材而用"处其位,得其宜"。由于受儒、道不同的影响,使《淮南子》在对才智问题上其自身也有矛盾的地方,但从总的趋向来看,它承认才智,并主张合理发挥其作用。

(2) "不学"与"学"的智育教学论

儒家智育教学过程是与其教育目的紧密相联的。基于这种观念,儒家把智育教学内容等同于"道",因此传授和学习具有道德价值的知识学问乃是教学的根本任务。孔子说:"学道爱人",主张"志于道,据于德,依于仁,游于艺"(《论语·述而》)。并设文行忠信四教以教人。既重教,又重学。孔子根据其道德价值标准整理了西周文化典籍,将《诗》、《书》、《礼》、《乐》、《易》、《春秋》,作为教学的教材。孔子以后"六艺"成为儒家教学内容的教材,并被奉为经典。在儒家看来,每一次智育教学活动,以及其活动的每一步骤,都是完整的身心修养过程的一个环节。这一智育教学过程《中庸》归纳为学、问、思、辨、行,其每一个字就是一个环节。这些环节都很重要。在进行智育教学过程中,在其任何一个环节上,都可能出现一些矛盾和困难。为了解决这些矛盾,排除其困难,以达到智力优异的程度,就要求教师用高超教艺引导启发之;学生勤奋地学习,思考,实践之。

道家以自然为本,其智育教学过程也呈自然、潜隐的特征。道家主张绝学与弃智,认为凡异化自然的"智"都在批判之列,"绝"与"弃"本身就是最彻底的批判的方法。这种批判的方法同时也具有潜在的重建功能。道家还提出"学不学"方法。老子说:"民之从事,常于几成而败之。慎终如始,则无败事。是以圣人欲不欲,不贵难得之货;学不学,复众人之所过,以辅万物之自然而不敢为。"(《老子·六十四章》)这里的"学"是圣人的学,是不学而能的循其自然。而"不学"是不学常人之学,不学才能自然,不学才能从常人学习走过的错误道路上走回来。"学"又以否定主体自然自我价值为特征,因而"不学"才真正有可能关照到自我主体意识的觉醒,尊重自然自我的主体意识。道家还主张"行不言之教"的智育方法。老子说:"不言之教,无为之益,天下希及之。"(《老子·四十三章》)认为天地自然是不言的,循自然的知者也应是不言的。教者要以天下至柔克服至坚,采取不强制、不框限、不传授、不灌输的超越常规的方法。而"学"者应自正、自化、自得。

《淮南子》在智育教学的作用、目的、内容和方法上,综合了儒道诸学派的观点,其中儒道相绌的色彩颇为明显。如《原道训》说:"曲士不可与语至道,拘于俗,束于教也。"认为和那些拘泥于儒家俗教的人根本不可能谈论至道。而《修务训》则说:"欲弃学而循性,是谓犹释船而欲蹑水也。"认为对那些一味推崇自然之性的道家,也无法与他们一般见识。这些反映出《淮南子》在智育教学问题上存在着儒道相对论争的观点。

首先,《淮南子》提出了"非学"的观点。其一,强调必须遵循自然法则,尊重自然自我的主体意识去追求学问知识,主体融入自然,也就可以达到"自得"之学。《原道训》根据"道"归于一理,施之四海,达于天地,全则纯朴,散则混浊的原理,认为"万物之总,皆阅一孔,百事之根,皆出一门"。人追求"道"的过程应该是执其要务,循其自然本性,内外交融的过程,也是"自

得"、"自为"的过程,否则就不可能有真正的效益。《原道训》指出:

> 听善言便计,虽愚者知说之;称至德高行,虽不肖者知慕之。说之者众,而用之者鲜;慕之者多,而行之者寡,所以然者何也?不能反诸性也。夫内不开于中,而强学问者,不入于耳,而不著于心,此何以异于聋者之歌也?效人为之,而无以自乐也,声出于口,则越而散矣。

对学问知识、至德高行仅有喜爱、羡慕,是不能化为自所有的;如果心灵没有开启,而只是勉强学习、简单仿效,也不能真正用得上,行得成。这与道家智育的"学不学"观点是一致的。其二,强调自然之教、不言之教、不教之教。《俶真训》也从"道出一原"出发,以"万物之疏跃枝举,百事之茎叶条蘖,皆本于一根,而条循千万也"为喻,指出看得见的那些繁茂的茎叶枝条,实则都本于看不见的根。由此推广到智育教学上也是如此:"有所受之矣,而非所授者;所受者无授也而无不受也。"(《俶真训》)所学到的东西并非一定是强行传授的东西,正因为没有强行传授,所以没有什么不能掌握的。至道之人"坐而不教,立而不议",却能使"虚而往者,实而归"。这些观点基本上本自道家"行不言之教"的见解。其三,基于道家的智育教学论,批判儒家传统的智育教学方法。《俶真训》说:

> 圣人之学也,欲以返性于初,而游心于虚也。达人之学也,欲以通性于辽廓,而觉于寂漠也。若夫俗世之学也则不然,擢德搴性,内愁五脏,外劳耳目,乃始招蛲振缱物之豪芒,摇消掉捎仁义礼乐,暴行越智于天下,以招号名声于世,此我所羞而不为也。

这里就是以道家的智育教学目的,批判俗世之学。《俶真训》还批评儒墨"列道而议,分徒而讼,于是博学以疑圣,华诬以胁众,弦歌鼓舞,缘饰《诗》、《书》,以买名誉于天下",使得世风日衰,百姓"失其大宗之本"。《精神训》认为"万物总而为一,能知一,则无一之不知也;不能知一,则无一之能知也"。主张"心志专于内,通达耦于一"。强调这种"不学而知,不视而见,不为而成,不治而辩"的治学与"藏《诗》《书》,修文学,而不知至论之旨"的俗学相比,就像击鼓撞钟之音与拊盆叩瓴之声相比一样。《本经训》以老子"道可道,非常道;名可名,非常名"为据,认为"著于竹帛,镂于金石,可传于人者,其粗也"。批评"晚世学者不知道之所一体,德之所总要,取成之迹,相与危坐而说之,鼓歌而舞之,故博学多闻而不免于惑"。《道应训》中重复《庄子·天道》中所记轮扁讥笑桓公读书的故事,认为掌握技艺全靠"应于手,厌于心"的体验,不可教授,故凡著之于书者皆"圣人之糟粕"。这些论述,尽管在批判"俗学"方面不乏深刻之见,也提出了一些有价值的智育教学原则和方法,但终究流于抽象和玄奥,其极端化和片面性也是显而易见的,难以作为普遍实施的教育宗旨及原则方法。其四,对儒家智育教学中弊病的批判,具有现实意义。《氾论训》持《诗》《书》等经典"皆为衰世之造"的观点,认为"儒者行之,以教导于世",并不能回复三代之盛,由于世道已变,儒者称颂三代而不能实行,否定今世而不能改变,实为"称其所是,行其所非,是以尽日极虑,而无益于治"。《氾论训》说:

> 夫道其缺也,不若道其全也。诵先王之《诗》、《书》,不若闻得其言;闻得其言,不若得其所以言。得其所以言者,言弗能言也。故道可道者,非常道也。

这里的"非常道"意思是,不是永恒的道,实际上是指应时而变,即使是三代的礼法也各不相同。然而"为学者循先袭业,据籍守旧教,以为非此不治,是犹持方枘而周圆凿也,欲得宜适致固焉,则难矣"。《氾论训》并不绝对否定《诗》、《书》等典籍,甚至承认它是"学之美者也",但反对拘泥于旧教而脱离现实,强调探究《诗》《书》的创作本意及其精神实质,切忌沉溺于"不用之法"、"不验之言"的诵说中。《说林训》指出:"人莫欲学御龙,而皆欲学御马;莫欲学治鬼,而皆欲学治人,急所用也。"这些论述都是从学以致用的角度,批评儒家教学中学非所用、言非所行的弊病,具有很强的针对性和现实意义。

另外,《淮南子》又强调学习的必要性和重要性,并反驳了一些非学观点。在这一方面,《修务训》讲得最好。该篇不仅批判了老庄智育教学上"绝学无忧"、"绝圣去知"的提法,同时也发展了荀子劝学的理论,与书中其他篇章的老庄思想形成鲜明对照,反映了当时儒道两种教育思想体系之间的斗争。

其一,从人性的发展上讲,强调后天学习的必要性,驳斥人性自然而成、不可损益论。《修务训》说:

> 世俗废衰,而非学者多:"人性各有所修短,若鱼之跃,若鹊之驳,此自然者,不可损益。"吾以为不然。

《庄子·秋水》说,"牛马四足,是谓天;落马首,穿牛鼻,是谓人",主张自然之性不可损益。《原道训》受其影响,也认为"达于道者不以人易天"。《修务训》明白地指出,这样说不对。比如马经过教驯才能去其野性,成为可以驾御的良马。"马,聋虫也,而可以通气志,犹待教而成,又况人乎?"因此,决不能弃教循性,就是要以人易天。人能接受知识,交流知识,教学相长。马性都可以改变,人比马高级,其本性就更可以改变了。又如宝剑、铜镜必须经过磨、擦才能提高其性能。"夫纯钩、鱼肠之始下型,击则不能断,刺则不能入;及加之砥砺,摩其锋锷,则水断龙舟,陆刜犀甲。明镜之始下型,矇然未见形容,及其粉以玄锡,摩以白旃,鬓眉微豪可得而察。夫学亦人之砥锡也,而谓学无益者,所以论之过。"这说明人性必须经过学习才能改善提高,臻于完美。《修务训》认为人接受教育的情况可分为三类:

> 性命可说,不待学问而合于道者,尧、舜、文王也。沉涵耽荒,不可教以道,不可喻以德,严父弗能正,贤师不能化者,丹朱、商均也。曼颊皓齿,形夸骨佳,不待脂粉芳泽而性可说者,西施、阳文也。嚾朕哆㖕,蓬蒢戚施,虽粉白黛黑弗能为美者,嫫母、仳倠也。夫上不及尧舜,下不及商均,美不及西施,恶不若嫫母,此教训之所谕也,而芳泽之所施。

即圣人不须教,恶人不可教,居于二者之间的中人则待教而后化。《修务训》还认为无论聪明人或是愚蠢人,在智能方面各有其长短,大家都要通过学习来提高自己。"知者之所短,不若愚者之所修;贤者之所不足,不若众人之有余。"如果不学习,天资聪慧者也会成为孤陋寡闻的人。"今使人生于辟陋之国,长于穷檐漏室之下,长无兄弟,少无父母,目未尝见礼节,耳未尝闻先古,独守专室而不出门,使其性虽不愚,然其知者必寡矣。""知人无务,不若愚而好学。"只要勤学不倦,习而不懈,普通百姓可以掌握精湛技艺,如"宋画吴冶,刻刑镂法,乱修曲出,其为微妙,尧舜之圣不能及。蔡之幼女,卫之稚质,捆纂组,杂奇彩,抑墨质,扬赤文,禹汤之智不能逮"。这都是"服习积贯之所致"。

其二,从社会文明的进步看,强调智育教学的重要性,驳

斥因指责俗学之过而"非学"的观点。《泰族训》说:

> 人之所知者浅,而物变无穷,曩不知而今知之,非知益多也,问学之所加也。夫物常见则识之,尝为则能之,故因其患则造其备,犯其难则得其便。夫以一世之寿,而观千岁之知,今古之论,虽未尝更也,其道理素具,可不谓有术乎?

事物是千变万化的,历史是不断发展的,为了认识事物,了解历史发展规律,人们应当不断积累知识,传播知识。《修务训》说:

> 昔者苍颉作书,容成造历,胡曹为衣,后稷耕稼,仪狄作酒,奚仲为车。此六人者,皆有神明之道,圣智之迹,故人作一事而遗后世,非能一人而独兼有之,各悉其知,贵其所欲达,遂为天下备。今使六子者易事,而明弗能见者何?万物至众,而知不足以奄之。周室以后无六子之贤,而皆修其业,当世之人,无一人之才,而知其六贤之道者何?教顺施续,而知能流通。由此观之,学不可已,明矣。

这里说,古代有六个具创造发明才能的人,周之后,虽没有一个人赶得上他们,但这六人的创造人人都能懂得,人人都能"修其业",其原因就在于有了智育教学,"教顺施续,而知能流通",学习是不可以停止的。《泰族训》中也肯定了教学的作用,指出孔子弟子七十,养徒三千人,"皆入孝出悌,言为文章,行为仪表,教之所成也"。墨子服役者百八十人,"皆可使赴火蹈刃,死不还踵,化之所至也"。在许多具体问题上也要有教学,"人欲知高下而不能,教之用管准则说;欲知轻重而无以,予之以权衡则喜;欲知远近而不能,教之以金目则快"。它认为学习包括各种技能,但以学"道"为最重要。"凡学者能明天人之分,通于治乱之本,澄心清意以存之,见其终始可谓知略矣。"支配自然、社会和人生的基本规律就是"道"的主要内容。《淮南子》还认为就是儒家推崇的六艺也具有学习价值。《泰族训》说:

> 六艺异科而皆同道。温惠柔爱者,《诗》之风也;淳庞敦厚者,《书》之教也;清明条达者,《易》之义也;恭俭尊让者,《礼》之为也;宽裕简易者,《乐》之化也;刺几辩义者,《春秋》之靡也。故《易》之失鬼,《乐》之失淫,《诗》之失愚,《书》之失拘,《礼》之失忮,《春秋》之失訾。六者,圣人兼用而财制之。失本则乱,得本则治。

这里对各经特点的总结与儒家观点是一致的,特别是从得失两个方面加以概括,既肯定了各经的长处,也指出其弊端。这一见解,明显高于一般儒者,更不同于老庄道家。《淮南子》批驳道家"绝圣弃智"、"绝学守愚"的观点。《修务训》认为"若夫神农尧舜禹汤,可谓圣人乎?有论者必不能废"。这是因袭历代圣王创作教化的社会发展史观。它认为在当今之世若没有圣王指引,绝圣弃智、绝学、弃学只会导致昏乱。况且圣贤的建树也是各有所在,"非能一人而独兼之",而是"各悉其知,贵其所欲达,遂为天下备"。《修务训》进而驳斥了因指责俗学之过而非学论。"今以为学者之有过而非学者"这样的做法,就像"以一饱之故,绝谷不食;以一蹶之难,辍足不行"那样极端糊涂。好比良马可"不待策锲而行",而驽马"虽两锲之不能进",如果都以良马为准,"不用策锲而御",那就行不通了,以此说明智育教学必须"齐于众而同于俗",也就是说必须面向多数人,以一般人的素质为准来进行教学,才有广泛的功效。

再者,《淮南子》重视科技教育。儒家重视道德教育,轻视科技教育。《论语·子路》记载:"樊迟请学稼。子曰:'吾不如老农。'请学为圃。曰:'吾不如老圃。'子曰:'小人哉,樊须也!上好礼,则民莫敢不敬;上好义,则民莫敢不服;上好信,则民莫敢不用情。夫如是,则四方之民襁负其子而至矣,焉用稼?'"孔子答樊迟的话,清楚地反映出儒家重道德、轻科技的智育教育思想。在孔子看来,礼、义、敬、信的道德教育是教育的重点;而稼圃等生产技术乃小人之事,不纳入其教育范围。即使是对自然事物的认识,也是从属伦理道德。《论语·阳货》说:"诗,可以兴,可以观,可以群,可以怨。迩之事父,远之事君;多识于鸟兽草木之名。"这里就是将对鸟兽草木之类自然事物的认识置于事父事君的伦理教育之后。道家对于传统的科学技术教育有一种近乎矛盾的态度。一方面对传统科技教育有突出的贡献,另一方面又有反对科技教育的明确主张。老子说:"人法地,地法天,天法道,道法自然。"(《老子·二十五章》)人要效法天地,取法于天地之道,自然无为,不做违反自然本性的事。顺从自然法则,辅助万物按其天性自生自发,各得其所。这种尊重客观自然法则的态度是符合科学精神的。道家学者摆脱了世俗事务的羁绊,超然于社会生活之外,重视对自然界的研究。老子说:"致虚极,守静笃。万物并作,吾以观复。夫物芸芸,各复归其根。归根曰静,静曰复命,复命曰常,知常曰明。"(《老子·十六章》)老子认为纷纷芸芸、运动不息的自然万物,都要回复到其所出发的根源,只有体认到这种不变的常道的人,才是真正明智的人。可见道家所体认的知识,就是关于自然秩序和法则的知识。这对中国古代科技的发展起了积极的推动作用。道家还要求客观地认识自然万物。老子说:"天地不仁,以万物为刍狗;圣人不仁,以百姓为刍狗。天地之间其犹橐籥乎?虚而不屈,动而愈出。"(《老子·五章》)认为自然界是超道德的,伦理标准不适用于社会关系之外的领域,天地之间的一切,不过像一只风箱那样处于"虚而不屈,动而愈出"的自然运行之中。《庄子·知北游》记载,东郭子问于庄子:"所谓道,恶乎在?"庄子曰:"无所不在。"东郭子曰:"期而后可。"庄子曰:"在蝼蚁。"曰:"何其下耶?"曰:"在稊稗。"曰:"何其愈下耶?"曰"在瓦甓。"曰:"何其愈甚耶?"曰:"在屎溺。"东郭子不应。按儒家的标准,蚂蚁、杂草、瓦片、屎尿这些东西都是毫无价值的、卑下的、君子不耻的,即使在常人看来也是令人恶心,惟恐避之不及的,而在庄子看来,它们和其他自然事物一样,都体现了自然的秩序,都应当是认识和探索的对象。道家这些"自然无为"的思想鼓励了中国古代科学精神的萌芽和发展,促使其在各种具体的科学领域中进行探索研究,并多有创获。但是道家"自然无为"的思想又有消极的一面,就是很容易把作为自然秩序的"道"神秘化为一种自然命运,对此人是无能为力的。这种消极无为的思想倾向,最终导出了反科技教育的结论。老子说:"道常无名"(《老子·三十二章》),认为"道"处于无名的领域,一般的名言概念不足以把握它。因此"道"当然也不能通过名言来传授和接受。这就很容易得出科技知识无法传授的结论。道家反科技教育的论证是和他们的社会历史观有关的。老子描绘其心中的理想社会是:"小国寡民,使有什佰之器而不用,使民重死而不远徙。虽有舟舆,无所乘之。虽有甲兵,无所陈之。使人复结绳而用之。甘其食,美其服,安其居,乐其俗,邻国相望,鸡犬之声相闻,民至老死不相往来。"(《老子·八十章》)庄子向往的"至德之至"更为原始。"当是时也,山无蹊隧,泽无舟梁;万物群生,连属其乡;禽兽成群,草木遂长。是故禽兽可系羁而游,鸟鹊之巢可攀援而窥。夫至德之世,同与禽兽居,族与万物并,恶乎知君子小人哉!同乎无知,其德不离,同乎无欲,是谓素朴;素朴而民性得矣。"(《庄子·马蹄》)为了达到他们的"至德之世",道家对人类文明加以否定。老子说:"天下多忌讳而民弥贫。民多利器,国家滋昏,人多伎巧,奇物滋起。"(《老子·五十七章》)庄子也说:"夫残朴以为器,工匠之罪也,毁道德以为仁义,圣人之过也。"(《庄子·马蹄》)道家对人类文明的如此态度,自然是反对科技教育的。

《淮南子》接受道家在科技教育上积极的一面,屏弃道家反对科技教育的一面,十分重视科技教育。《泰族训》就主张教授人们使用管准、权衡、金目等科技知识去用于实践。这与儒家孔子对耕稼为圃等生产技术知识的排斥是绝然不同的。还认为教授射者使用仪标是可喜的事,如果能教授他们制造仪标的技术就更好了。"射者数发不中,人教之以仪则喜矣,又况生仪者乎?"批判了道家科技知识无法传授的论点。

《淮南子》推崇古代圣人在科技上的创造发明和科技教育的成就。《修务训》就赞扬了仓颉、容成、胡曹、后稷、仪狄、奚仲等六位科技发明家具有超人的聪明才智,为后世留下了光辉的业绩。从《修务训》讲到神农、尧、舜、禹、汤"五圣"的功业时,其科技教育方面占有很大的比重。"神农乃始教民播种五谷,相土地宜、燥湿肥垆高下;尝百草之滋味,水泉之甘苦,令民知所辟就。""尧立孝慈仁爱,使民如子弟。西教沃民,东至黑齿,北抚幽都,南道交趾。""舜作室筑墙茨屋,辟地树谷,令民皆知去岩穴,各有家室。""禹沐浴霪雨,栉扶风,决江疏河,凿龙门,辟伊阙,修彭蠡之防,乘四载,随山栞木,平治水土,定千八百国。""汤夙兴夜寐,以致聪明;轻赋薄敛,以宽民氓;布德施惠,以振困穷;吊死问疾,以养孤孀;百姓亲附,政令流行。"从"五圣"的业绩中，可以看出《淮南子》对科技教育的重视。

《淮南子》还用大量事实说明科学技术是随着时代发展而不断发展进步的。《氾论训》指出，黄帝时的伯余初作衣，做出的衣裳像网罗一样，"后世为之机杼胜复，以便其用"；古时农具很原始，"民劳而利薄，后世为之耒耜耰鉏，斧柯而樵，桔皋而汲，民逸而利多焉"；古时"大川名谷，冲绝道路"，交通不便，于是"为之楺轮建舆，驾马服牛，民以致远而不劳"；对于鸷禽猛兽的伤人，则"为之铸金锻铁，以为兵刃，猛兽不能为害。故民迫其难，则求其便；困其患，则造其备。人各以其所知，去其所害，就其所利"。科技的进步是社会进步的必然结果，所以"常故不可循，器械不可因也"，科学技术是不断发展的。

(3) 丰富的科技教育内容及影响

《淮南子》的科技教育有其丰富和独特的内容。它为了"统天下，理万物，应变化，通殊类"（《要略》），从道家"自然无为"的观点出发，对科学技术的许多领域进行了深刻的论述。书中呈现灿烂多彩的科技成就，代表了当时最高科技水平，对后世有着重要影响。

天文学是古代最为重视和流行的学科之一。《淮南子》继承道家的思想，从宇宙生成的角度对天文进行研究。《天文训》说："天地未形，冯冯翼翼，洞洞灟灟，故曰太昭。道始于虚霩，虚霩生宇宙，宇宙生气，气有涯垠。清阳者，薄靡而为天；重浊者，凝滞而为地。清妙之合专易，重浊之凝竭难，故天先成而地后定。天地之袭精为阴阳，阴阳之专精为四时，四时之散精为万物。"这样的宇宙生成论是从老庄的"道"的思想出发，带有明显的自然哲学的色彩，用幻想的联系来替代现实的联系，因而它的一些具体结论难免被科学的自然发展史的研究所抛弃。但是，它把天地万物看做是演化的，并且把这种演化视为一种自然过程的思想是合乎科学的。

《天文训》在从哲学范畴探讨了天体宇宙演化之后，对天文学的许多方面进行了阐述。

> 天有九野，九千九百九十九隅，去地五亿万里，五星，八风，二十八宿，五官，六府，紫宫，太微，轩辕，咸池，四守，天阿。

这是讲天的总体构造。接着它分别研究了九野、五星、二十八宿、八风等具体构成。它对五星行度、进行周期进行了科学测定，达到了很高的水平。它对五官、六府等天体的研究，虽仍是在以人间比附天象，但仍有利于促进对天象的观测。特别值得一提的是《淮南子》依据北斗星旋转的方位，第一次对二十四节气进行了科学总结和完整的记载。《天文训》指出："斗（北斗斗柄）指子则冬至。……加十五日指癸，则小寒。……加十五日指丑，则大寒……"这样划分的结果，每月二节，一年共二十四节气。对各节气的主要气候特征也作了论述。由于农业生产的需要，我国古代很早就重视四季气候的变化。二十四节气的一些节名也起源很早。如《左传》昭公十七年有"司分"、"司至"、"司启"、"司闭"的记载，《管子》中有大暑、中暑、小暑等一些节气的称呼，《夏小正》有启蛰、雨水等记载，《吕氏春秋》中记载了立春、立夏、立秋、立冬、日夜分（春分、秋分）等十个节气名，可以说，《淮南子》以前二十四节气在逐步地发展、完善。而《淮南子》提出与后世完全相同的二十四节气的名称，标志着二十四节气系统的确立。二十四节气的研制成功，是对天文学的重大贡献。

《天文训》中还有将一昼夜分为十五个时段的完整记载,《时则训》系统记载了一年十二个月的时令,其他各篇还有关于太阳黑子、彗星等记载。

中国传统养生学,深刻地烙上了中国文化的印记。对其影响最为深远者,当推道家。道家的"自然无为"把人的生死看做自然之事,因而能够摈弃迷信鬼神的观点来探究养生学。与其他各家相比较,道家养生学的科技教育,是最少迷信色彩而最具科学精神的。道家强调养生之道是养形和养神的统一。《庄子·刻意》说:"吹呴呼吸,吐故纳新,熊经鸟申,为寿而已矣。此导引之士,养形之人,彭祖寿考者之所好也。"它主张在进行肢体运动的同时也要重视体内的行气和运气,以调整人体机制。所谓养神,实质上就是人的心理卫生方面的问题。老子说:"祸莫大于不知足,咎莫大于欲得。"(《老子·四十六章》)他主张少私寡欲。庄子说:"无视无听,抱神以静……目无所见,耳无所闻,心无所知,汝神将守形,形乃长生。"(《庄子·在宥》)这进一步点出了"少欲"和养生的关系。

《淮南子》根据当时医学、生理学的新知识,继承和发展了老庄的养生之道。其中不乏精辟论述,至今对指导人们的保健仍很有意义。首先《淮南子》认为人不过是宇宙中的万物之一,人的生死是自然之事,对死生抱着豁达的态度。《精神训》说:

> 夫天地运而相通,万物总而为一……譬吾处于天下也,亦为一物矣。……虽然,其生我也,将以何益? 其杀我也,将以何损? 夫造化者既以我为坯矣,将无所违之矣。

正因为人是天地万物中的一物,天地万物不因个人的生死而所增益、减损,所以人亦如同土坯,生死都一样不应强求。《精神训》说,"其生我也不强求已,其杀我也不强求止","吾生也有七尺之形,吾死也有一棺之土,吾生之比于有形之类,犹吾死之沦于无形之中也"。《诠言训》也说:"自身以上至于荒芒尔远矣,自死而天下无穷尔滔矣。"这里否认人死为鬼,具有无神论的价值,是一种实事求是的正确生死观。正确对待生死,是其养生的基本态度。

其次《淮南子》从形神观方面探讨养生术。《精神训》说:"夫精神者,所受于天也;而形体者,所禀于地也。"这也就是说,人和天地万物一样是大自然的产物。接着《精神训》具体阐述了人的胚胎发育及其过程,并以天地自然的属性来比附人的器官功能和精神状态。它阐述人体十月怀胎的过程,与现今科学的胚胎发育史大体相符;而以天地自然属性来比附人体,虽不科学,但它是力图从自然界来阐明人的器官功能和精神活动,这也是具有唯物倾向的。《淮南子》正是以此作为养生论的客观依据。《原道训》提出了形、神、气为生命三大要素:"形神气志各居其宜,以随天地之所为。夫形者生之舍也,气者生之充也,神者生之制也。一失位则三者伤矣。"三大要素之间是互相依赖、密不可分的。由于形与气是人的肉体,因此这三大要素又可以归结为物质与精神两个方面,即形与神。人的形与神相互影响身心健康。形体与精神之间的良性影响能促进身心健康。相反,形体与精神的恶性影响能破坏身心健康。《淮南子》强调人是个有机整体,养生最为重要的是要协调形体与精神的整体关系。这无疑是正确的,在今天仍很有指导意义。在形神之中,《淮南子》认为精神对于生命活动具有决定影响,居于支配地位。《原道训》说:"以神为主者形从而利,以形为制者神从而害。"《精神训》也说:"心者形之主也,而神者心之宝也。"都是强调精神活动尤其是理智的主导作用。鉴于这样的形神观,《淮南子》提出了形、神、气俱养而以养神为主的养生术。《原道训》说:"将养其神,和弱其气,平夷其形。"《俶真训》要求"杖性依神,相扶而得终始"。《精神训》认为:"形劳而不休则蹶,精用而不已则竭。"这都说明养生要形神兼顾。由于形制于神,故要把养神放在首位。《精神训》认为:"吹呴呼吸,吐故纳新,熊经鸟伸。"(《庄子·刻意》之语)只是养形之人,即只是保养形体的普通人的养生方法。真正得道的人更着重于养神。《泰族训》说:"治身太上养神,其次养形。"精神的保养要顺于天道,要使"魂魄处其宅,而精神守其根,死生无变于己",也就是要自然无为,使"精神内守形骸而不外越"(《精神训》)。还要使精神保持平静虚寂,这样既可发挥认识的正常功能,又可保养身体。《俶真训》说:"神者智之渊也,神清则智明矣。"《泰族训》说:"神清志平,百节皆宁,养性之本也。"

再次,《淮南子》从人的性情关系上,探讨养生之道。《淮南子》的人性论,杂糅儒道的成分较为浓厚。它有两个特点:一是强调人性的安静恬愉,以礼养性;二是强调人性可以损益,多数人的人性须后天教习才能完善。《淮南子》接受了老庄人性演化的观点,认为人性来自天道,天道自然无为,故人性也应仿效之。《原道训》说:"人生而静,天之性也。"《俶真训》说:"和愉安静,性也";《诠言训》说:"凡人之性,乐恬而憎悯,乐佚而憎劳";《人间训》说:"清净恬愉,人之性也";都认为人的本性好内静而不喜外动,少欲寡求,不沉湎于名利享乐。它不同于庄子反对礼义的说法,认为礼是不得已而出现的产物,因而不可废弃。但又不赞成当时儒者把礼说成天经地义的观念。《本经训》认为人性的纯朴成分保持得越多,礼乐法度的必要性就越少;人性逐渐丧失之后,礼乐法度才随之兴起,"是故德衰然后仁生,行沮然后义立。"同时《淮南子》认为人的自然之性是礼乐法度的本原,礼乐法度是自然之性的修饰和规范化,两者是一致的。《淮南子》认为人性本朴,但现实的人性毕竟善恶混杂,因此必须区别不同素质的人加以教化。从这样的人性论出发,《淮南子》认为养生就要弃情反性。《原道训》、《精神训》、《览冥训》都指出"大怒破阴,大喜坠阳",反对感情上有激烈起伏,以防影响健康。《原道训》说:

> 薄气发暗,惊怖为狂;忧悲多恚,病乃成积;好憎繁多,祸乃相随。故心不忧乐,德之至也;通而不变,静之至也;嗜欲不载,虚之至也;无所好憎,平之至也;不与物散,粹之至也。能此五者,则通于神明,通于神明者,得其内者也……中之得,则五藏宁,思虑平,筋力劲强,耳目聪明。

由于惊恐与忧伤使人生病,好恶与嗜欲引来祸患,所以只有去情去欲才有利于养生保身。《精神训》说:

> 清目而不以视,静耳而不以听,钳口而不以言,委心而不以虑,弃聪明而反太素,休精神而弃知故,觉而若昧,以生而若死,终则反本未生之时,而与化为一体。

由于人过于动感情会害生,所以要弃情,而要控制感情,就只有从根本上回归到自然本性的状态。《精神训》不同意儒家禁欲的方法,说:

> 今夫儒者,不本其所以欲而禁其所欲,不原其所以乐而闭其所乐,是犹决江河之源而障之以手也。……夫颜回、季路、子夏、冉伯牛,孔子之通学也。然颜渊夭死,季路菹于卫,子夏失明,冉伯牛为厉。此皆迫性拂情而不得其和也。……故莫能终其天年。……故以汤止沸,沸乃不止,诚知其本,则去火而已矣。

它认为儒家用礼义克制欲望、情感仅是"以汤止沸",不可能会有作用;而"诚知其本"即回归自然,才是釜底抽薪,可彻底控制欲望、情感。《精神训》更不同意当时把满足感官欲求当做养生的理论,说:

> 是故五色乱目使目不明,五声哗耳使耳不聪,五味乱口使口爽伤,趣舍滑心使行飞扬。此四者,天下之所养性也,然皆人累也。故曰:嗜欲者使人之气越,而好憎者使人之心劳,弗疾去,则志气日耗。夫人之所以不能终其寿命而中道夭于刑戮者何也?以其生生之厚。夫惟能无以生为者,则所以得修生也。

这是说追求享受,纵情于声色之欲是错误的养生之道。它认为过于看重生命,刻意追求享受的人反而会夭折;只有将生命看得淡薄,轻于利害情欲的人才会长寿。

《淮南子》还认为养生必须养内与养外相结合。《人间训》说:

> 得道之士,外化而内不化。外化,所以入人也;内不化,所以全身也。

这是说养生既要适应外部的变化,以便与世人和谐相处,又要不受外界影响引起变化,以保持内心安静而全身。但是外部袭扰有时是人力无法抵御的。《俶真训》说:

> 今夫树木者,灌以瀿水,畴以肥壤,一人养之,十人拔之,则必无余蘖,又况与一国同伐之哉?虽欲久生,岂可得乎!

这里以树作比喻,说明人的养生受到外部社会环境的制约,社会环境摧残人,人就无法长生。

总的说来,《淮南子》的养生学基本上是继承了老庄道家的养生论,又融进了儒家的思想,吸收了当时医学、生理学的知识,丰富了其观点,并能注意到外部环境对养生的影响。这是很大的进步,对中国养生术及医学的发展有着重要影响。

中国古代地理学文献不多。《淮南子》注重对地形的观察,汇集了先秦以来地理学研究的成就。其第四篇《地形训》是继《尚书·禹贡》和《山海经》之后的地理学专著。

《地形训》研究了自然地理、经济地理、人文地理和神话地理。自然地理是从想象中的"大九州"的范围来考察的。它概述了天地的关系和地形情况后说:

> 何谓九州?东南神州曰农土,正南次州曰沃土,西南戎州曰滔土,正西弇州曰并土,正中冀州曰中土,西北台州曰肥土,正北泲州曰成土,东北薄州曰隐土,正东阳州曰申土。

可见这里所谓九州已经和《禹贡》、《吕氏春秋·有始》所载九州不同了,不是指将华夏大地划分成九个区域。"州"字,原指水中高地。《说文解字·州部》说:"水中可居者曰州。"而这里的"州"字实际就是后人的"洲"字,九州是指被水所包围的九块大陆,华夏大地仅是其中之一"神州",这也就是杨树达《〈淮南子〉证闻》所指出的"盖即邹衍大九州也"。说明当时人们对地域范围的认识已超出了华夏大地。《地形训》进一步发挥想象,认为九州之外,就是八殥、八纮、八极。这与大洲之外是海洋,海洋之外有大洲的地球表面的实际情况是有所符合的。它记载的华夏大地上的九山、九塞、九薮以及四十余条水道,可以说是一幅较为完整的古代中国地形图。在经济地理方面,涉及的有矿产、农作物、稀有物产等,按照八方进行了分类,同时对土、气、矿物的形成转化进行了探讨。在人文地理方面,讨论了不同地形、气候、土壤、水文条件,对人类的特性、疾病等产生的重要影响。认为人类必须适应环境才能生存。并且对四方的人种、种族从各方面进行了对比研究。对各地风土人情及海外三十六国也有所阐述。在神话地理方面,主要是对昆仑的记载。虽然对昆仑的雪峰、高度、湖泊、矿产、物产、水流等的描写,都是传说性质,有荒诞怪异之说,但是可以说明,古人很早就想揭开巍巍昆仑之谜了。《地形训》积累了丰富的地理学资料,大开了人们的眼界,直接给历史地理名著《水经注》以重大影响。

《淮南子》有关科技成就的内容,主要集中在上述天文、养生、地理等方面,此外,在物理、化学研究方面,有光学、力学和磁学成果的记载,有纺织及印染的史料。特别是有关光学研究领域,《淮南子》多次记载了"阳燧"。如《天文训》说:"阳燧见日则燃而为火。"高诱注中说:"阳燧,金也。取金杯无缘者,熟摩令热,日中时以当日下,以艾承之,则燃得火也";可知"阳燧"是我国古代利用凹面铜镜聚焦太阳光取火的设备。《淮南子》特别重视对水利工程的记载,它第一次记载了我国古代两项大型水利工程。一处是春秋时期楚国期思、雩娄灌溉工程。《人间训》说:"孙叔敖决期思之水,而灌雩娄之野。"孙叔敖是楚国令尹,所决的期思之水就是今安徽的史河和泒河。这个灌区的位置,即今安徽寿县之安丰塘,古称芍陂。芍陂是淮水流域最大的水利工程,《后汉书·王景传》、《水经注》均记载为孙叔敖所修,至今仍发挥巨大的经济效益。另一处是秦代航运工程灵渠。《人间训》说,秦统一后,为开发岭南,派遣"尉屠睢发卒五十万为五军",戍守五岭。并派监禄转运粮饷。"又以卒凿渠而通粮道"。这里"凿渠"就是指修灵渠。灵渠的记载,秦代的文献中没有保存下来,汉代首先给以记载的,则是《淮南子》。以后的《史记·主父偃传》中才有记载。灵渠是连接湘水和漓水,沟通长江水系和珠江水系的一条长约三十公里的渠道。它的开凿,不仅对当时统一南方,而且对当地的水利灌溉以及后来在南北交通运输上,一直起着重要作用,在世界航运工程史上占有光辉的地位。《淮南子》有关医药的记载也不少,如《俶真训》说:"蠃瘑蜗睆,此皆治目之药也。"《览冥训》说:"夫地黄主属骨,而甘草生肉之药也。"《齐俗训》说:"割痤疽非不痛也,饮毒药非不苦也,然而为之者,便于身也。"从这些记载,可以看到西汉时中医的本草学和外科手术都已经有了高度发展。另外,《淮南子》对生物进化、自然选择、生物分类、生物资源的保护和利用,音律及度量衡研究等都有突出的成就,许多成果在世界科技史上占有重要地位,对两千年来我国科学技术的发展,起到了巨大的推动作用。

《淮南子》可以说是一座科学技术的宝库,它对中国古代科技结构的形成、科技特征的确立及科技方法的成熟都有极大的影响,大大地丰富了科技教育的内容。

3.《淮南子》与审美教育观

审美教育在中国传统文化中始终受到高度重视,由于价值取向的不同,先秦各学派,尤其是儒道两家对审美与审美教育诸问题的认识存在着一系列的分歧。《淮南子》博采各家学说而又自成一家,形成自己独有的审美教育观。《淮南子》崇尚老庄道家的审美教育思想,又不废弃儒家的审美教育,还把其他学派的理论也吸收到审美教育之中。这些都为儒道互补的美育传统产生了巨大影响,正是我国特有的民族审美教育的表现。

(1)"自然"与"和谐"的审美理想

爱美,追求美,乃人之天性。在我们的民族传统中,审美问题一开始就直接与人的问题紧密相连。这个"人"又被理解为整体的人、理想的人,这样审美问题也就突出地表现为审美教育问题了。先秦儒道两家都赋予理想人格以审美性质,肯定理想人格中具有审美品格,但由于他们的价值取向不同,各自所建构的审美理想也不同。

儒家持积极的入世、救世的人生态度,把社会伦理道德境界与审美境界结合起来作为美的标准和原则。他们认为,美与善应该是统一的,个人与社会应该是统一的。这种价值取向决定了儒家审美思想的基本旨趣和理论意向是以建立人与社会、人与人之间的理想关系为中心来培养理想人格。根据这样的价值取向,儒家所建构的审美理想是"和谐"。由于儒家理想的政治社会,就是社会政治伦理关系高度和谐的社会,因此,和谐就被赋予了某种终极价值,成为理想的标志。而理想的人格也就是个体的理性认知、道德实践和生命情感达到高度和谐统一的人格,是与社会、与他人高度和谐统一的人格。由此,儒家的审美理想也必然是和谐的。这从孔子的"尽美尽善"说可以看出。"子谓《韶》:尽美矣,又尽善也。"(《论语·八佾》)也就是说,《韶》乐的艺术形式和伦理内容都达到了高度和谐,两者相互之间也达到了高度和谐。荀子说得也很明白:"乐也者,和之不可变者也。"(《荀子·乐论》)和谐,作为终极规定性,就是儒家的审美理想。

与儒家重人事不同,道家崇尚自然,以自然为宗。这虽然还不能说是"崇尚自然美","以自然为美"的审美观,但却可以说他们是在体验、感悟一种类似自然美感的东西,并且师法自然,行不言之教,以此潜隐地影响人。可以说道家审美理想就是"自然"。老子所谓"人法地,地法天,天法道,道法自然"(《老子·二十五章》),并不是说作为宇宙万物之本的"道"之上还有"自然",而是说"道"之法就是"自然"、就在于"自然"。这样,"自然"就作为道的根本法则、根本性质确定下来了。庄子在揭示"道法自然"宗旨的同时要人放弃作为,顺任自然。道家建构的审美理想是自然,即如庄子所说:"无不忘也,无不有也,淡然无极而众美从之,此天地之道,圣人之德也。"(《庄子·刻意》)在先秦道家的心目中,天地之道是自然的,来自天地之道的圣人之德也是自然的。所以自然便是天下之至美。

儒道两家对人类历史和社会的不同价值取向,是他们关于理想人格学说和审美理想分歧的根源。和谐与自然的对立,作为不同审美理想的对立,源自对人类历史和社会的不同认识的对立,表现为不同的审美境界的对立。《淮南子》将儒家"和谐"之美与道家"自然"之美合流,追求"自然"而又"和谐"之美。

《淮南子》继承老庄"自然"的审美理想,又吸收"和谐"审美理想成分。《淮南子》认为天地万物皆出于自然。《泰族训》说:

> 天设日月,列星辰,调阴阳,张四时,日以暴之,夜以息之,风以干之,雨露以濡之。其生物也,莫见其所养而物长;其杀物也,莫见其所丧而物亡。此之谓神明。

这种"神明"就是道,是一种造化万物的自然力量,也就是老庄

"自然"的一种提法。这种"神明"是天地万物本身,自然无为,不用人为雕琢造作,正是庄子所说的自然的"大美"境界。《庄子·田子方》说:"天地有大美而不言,四时有明法而不议,万物有成理而不说。圣人者,原天地之美而达万物之理。是故至人无为大圣不作,观于天地之谓也。"庄子用"大美"一词虽不同于现代美学范畴中的"美",但却是在体验一种类似自然美感的东西。《淮南子》将其称之为"大巧",表述得更为清楚:

> 故神明之事,不可以智巧为也,不可以筋力致也。天地所包,阴阳所呕,雨露所濡,化生万物。瑶碧玉珠,翡翠玳瑁,文彩明朗,润泽若濡,摩而不玩,久而不渝,奚仲不能旅,鲁般不能造,此之谓大巧。(《泰族训》)

《淮南子》的"大巧"比庄子"大美"在体验自然之美上更进了一步。这种被称为"大巧"的"神明之事",不仅不用人为雕琢造作,而且也不是人力所能做得到的。从自然的审美理想出发,《淮南子》认为美与丑也不是人为的粉饰,而是事物的自然本质。老子所谓"天下皆知美之为美,斯恶已;天下皆知善之为善,斯不善已"(《老子·二章》),庄子所谓"其美者自美,吾不知其美也;其恶者自恶,吾不知其恶也"(《庄子·山木》)。这些说法,虽然承认美丑存在于客观事物本身,但却认为美丑与人的主观认识无关,取消了审美主体的主观作用。《淮南子》也认为美丑在于事物本身,是客观存在,是自然形成的,同时与先秦老庄道家所不同的是认为审美主体对客观的美丑是可以认识的。《说山训》说:

> 琬琰之玉,在污泥之中,虽廉者弗释。弊箄甑瓾,在旃茵之上,虽贪者不搏。美之所在,虽污辱,世不能贱;恶之所在,虽高隆,世不能贵。

"琬琰"是美玉,"筼"是竹篮,"甀"是瓦器。这是说,美玉掉在污泥中,再廉洁的人也会把它捡起来;破竹篮和瓦器之类就是放在漂亮的褥席上,再贪心的人也不会要它。美的东西,即使是处于污秽屈辱之处,人们也不能认为它低贱;丑的东西,即使是处于高显之处,世人也不能认为它高贵。这也就意味着,美和丑都是事物在客观上具有的一种价值,人们对客观的美丑是可以认识的。不仅如此,《淮南子》还认为人在一定的条件下,可以创造出美的事物。《说林训》说:

> 清醯之美,始于耒耜,黼黻之美,在于杼轴。

"醯"是清酒,"黼黻"是礼服上的花纹。这段话告诉我们,人利用工具,进行劳动生产,就能创造出美的东西。《俶真训》说:

> 百围之木,斩而为牺尊,镂之以剞劂,杂之以青黄,华藻镈鲜,龙蛇虎豹,曲成文章,然其断在沟中。壹比牺尊、沟中之断,则丑美有间矣。

这就是说,人通过劳动创造,把大木头能变成一个艺术品,这是美的,而被断弃在沟中的木头则是丑的。《淮南子》的这些论述,明显地与先秦道家不同,它融进了儒家之论,即人与自然的和谐。

《淮南子》与老庄道家的这些不同点,丝毫没有影响它继承先秦道家"自然"的审美理想。它在认为审美主体对客观美丑可以认识,甚至人可以创造美的同时,更强调要听其自然。《主术训》说:

> 人主之术,处无为之事,而行不言之教……进退应时,动静循理,不为丑美好憎,不为赏罚喜怒,名各自名,类各自类,事犹自然。

这里"不为丑美好憎"是说对美和丑不要刻意追求,要存其自

然之状,"名各自名,类各自类"。《淮南子》还说:

> 求美则不得美,不求美则美矣;求丑则不得丑,求不丑则丑矣。不求美又不求丑,则无美无丑矣。是谓玄同。(《说山训》)

这就是说,美和丑都是客观存在,审美主体要从主观上泯灭美丑的差别,而进入无美无丑的"玄同"境界。这是道家"自然"的审美理想。在这种审美理想下,《淮南子》提出了"率性"和"纯朴"两大自然本性。《齐俗训》说:

> 率性而行谓之道,得其天性谓之德。性失然后贵仁,道失然后贵义。是故仁义立而道德迁矣,礼乐饰则纯朴散矣。

所谓"率性"就是依循自然本性,所谓"纯朴"就是保持自然本性。《淮南子》立足于道家"自然"审美理想而又融以儒家思想成分。这里"率性"、"纯朴"是自然本性,而礼乐仁义之类是人为修饰。《淮南子》既要求依循或保持自然本性,但又不废弃礼乐仁义之功,只不过礼乐仁义之类要放在自然之下。"率性"这一自然美的特性是怎样形成的呢?《原道训》中有段文字作出了回答:

> 万物固以自然,圣人又何事焉?九疑之南,陆事寡而水事众,于是民人被发文身,以像鳞虫,短绻不绔,以便涉游,短袂攘卷,以便刺舟,因之也。雁门之北,狄不谷食,贱长贵壮,俗尚气力,人不弛弓,马不解勒,便之也……形性不可易,势居不可移也。

可见"率性"来源于"万物固以自然"这一基本观点。人们所处的自然环境、生活实践决定人的本能适应性。"因之"、"便之"就是适应自然环境的一种生存本能,是在长期生活实践中形成的习性。由这种特有的生活习性,形成特定的审美情趣和审美意识。因此,凡是"率性"的就被认为是美的,"被发文身"、"短绻不绔"、"贱长贵壮"、"俗尚气力"等差别,既是生活实践结果,也是审美要求的差异。其共同之点,就是顺应自然,不违反自然本性,如果倒行逆施,违反本性,那也就无美可言。

"纯朴"美的特性是由"率性"引申而来的。要"率性"就要"纯朴",美在于事物本身的未加修饰的自然形态。要"率性"就要保持一派本色,保留自然朴素之美。《原道训》说:"所谓天者,纯粹朴素,质直皓白,未始有与杂糅者也。所谓人者,偶䁱智故,曲巧伪诈,所以俛仰于世人,而与俗交者也。"可见,"纯朴"是"自然"最基本的含义,而人为的约束、节制,是违反自然法则,阻碍人的情性发展的。"纯朴""率性"的观念,对儒家的礼乐制度是一种批评,《淮南子》与老庄道家不同的是,认为提倡礼乐是无可非议的,不过一切礼乐应顺乎人之性,而不能违反和禁锢人的情性的自然发展。《精神训》说:

> 衰世凑学,不知原心反本,直雕琢其性,矫拂其情,以与世交。故目虽欲之,禁之以度,心虽乐之,节之以礼。趋翔周旋,诎节卑拜,肉凝而不食,酒澄而不饮,外束其形,内总其德,钳阴阳之和,而迫性命之情,故终身为悲人。……今夫儒者,不本其所以欲而禁其所欲,不原其所以乐而闭其所乐;是犹决江河之源而障之以手也。

这是用道家的"自然"审美理想修正儒家的"和谐"审美理想。

在《淮南子》的审美理想中,与道家"自然"审美理想并存的,还有儒家"和谐"审美理想。它认为"道"的本质特征除了"自然"外,还有"和谐":

> 无为为之而合于道,无为言之而通乎德,恬愉无矜而

得于和。……其德优天地而和阴阳,节四时而调五行。(《原道训》)

道之所施也,夫天之所覆,地之所载,六合所包,阴阳所响,雨露所扶,此皆生一父母而阅一和也。(《俶真训》)

太清之始也,和顺以寂寞。质真而素朴,闲静而不躁……同精于阴阳,一和于四时,明照日月,与造化者相雌雄。(《本经训》)

这些论述说明,具有自然特征之"道"本身是一个覆载天地、无所不包的和谐的整体,"道"生"一",一生万物,宇宙万物也是一个和谐的整体。"道"的和谐,表现于无形、无声、无欲、无为,"恬愉无矜","和顺以寂寞""质真而素朴,闲静而不躁"。由此推广到社会人生,也要进入和谐之境。不仅是人道与天道的高度统一和谐,"因天地之资,而与之同和"(《主术训》),而且人与社会、人与人之间也要和谐。统治者要"处无为之事而引不言之教"(《主术训》),"因民之所喜而劝善,因民之所恶而禁奸"(《氾论训》),达到"上无烦乱之治,下无怨望之心,则百残除而中和作矣"(《泰族训》)。这似乎是一种无为而治的社会和谐。《淮南子》中所讲的"无为"并不完全像老庄那样,而是有条件的。它主张人们要行仁义,守礼法。《主术训》说:

国之所以存者,仁义是也;人之所以生者,行善是也。国无义,虽大必亡;人无善志,虽勇必伤。

又说:

治国则不然。言事者必究于法,而为行者必治于官。上操其名,以责其实,臣守其业,以效其功。言不得过其实,行不得逾其法,群臣辐凑,莫敢专君……不偏一曲,不党一事,是以中立而遍运照海内,群臣公正,莫敢为邪,百官述职,务致其公迹也。

《淮南子》主张通过仁义礼乐刑政以求达到治国的目的,使人人能"因时以安其位,当世以乐其业"(《精神训》)。这是儒家的思想。不过与儒家所不同的是,它认为礼乐刑政并不是一味"循古",而是要"应时而变",即所谓"法籍与时变,礼义与俗易"(《氾论训》)。这一"和谐"的审美理想不仅表现在人与社会、人与人之间的理想关系上,而且突出表现在个人的精神、人格上。要求人通过修养,使情感升华,人格向理想的"至德"境界发展。《原道训》所谓"圣亡乎治人,而在于得道;乐亡乎富贵,而在于德和"就是"至德"的要求。一个人的修养一旦达到"至德"之境,他就处于一种极其和谐的精神状态之中,安然自得。《原道训》说:

　　自得,则天下亦得我矣。吾与天下相得,则常相有,已又焉有不得容其间者乎?所谓自得者,全其身者也。全其身,则与道为一矣。

这种"至德"之境,使人体验到一种和谐的美。自得能使"吾与天下相得";自得能"全其身","全其身"就是"与道为一"。这时,"无所喜而无所怒,无所乐而无所苦",进入"玄同"(《原道训》)之境。"玄同"就是绝对的和谐。所谓"含阴吐阳,而万物和同",所谓"阴阳错合,相与优游竞畅于宇宙之间,被德含和"(《俶真训》),就是人生最高最美好的和谐境界。

　　由此可见,《淮南子》的审美理想,不仅有道家的"自然",也有儒家的"和谐"。这两种审美理想并非是松散地拼凑在一起,而是有机地结合而成一个比较统一的审美理想。在"自然"的审美思想中,融进了儒家仁义礼乐之论;在"和谐"的审美思想中又融进了道家"无为而治"之学。这一特点,反映出西汉初杂王霸之道而用之的时代特色,同时也反映出儒道在长期发展过程中,不断地互相渗透融合的历史特点。《淮南子》立足于道家之学又融以儒家之论的审美理想,对我国古代审美意识的影响极其广泛和持久。中国古代许多有见识、有贡献的理论家和艺术家,都是一面遵循诗书礼乐之教,一面追求任性适情之境。他们既以"自然"为美,又重"和谐"之美。

(2)"无为诚乐"与"美善相乐"的审美教化论

儒道两家不仅审美理想不同,在审美教化上也形成了尖锐的对立。

儒家认为美育的核心是审美教化,审美教化的直接功能是培养理想人格,以最终实现理想政治。孔子说:"兴于《诗》,立于礼,成于乐。"(《论语·泰伯》)主张用诗教来启蒙理想人格,用乐教来完成理想人格。这就奠定了儒家审美教化论的基本原则。但是诗教,尤其是乐教,博大精微、庄严神圣,本为圣人所用,只有君子可得之,用之于小人就行不通。这说明其审美教化论尚有某种缺陷。荀子提出"美善相乐"说,弥合了儒家这个理论缺陷。《荀子·乐论》说:"君子以钟鼓道志,以琴瑟乐心。动以干戚,饰以羽旄,从以磬管。故其清明象天,其广大象地,其俯仰周旋有似于四时。故乐行而志清,礼修而行成,耳目聪明,血气和平,移风易俗,天下皆宁,美善相乐。"荀子此论从性恶论出发,把审美教化落实在乐(lè)的心理机制上,从而找到贯通君子、小人的心理学基础。由于圣人和小人本性都是恶,都得通过乐(yuè)的审美教化,使其达到向善的内心愉悦,因此圣人与小人在乐中得乐的方式上是一样的。所不同的是,他们从乐中所得之乐不一样。圣人乐天地之和,小人乐血气平和;君子乐"志清",小人乐"相宁"。荀子说:"乐者,圣人之所乐也。而可以善民心,其感人深,其移风易俗,故先王导之以礼乐而民和睦。夫民有好恶之情,而无喜怒之应则乱。先王恶其乱也,故修其行,正其乐,而天下顺焉。"(《荀子·乐论》)可见,圣人所得之乐与小人所得之乐是可以互为作用的。圣人的天地之和可以感化小人的血气平和,小人的血气平和又可以成就圣人的天地之和。只要有了理想政治,那么,在审美教化下,即能达到上下皆乐,与民同乐,美善相乐。荀子的"美善相乐"说,能以理想政治的实现为中心,把对统治者理想人格的培养和对被统治者驯化有机地聚合成完整的审美教化功能,从而成为了先秦儒家审美教化论的经典总结。

道家反对儒家的审美教化理论,把抨击的矛头不仅指向其伦理主义立场及儒家对理想政治的追求,而且还指向了诗乐等艺术形式本身。他们要人们排除人类文明的一切干扰,去审视体味大自然的无穷变化。只要人们师法自然,通过对自然美的体验,就可以获得美。老子说:"道之尊,德之贵,夫莫之命而常自然。"(《老子·五十一章》)这句话,就已经点明了道家的审美教化是师法自然。但是,作为美育的功能,审美教化要对接受者发生影响和作用,即必须使接受者从内心感到愉悦(乐)。为此,庄子提出了"无为诚乐"说:"今俗之所为与其所乐,吾又未知乐之果乐邪,果不乐邪。吾观夫俗之所乐,举群趣者,誙誙然如将不得已,而皆曰乐者,吾未之乐也,亦未之不乐也。果有乐无有哉?吾以无为诚乐矣,又俗之所大苦也。故曰:至乐无乐,至誉无誉。"(《庄子·至乐》)庄子认为,乐有境界之高下,真正的乐不是世俗所理解的乐,不是儒家的以和为乐,以乐(yuè)为乐,"至乐无乐"。庄子之"乐",即他所说的"天乐":"圣也者,达于情而遂于命也。天机不张而五官皆备,无言而心说,此之谓天乐。"(《庄子·天运》)领略这种最高境界的"天乐",要求人从社会人异化为自然人,内心境界已无常人的利害得失之思;在虚静无为的境界中去体验它。这时内心的愉悦已非语言所能表达,也无须去表达了。这种领略"天乐"过程就是"无为诚乐"的审美教化。

《淮南子》立足于道家审美教化论,发展了庄子"无为诚乐"思想,并且融进儒家审美教化观点。

其一,《淮南子》以道家审美教化为主,师法自然,无为诚乐。

首先,它继承了道家师法自然的审美教化原则,主张因循自然之理而进行审美教化。《原道训》评价尧舜之道时说:

> 夫能理三苗,朝羽民,徙裸国,纳肃慎,未发号施令而移风易俗者,其唯心行者乎!法度刑罚,何足以致之也?是故圣人内修其本而不外饰其末,保其精神,偃其智故,漠然无为而无不为也;淡然无治也而无不治也。所谓无为者,不先物为也;所谓无不为者,因物之所为。所谓无治者,不易自然也;所谓无不治者,因物之相然也。

这里指出舜帝治理教化边民,完全是师法自然。移风易俗并不需要发号施令,也不需要逐一说教,只要内心神化,即有自然相成之效。所谓"禹之决渎也,因水以为师;神农之播谷也,因苗以为教"(《原道训》),都是师法自然而行事,如果不师法自然而从事审美教化,则"虽口辩而户说之,不能化一人"(《原道训》)。

其次,《淮南子》继承庄子"无为诚乐"的审美教化论,并有

所发挥。关于"至乐无乐",《原道训》说:

> 能至于无乐者,则无不乐,无不乐则至极乐矣。

庄子"至乐无乐"意思是说至极的愉悦在于"无乐"。这是针对世俗"乐"观念提出的,是从消极意义而言。《淮南子》这里以"无为而无不为"论加以解释,突出了"至乐无乐"的正面含义。关于"无为诚乐",《原道训》说:

> 吾所谓乐者,人得其得者也。夫得其得者,不以奢为乐,不以廉为悲……圣人不以身役物,不以欲滑和。是故其为欢不忻忻,其为悲不惙惙。万方百变,消摇而无所定;吾独慷慨遗物,而与道同出,是故有以自得之也。

这段话把庄子"无为诚乐"审美教化论解说得更为清楚。它认为,"乐"是人们所"得"的一种内心愉悦和满足。虽同是"乐",但根据人所持守的价值观念的不同,其所得也不同。只有无为,不让外物和欲望支配自己的人,才能"得"、"与道同出"、"有以自得之"的乐。

其二,《淮南子》吸收儒家审美教化论。

首先,《淮南子》师法自然、无为的同时,重政治、重人事、重礼乐教化。《氾论训》说:

> 先王之制,不宜则废之;末世之事,善则著之,是故礼乐未始有常也。故圣人制礼乐,而不制于礼乐。治国有常而利民为本,政教有经,而令行为上。

这里点明了《淮南子》审美教化的特点是,变无为为有为,变循常为因时致用,变不令而行为令行禁止,并且肯定"百家殊业而皆务于治"(《氾论训》)。这也说明其审美教化论具有儒家重政治、重人事、重礼乐教化的积极色彩。《淮南子》认为审美教化是比法令更为重要的治国方式。《泰族训》说:"太上养化,其次正法",指出治民之上策是使民"日化上迁而不知其所以然",下策才是"法令正于上而百姓服其下"。又强调"治之所以为本者,仁义也"(《泰族训》),认为"民不知礼义,法弗能正也","法能杀不孝者而不能使人为孔曾之行",因而要"立大学而教诲之"(《泰族训》)。只有通过审美教化,就可以达到"贵有以行令,贱有以忘卑,贫有以乐业,困有以处危"(《傲真训》)的理想状态,这种各安其位、各乐其业的理想状态与荀子"乐行而志清,礼修而行成,耳目聪明,血气和平,移风易俗,天下皆宁,美善相乐"的审美教化的观点是一致的。

其次,《淮南子》审美教化的许多内容是儒家的伦理规范。《主术训》要君王"慈厚","以怀众"。《泰族训》要人主"仁"、"信"、"威",即使做不到不言而信,不施而仁,不怒而威,也要做到"施而仁,言而信,怒而威";对于一般的人,要以仁义区别君子和小人,君子"善言归乎可,善行归乎仁义","虽有知能必以仁义为本"。人人做到,"孝于父母,弟于兄嫂,信于朋友,不得上令而可得为也"(《主术训》)。这些说法都是儒家审美教化的具体内容。《主术训》认为:"法生于义,义生于众适,众适合于人心,此治之要也。"主张实施审美教化要适应人心。《泰族训》进一步提出了循民之性而行教化的纲领:

> 先王之制法也,因民之所好,而为之节文者也。因其好色而制婚姻之礼,故男女有别。因其喜音而正雅颂之声,故风俗不流。因其宁家室、乐妻子,教之以顺,故父子有亲。因其喜朋友而教之以悌,故长幼有序。然后修朝聘以明贵贱,飨饮习射以明长幼,时搜振旅以习用兵也,入学庠序以修人伦。此皆人之所有于性,而圣人之所匠成也。

又说：

> 故先王之教也，因其所喜以劝善，因其所恶以禁奸，故刑罚不用，而威行如流；政令约省，而化耀如神。故因其性则天下听从，拂其性则法县（悬）而不用。

这里所列出的审美教化具体措施均为儒家的礼乐伦常。这些教化内容由于是循民之本性而定所以可以达到约省政令，不用刑罚的效果。这又与尚自然、无为的原则切合，但它已不是无为而是有为了。

其三，《淮南子》认为道家的审美教化论高于儒家的审美教化论。

首先，《淮南子》认为道家审美教化的境界高于儒家。它立足于道家的审美教化论，又吸收、融合了儒家审美论的观点，但往往又以道非儒。《原道训》说：

> 夫建钟鼓，列管弦，席旃茵，傅旄象，耳听朝歌北鄙靡靡之乐，齐靡曼之色，陈酒行觞，夜以继日，强弩弋高鸟，走犬逐狡兔，此其为乐也……解车休马，罢酒彻乐，而心忽然若有所丧，怅然若有所亡也。是何则？不以内乐外，而以外乐内。乐作而喜，曲终而悲，悲喜转而相生，精神乱营，不得须臾平。察其所以，不得其形，而日以伤生，失其得者也。

这段话的思想内容源出于《庄子·知北游》中"山林与，皋壤与，使我欣欣然而乐与，乐未毕也，哀又继之。哀乐之来，吾不能御，其去弗能止。悲夫！世人直为物逆旅耳"那段孔子回答颜回的话。但这里却把矛头指向了儒家，认为儒家以乐（yuè）为乐，是"以外乐内"。这种"乐"是有条件而变化不定的。奏起乐来就感到愉悦，音乐结束就感到悲哀，一喜一悲交织影响，结果反而失其愉悦。相比之下,道家的"与道同出,是故有以自得之"(《原道训》)之乐,就是"以内乐外"。这种道家的境界高于儒家。另外《淮南子》认为"乐"随着所乐的环境之不同而有不同的等级层次。《泰族训》说:

> 凡人之所以生者,衣与食也。今囚之冥室之中,虽养之以刍豢,衣之以绮绣,不能乐也。以目之无见,耳之无闻。穿隙穴,见雨零,则怏然而叹之。况开户发牖,从冥冥见炤炤乎? 从冥冥见炤炤,犹尚肆然而喜,又况出室坐堂,见日月光乎! 见日月光,旷然而乐,又况登泰山,履石封,以望八荒,视天都若盖,江河若带,又况万物在其间者乎? 其为乐岂不大哉!

这里认为把人囚禁在暗室中,吃再好的食物,穿再好的衣服,也乐不起来。只有见到光明才能感到愉悦。而乐的最高层次,是彻底地面对大自然所感受到的审美愉悦。《淮南子》当然认为道家师法自然的审美教化论是最高层次的。

其次,《淮南子》认为道家审美教化的方式是要比儒家的更为理想。移风易俗,建立良好的社会风尚,达到理想的社会秩序,这是儒道两家都认同的审美教化任务,但在内容和方式上则有很大的分歧。儒家认为应用礼乐来感化,如《荀子·乐论》说:"乐者,圣人之所乐也,而可以善民心,其感人深,其移风易俗,故先王导之以礼乐而民和睦。"道家认为师法自然,无为而治。老子提出"不言之教,无为之益,天下希及之"(《老子·四十三章》)的见解,其审美教化有自然而然、不知不觉、潜移默化等陶冶的特征。在《淮南子》中,儒道的审美教化的方法都存在,也有因在不同场合侧重不同而存在自相抵牾。《氾论训》说:"法度者,所以论民俗而节缓急也",把法度视为调节民俗的手段。而《主术训》却说:"刑罚不足以移风,杀戮不足以禁奸,唯神化为贵。"但又有"权势之柄,其以移风易俗矣","贤不足以为治,而势可以易俗明矣"(《主术训》)。这似乎儒道法的审美教化论都有。在《淮南子》看来道家的方式是最好的。它认为移风易俗最理想的效果是"全性保真"(《俶真训》)、"道胜理达"(《主术训》),要像舜帝那样"未发号施令,而移风易俗者"(《原道训》)。要"诚决其善志,防其邪心,启其善道,塞其奸路,与同出一道,则民性可善,而风俗可美也"(《泰族训》),又说:"故圣人怀天气,抱天心,执中含和,不下庙堂而衍四海,变习易俗,民化而迁善。"(《泰族训》)这些都是立足于道家的审美教化方式。在移风易俗的问题上,《淮南子》不赞成儒家对民众提出过高的要求,因为标准太高达不到化善为俗的目的,审美教化的标准要使多数人能够做得到。《齐俗训》说:"故高不可及者,不可以为人量;行不可逮者,不可以为国俗。"这也体现了一种自然求实的精神。

五 《淮南子》与道教

道教是地地道道、土生土长的中国宗教。它作为中国文化的一部分,其基本理论较为复杂,所受影响是多方面、多层次的。从道教的兴起来看,它与集新道家之大成的《淮南子》有着密不可分的关系。

1. 从道家到道教的桥梁

道教作为一种比较正式的人为宗教创立于东汉末年,但其酝酿过程相当长。《魏书·释老志》说:"道家之原,出于老子。"这里道教即称道家,其思想渊源于以老子为代表的先秦道家似乎不成问题。道教以"道"名教,教徒以"道家"自称,以老子为其教祖,以《老子》为其圣典。道教与道家结下了不解之缘,东汉以后各个封建朝代道教与道家混称不作区分几成通例。宋明人所称"老氏"既指道家,又指道教。《四库全书》就将道家与道教的著作编为一类,统统归入《子部·道家类》。其《提要》说:"后世神怪之迹,多附于道家。道家亦自矜其异,如《神仙传》、《道教灵验记》是也。要其本始,则主于清净自持,而济以坚忍之力,以柔制刚,以退为进。故申子、韩子流为刑名之学,而《阴符经》可通于兵。其后长生之说与神仙家合为一,而服饵导引入之。房中一家,近于神仙者亦入之;《鸿宝》有书,烧炼入之;张鲁立教,符箓入之。北魏寇谦之等又以斋醮章呪入之。世所传述,大抵多后附之文,非其本旨。彼教自不能别,今亦无事于区分。"《四库全书》编者虽对道家思想演变为道教的过程有所描述,但对道家、道教等"无事于区分"。其实,道家与道教并不是一回事:道家是一个学派,道教是一种宗教;一为哲学而且倾向无神论,一为宗教有神论。两者的性质是根本不同的。那么,道家学派是怎样向宗教过渡,并发展为道教的呢?原来,在这一发展道路上,《淮南子》的成书行世起到了桥梁的作用。如果没有《淮南子》这座桥梁的沟通,道家是很难往宗教方向拓展并发展为道教的。

(1) 神仙出世论与道教的形成

道教是一种以鬼神崇拜为基础,以神仙信仰为核心,以追求长生不老、永生幸福为宗旨的宗教。这一宗教,最初不一定与先秦道家有关,而与《淮南子》的神仙出世理论有密切关系。

先秦道家哲学原本具有无神论的倾向。《老子·六十章》说:"以道莅天下,其鬼不神,非其鬼不神,其神不伤人。"认为鬼神是不足畏惧的。《庄子·天下》说:"上与造物者游,而下与外死生无终始者为友。"所谓"外死生"就是《庄子·齐物论》说的"死生无变于己",认为死与生并无利害好坏的分别,对生死看得很透。老、庄"道法自然"的观点,后世经常被学者引申和发展为唯物主义无神论。

但在老庄著作中,也可以找到另一些提法。如《老子》中明白提出"长生久视之道"(《五十九章》),似乎肯定存在一种可以使人长生不老的道术。《庄子·逍遥游》说:"藐姑射之山,有神人居焉。肌肤若冰雪,绰约若处子,不食五谷,吸风饮露,乘云气,御飞龙,而游乎四海之外。"这似乎更加肯定了仙境、神仙的存在,并且认为神仙是通过行气导行的功夫修成的,具有神奇的功能。老庄著作中的这些提法,显然是受了原始宗教信仰和神仙家的影响。从这一方面看,道家向道教过渡有其可能性。然而,老庄哲学毕竟还是哲学理论,而不是宗教理论,道家在先秦始终没有发展为宗教。

道家向道教过渡,经过了很长的演变过程,这中间《淮南子》的神仙出世理论为其过渡起了桥梁作用。

战国至西汉武帝时期,社会上流行"神仙家"这一学术流派。他们相信仙境、仙人、仙药、仙方的存在与可寻求得之,追求白日飞升,长生不老。《汉书·艺文志》解释说:"神仙者,所以保性命之真,而游求于其外者也。聊以荡意平心,同死生之域,而无怵惕于胸中。"其目的是"保性命之真"、"同死生之域",方法是"荡平心意"、"游求于外"。这是一种在古代巫术及神仙传说基础上发展起来的学派。战国时代,齐燕沿海一带流行神仙传说,这些地区靠近大海,海市蜃楼的幻景激发了人们的无限遐想,幻想海上有神仙,居住着不死的仙人。《史记·封禅书》称,齐威王、齐宣王和燕昭王,曾派人入海寻找蓬莱、方丈、瀛州三仙山。"其传在渤海中,去人不远;患且至,则船风引而去。盖尝有至者,诸仙人及不死之药皆在焉。其物禽兽尽白,而黄金银为宫阙。未至,望之如云;及到,三神山反居水下。临之,风辄引去,终莫能至云。世主莫不甘心焉。"如此美妙的仙境、仙药、仙人,使许多帝王为之倾心。秦始皇、汉武帝就是最热心求仙的皇帝,虽然总是可望而不可得,但却使神仙信仰在这时得到进一步的发展。秦始皇时,著名的神仙家有徐福、卢生、韩终、侯公、石生等。他们为秦始皇"求仙人羡门、高誓"(《史记·秦始皇本纪》)及不死之药。汉武帝时著名神仙家有李少君、少翁、薄谬忌、栾大、公孙卿等。他们备受武帝重用,其活动更为频繁。这些神仙家带有古宗教的色彩,但没有什么理论。

这时淮南王刘安受神仙家的影响,也是热衷于神仙方术的人。他曾招致宾客方术之士数千人,组成新道家淮南学派。在他的主持下,以方士八公及儒生大山、小山为骨干,集体编写成了《淮南子》。《淮南子》站在黄老新道家的立场上,将道家思想与神仙思想相融合,提出了一套神仙出世理论。

首先提出了神仙家的理想境界。《淮南子》的神仙理论占很重要的地位,其论述集中在《原道训》、《精神训》中。《要略》概括《原道训》的主旨时说:

> 欲一言而寤,则尊天而保真;欲再言而通,则贱物而贵身;欲参言而究,则外物而反情。

这里提出的"尊天而保真"与《汉书·艺文志》释"神仙"的"保性命之真,而游求于其外者也"是一致的。它这样一而再,再而三地强调,可以看出《原道训》神仙信仰理论。《要略》又说:

> 《精神》者,所以原本人之所由生,而晓寤其形骸九窍,取象与天,合同其血气,与雷霆风雨,比类其喜怒,与昼宵寒暑并明,审死生之分,别同异之迹,节动静之机,以

> 反其性命之宗。所以使人爱养其精神，抚静其魂魄，不以物易己，而坚守虚无之宅者也。

这是《要略》概括《精神训》的提要：追溯人产生的本原，明白人的形体九窍都是模仿上天。明白生死的本分，区别同异的踪迹，节制动静的时机，以返回性命之本。这样就使人"爱养其精神，抚静其魂魄，不以物易己，而坚守虚无之宅者也"。这也正是当时神仙家的人生观。《淮南子》反复描述神仙家的理想境界。《原道训》说：

> 大丈夫恬然无思，淡然无虑；以天为盖，以地为舆，四时为马，阴阳为御，乘云陵霄，与造化者俱；纵志舒节，以驰大区，可以步而步，可以骤而骤；令雨师洒道，使风伯扫尘，电以为鞭策，雷以为车轮；上游于霄霓之野，下出于无垠之门。

这种境界发挥了《庄子》逍遥世外的幻想，追求一种至高无上、无牵无累的境界。这种境界已不止是一种精神状态，而是一种神仙境界了。

其次，将得道的"真人"、"至人"加以神化。《淮南子》把得道的真人、至人描绘成具有超自然的神力，他们"入火不焦，入水不濡"（《原道训》），"大泽焚而不能热，河汉涸而不能寒"，"出入无间，役使鬼神，沦于不测，入于无间，以不同形相嬗也"；"倚不拔之柱，行不关之涂，禀不竭之府，学不死之师，无往而不遂，无至而不通"，"抱素守精，蝉蜕蛇解，游于太清，轻举独往，忽然入冥"（《精神训》）。认为得道的真人、至人是无所不能、无往不至的，这样就把真人、至人神化了，使之成为不食人间烟火、超尘脱俗、长生不死的神仙。

再次，承认有长生不死的神仙存在。《地形训》说：

> 食气者神明而寿,食谷者知慧而夭,不食者不死而神。

这里认为有三种高级生物:食气者、食谷者、不食者。承认有长生不死的神仙。像这种长生不死的神仙在《淮南子》中记有很多。《览冥训》记述的"嫦娥奔月"是其中一例。说"羿请不死之药于西王母,姮娥(即嫦娥)窃以奔月,怅然有丧,无以续之"。后人更增饰以月中有广寒宫,有不死之桂树,有仙人吴刚,嫦娥化为蟾蜍等等。《道应训》记述,秦始皇时燕人方士卢敖,漫游北方,经过玄阙山,偶见一位仙士"深目而玄鬓,泪注而鸢肩,丰上而杀下,轩轩然方迎风而舞"。见卢敖便躲避起来,卢敖上前一看,此仙士"方倦龟壳而食蛤梨"。卢敖对仙士说自己正到处周游,穷观六合之外,要求同仙士交朋友。但那位仙士对他说:你这不过是在室内的一个角落转转而已,"若我南游乎冈䍐之野,北息乎沉墨之乡,西穷窅冥之党,东开鸿濛之光,此其下无地而上无天,听焉无闻,视焉无眴。此其外,犹有汰沃之氾,其余一举而千万里,吾犹未能之在。今子游始于此,乃语穷观,岂不亦远哉!然子处矣!吾与汗漫期于九垓之外,吾不可以久驻。"说完便举臂而竦身,遂入云中。卢敖抬头远望,已不见仙士的踪影。像仙士这样的神仙在《天文训》里也比比皆是。如说:

> 何谓五星?东方,木也。其帝太皞,其佐句芒,执规而治春。……南方,火也,其帝炎帝,其佐朱明,执衡而治夏。……中央,土也。其帝黄帝,其佐后土,执绳而治四方。……西方,金也,其帝少昊,其佐蓐收,执矩而治秋。……北方,水也。其帝颛顼,其佐玄冥,执权而治冬。

这原是说明天体的分布、运行规律、特性等,但也涂上了神话的色彩,后被道教演成"天地五方五帝"说。

《淮南子》神仙出世的思想,在理论上发展了一步。神仙家本来只重神仙方术,这些所谓的方术,诸如服食药物、导引按摩,吐故纳新、求仙辟鬼等等都是些外在的东西。《淮南子》受神仙思想的影响,却不满足于这种纯外在的方术,所以依附老庄道家的思想,吸取黄老新道家的思想,演成一种向内求的神仙出世哲学。这一神仙出世哲学的完成,为道家通向道教架起了桥梁。它把道家得道与神仙家成仙联系在一起,通过神仙出世这条精神桥梁,得道者可以到达道教的神仙世界中去。这一思想被后来道教所利用。《淮南子》虽不能说是道教经典,但它对道教的形成起了桥梁作用,所以后世道教将《淮南子》归为重要道书,收入《道藏》。刘安之死也被附会为得道升天,并将刘安及八公尊为神仙,列入仙籍。

有了《淮南子》神仙出世的思想,老子才有可能从历史人物神化为神仙。西汉末年,特别是东汉以后,由于谶纬神学的兴起,神仙家受儒家尊崇尧舜、神化孔子的启示,宣扬神仙出世思想,皆托名于黄帝,神化老子。佛教传入的刺激,也对神化老子有催化的影响。《后汉书·楚王英传》记载:"英少时好游侠,交通宾客。晚节更喜黄老,学为浮屠斋戒祭祀。"英是汉光武帝的儿子,他视黄帝、老子及佛陀为神灵而祭祀,可见东汉初期,老子已被神化。《后汉书·王涣传》说:"延熹(158—167年)中,桓帝事黄老道,悉毁诸房祀。"道教前身、与新道家黄老学派有别的黄老道创立何时不得而知,但东汉桓帝亲自奉事黄老道,说明此时黄老道已有相当影响。

东汉末年,黄老道分成两大支派,一派为五斗米道,即后来的天师道,创立者张陵,子张衡、孙张鲁相继,使之得以发展。他们已奉老子为教主,以《老子》为主要经典。另一派为太平道,首领为张角。他们虽未直接称老子为教主,但所奉经典《太平清领书》的许多思想源于老子。东汉成书的《老子想尔注》始有"道教"之名。它认为道既"在天地外",又"入在天地间",而且"往来人身中","散形为气,聚形为太上老君,常治昆仑"。还说,"道使黄帝为之"老子的地位超过了黄帝,成为早期道教的最高天神,这是神仙思想上的一个发展。以后,道教的神仙进一步向系统化方向发展。

由于早期道教具有反抗统治者的传统,而且又流传广泛,这两个教派都直接成为农民起义的发动者与组织者。统治者遂将其视为心病,在镇压农民起义的同时对道教采取制裁措施。张角领导的黄巾大起义被镇压下去以后,太平道这一教派从此不复存在。张鲁五斗米道起义及以后所建立的封建政权持续 30 余年,投降于曹魏,曹操将张鲁及天师道骨干迁到魏都邺城。后魏为晋所代替,晋又为北方部族所迫迁于建康(今南京)。从此,天师道便在江南广泛地流传。

道教到南北朝时,老子这个形象被塑造得更加神秘,"太上老君"这一徽号已经为道教中人所公认。道教的神也越来越多,有等级品位。甚至还有许多女神。其神仙谱系更为完整。

至唐代,道教发展进入鼎盛时期,老子被唐皇帝认为族祖,神化老子也自然逐步升级。唐高宗追封老子为"太上玄元皇帝",唐玄宗又进而尊号为"大圣祖高上大道金阙玄元天皇大帝。"由于中央政权的推崇,道教在唐代风行一时,经过宋元明初的继续长足发展,至明中期以后就式微了。综观道教的形成发展,可以看到道教有着别具一格的神仙信仰,道教的神仙队伍上至虚构的三清天尊等尊神,下至帝王将相、圣贤名士、道士中人;大到自然界的山岳河海、日月星辰,小到人体中肉眼看不见的发神苍华、脑神精根、心神丹元等等。其不仅种类多,而且数量大,显现了多神崇拜的特色。道教神仙授予相应的官阶与品位,说明了自由自在的神仙仍摆脱不了封建社会等级观念的束缚,神仙等级,实是封建等级观念的体现。神仙信仰是道教不同于其他宗教的最显著的地方之一。神仙思想、道家学说的神化,是道教神学观的一个重要特色。

(2)《淮南子》与道教的道术

要成神仙必须得道。道教的得道方术分为外炼内修两部分,即通常所说的外丹术和内丹术。所谓外丹,是指用铅汞等矿物冶炼而成的丹药,即所谓金石所炼而成的"金丹"、"仙丹",以之服食,可以"长生不死"。"内丹"是以人体为"炉鼎",以体内的"精"、"气"为药物,通过"吐故纳新",使精气神凝,结成"圣胎"、"圣丹",因为这是无形的内炼功夫,故称做"内丹"。

外丹术最初与道家的联系不多。《管子·地数》说:"上有赭,下有铁;上有铅,下有银;上有丹砂,下有黄金。"这可能是我国有关"丹砂"的最早记载。这种炼丹术,最初其实是起始于古老的自然科学,这种科学与老庄的哲学所走的不是一条路。《史记·封禅书》提到齐威王、宣王时就曾派人去寻过三神山求不死方。先秦时,主要还是寻求仙药,并没有提到炼丹药。

不过老庄道家道生万物的理论,或许对道家外丹术有些启迪。《老子》说:"道生一,一生二,二生三,三生万物。"(四十二章)庄子说,道"生天生地"(《庄子·大宗师》),"道者,万物之所由也,庶物失之者死,得之者生"(《庄子·渔父》)。并提出"气"的概念。庄子说:"通天下一气耳"(《知北游》),又说:"天地者,形之大者也;阴阳者,气之大者也;道者为之公。"(《则阳》)天下万形都是由气构成的,而道为其本体。

《淮南子》一方面发挥了老庄道家关于"道"、"气"的理论,否定了老子"有先于无"的主张,将"道"的超自然性成分析除出去了,并明确地将元气说引入宇宙论。(见前"宇宙论"部分)这样,就为道家"道"、"气"理论通向道家外丹术架起了桥梁。

道教最早的经典之一《太平经》说:"人气亦轮身上下,神精乘之出入。神精有气,如鱼有水。气绝神精散,水绝鱼亡。故养生之道,安身养气。"(《太平经合校》第727页)人之生即气之聚,人之死即气之散。按照这个思路,道教神仙论认为,如果能保住人所聚得的气不消散,就可以达到长生不死。因此道教思想家特别强调人要养气,守气,尽量使聚得之气不耗散。葛洪说:"夫五谷尤能活人,人得之则生,绝之则死,又况于上品之神药,其益人,岂不万倍于五谷邪?"(《抱朴子·内篇·金丹》)依"元气论"的观念,葛洪认为通过服食神药可以补充耗散的元气,延年益寿以至长生不死。葛洪宣称找到了金丹,服了便能够使人长生或成仙。他说:"夫金丹之为物,烧之愈久,变化愈妙。黄金入火,百炼不消;埋之,毕天下朽。服此二物,炼人身体,故能令人不老不死。此盖假求于外物以自坚固。"(《抱朴子·内篇·金丹》)他认为黄金是由元气中最精纯的成分构成的,它的气永不消散,永不变化,所以要得到长生不死,服食金丹是关键。葛洪"假求于外物以自坚固"的炼丹思想标志着道教外丹术的形成。

《淮南子》另一方面注重炼丹的实践。炼丹之术大约从西汉开始。汉武帝时李少君说:"祠灶则致物,致物而丹砂可化为黄金,黄金成以为饮食器则益寿,而海中蓬莱仙者乃可见。"

(《史记·封禅书》)汉武帝于是开始试行炉火炼丹之事,这是炼金炼丹术正式见于记载。可能方士们早就开始此术,但秘而不宣。淮南王刘安就是炼金炼丹术的实践者,他既炼金又炼丹。刘安招致宾客方士之士数千人,不只主编了《淮南内》(即《淮南子》),还有《淮南中篇》八卷,专述神仙黄白之术,亦20余万言。《淮南中篇》早已失传,其内容已不得而详。但《汉书·淮南王传》中说,淮南王刘安还撰著有《枕中鸿宝苑秘书》,"书言神仙使鬼物为金之术及邹衍重道延命方"。看来《淮南中篇》即《枕中鸿宝苑秘书》。据说,此书是刘向的父亲刘德在汉武帝时治淮南狱而得,刘向年幼读诵,对其中内容感到新奇,遂将之献给汉宣帝,声称黄金可成。但汉宣帝令铸作而方不灵验,刘向差点丢了性命。对这部书,颜师古说:"《鸿宝》、《苑秘书》,并道术篇名。藏在枕中,言常存录之,不漏泄也。"又说:"洪,大也;苑秘者,言秘术之苑囿也。"葛洪在《抱朴子·内篇·论仙》评述此事说:"夫作金皆在神仙集中,淮南王抄出以作《鸿宝枕中书》,虽有其文,然皆秘其要文,必须口诀,临文指解,然后可为耳。其所用药,复多改其本名,不可按之便用也。刘向父德治淮南狱中所得此书,非为师授也。向本不解道术,偶偏见此书,便谓其意尽在纸上,是以作金不成耳。"葛洪在《神仙记》中又说:"又《中篇》八章,言神仙黄白之事。"黄者,金也,白者,银也,所谓黄白之术就是炼金炼丹的方术。后来道教将此术吸收去,形成了道教的炼丹术。唐宋之后,内丹术兴起,专事合成丹药的金丹术称为外丹术。以此类方术为主的道教派别,称为丹鼎派。当然不少属于符箓派的道士从事此术,南北朝以后两派也渐合流了。外丹术经过长时期的烧炼实践,对我国古代化学、医药学做出了积极的贡献。随着外丹术的发展,服食丹药致死者也日益多,服食者对此亦产生了怀疑。南宋以后,全真道皆主内丹,外丹术就衰落下来,至清代则已销声匿迹了。

与外丹术衰落相对照的就是内丹术的兴起。内丹术渊源于古代气功的静功。其在理论上,与先秦道家虚静无为的修养论有关。老子说:"见素抱朴,少私寡欲"(《十九章》),"致虚极,守静笃"(《十三章》),认为对世上万物应该抱着默然无应、守中如一的态度,以求得精神的恬淡虚静,达到"根深固蒂,长生久视之道"(《五十九章》)。庄子将老子这些理论具体化,提出了养身学说。《庄子·刻意》说:"吹呴呼吸,吐故纳新,熊经鸟申,为寿而已矣。此导引之士,养形之人,彭祖寿考者之所好也。"认为由清虚其心,呼吸导引,食气辟谷积渐日久而能长生不死。这种养生论也可以从元气论、道生万物论中找到根据的。老子认为道生万物,"万物负阴抱阳,冲气以为和"(《四十二章》)万物是这样,人身亦是如此。庄子说:"人之生也,气之聚也。聚之则生,散则为死。"(《庄子·知北游》)

《淮南子》从先秦道家虚静无为的修养论出发,将神仙家、方仙道重方术外功倾向向内发展,终而形成养神遗形、适情辞余、以内乐外的修养论。《淮南子》的修养论,有两个显著的特点:一是在天地万物之中,主张贱物而贵身。一是在人身之上,主张贱形而贵神。这两个特点是递进的关系,集中突出以"神"为本。

贵生重己说,原本是杨朱一派道家的特点,《淮南子》说:"全性保真,不以物累形,杨子之所立也。"(《氾论训》)杨朱的书失传,已不可考了。而《吕氏春秋》有很完备的贵生重己思想,该书中有《本生》、《重己》、《贵生》、《先己》等篇,都是论述贵生、重己的道理,被认为是论述杨朱此学说的重要资料。神仙家访求仙药、研究导引养生之法，也可算作贵生重己的一个方面。《淮南子》"贱物而贵身"的思想比起"贵生重己"来大大前进了一步。《原道训》说：

> 天下之要不在于彼而在于我，不在于人而在于我身，身得则万物备矣。彻于心术之论，则嗜欲好憎外矣。是故无所喜而无所怒，无所乐而无所苦；万物玄同也，无非无是；化育玄耀，生而如死。夫天下者亦吾有也，吾亦天下之有也，天下之与我岂有间哉？夫有天下者，岂必摄权持势，操杀生之柄而以行其号令邪？吾所谓有天下者，非谓此也，自得而已。自得，则天下亦得我矣。吾与天下相得，则常相有，己又焉有不得容其间者乎！所谓自得者，全其身者也。全其身，则与道为一矣。

这是其"贱物而贵身"的理想。它认为天下万物之中的关键，不在于别人而在于自我。自身能够"自得"，那就具备了万物的素质。具有透彻的"心术"，"嗜欲好憎"便不会钻进心里。因此，这样的人没有什么喜、怒、乐、苦。万物与天地混同，无所谓是与非，都由"道"化育而成，生与死一样。天下为我所有，我也为天下所有。拥有天下，只是指"自得"罢了。能够做到"自得"，天下也就得到我了，我与天下相合，永远互相拥有。而所谓"自得"，是指保全自己的身体，保全自己的身体就和道一致了。《淮南子》这种"贵身"论，已不是百年前所谓贵生重己了。《吕氏春秋》的贵生重己，是近人情的人生观，其贵生是有条件的，条件是要活得像个人。《贵生》引用了华子的话："全生为上，亏生次之，死次之，迫生为下。"并解释说，它主张尊贵生命，指的是六欲皆得其宜的"全生"；六欲部分得宜，是"亏生"；最次的是六欲莫得宜的"迫生"。六欲指耳、目、口、鼻、生、死。"迫生"不仅吃不了、看不上,而且求生不得、求死不能。这种迫生比死更糟。《淮南子》的"贵身"却是要人们排除"嗜欲好憎",要人"无所喜而无所怒,无所乐而无所苦"。这才是"自得"。所以《原道训》说:

> 喜怒者,道之邪也。忧乐者,德之失也。好憎者,心之过也。嗜欲者,性之累也。……故心不忧乐,德之至也。通而不变,静之至也。嗜欲不载,虚之至也。无所好憎,平之至也。不与物散,粹之至也。能此五者,则通于神明。通于神明者,得其内者也。

这里认为喜怒哀乐伤身,德静虚平养性。人们做到排除外物的干扰,就可以和神明上通。通达神明的人,是获得内在修养的人。所以《原道训》说:"知大己而小天下,则几于道矣。""圣人不以身役物,不以欲滑和。"讲的是重视自身的修养,轻视名利地位等身外之物,就能得道。有道德、有作为的人不让外物支配自身,不让欲望扰乱自己的中和之道。可见修养必须贱物而贵身,保持清静平和的良好心境。

然而,《淮南子》所谓"贵身",所贵的不是身的全部,只是其"精神"部分,精神以外的部分并不看得很贵。所以《淮南子》修养论的另一个主旨是贱形而贵神。《精神训》说:

> 精神,天之有也。而骨骸者地之有也。

又说:

> 精神者,所受于天也。而形体者,所禀于地也。

这里认为人的神与形是对举的,精神来源于天,形体禀自于地。天尊地卑,所以《淮南子》的修养在贵自身的前提下,贵神而贱形。《诠言训》说:"万乘之主卒,葬其形骸于广野之中,祀其鬼神于明堂之上,神贵于形也。"人们在实际做法上是贵神而贱形的。

为什么要贵神而贱形呢？除了其来源上的天尊地卑外，更重要的是取决于神与形不同的性质与作用。

《淮南子》认为精神是一种精气。《精神训》说："烦气为虫，精气为人。"高诱以此语为依据，注《精神训》说："精者，人之气。神者，人之守也。"又注《天文训》"天地之袭精为阴阳"说："精，气也"精与神都是气；气之精微者叫做"精"，能"守"即有主宰制裁能力者叫做"神"。《淮南子》的"气"有二元论的倾向：其主要是指充满于人体内的流动着的物质，如血气之气。这里称做"精神"的一种"精气"是精神因素。精神有主使制裁的作用，所以尊为"神"。一种"气志"贯注于精神之中，形骸是物质因素。《精神训》说："形有摩而神未尝化，化者复归于无形也，不化者与天地俱生也"；又说"人有戒形而无损心，有缀宅而无耗精。"就是说，人死以后形归大地而消化，精神返归天地之间永存；形骸是可以改变的、暂时的，而精神却是天长地久的。《原道训》说：

> 形、神、气志，各居其宜，以随天地之所为。夫形者，生之舍也，气者，生之充也，神者，生之制也。

在形神气的关系上，形体是生命的寓舍，气是生命的活力所在，精神是生命的主宰。因此，"以神为主者，形从而利；以形为制者，神从而害"（《原道训》）。从其利害关系来说，神要贵于形。生命既然以神为主宰，因此养生应以养神为贵。《泰族训》说：

> 治身太上养神，其次养形……神清志平，百节皆宁，养性之本也；肥肌肤、充肠腹、供嗜欲，养性之末也。

如何养神呢？首要的是养其体内的精气。《精神训》说："精神内守形骸而不外越",就是要内守精气,这样精神会日益充盛,"精神盛而气不散则理,理则均,均则通,通则神,神则以视无不见,以听无不闻,以为无不成也。"神本来是赖于"气"而得以充旺的,所以养神必须养其精气,通过养气达到长生不老。其二,要养神必须保持平静虚寂的心态。《俶真训》说:

> 神者智之渊也,渊清则智明矣。智者心之府也,智公则心平矣。人莫鉴于流沫而鉴于止水者,以其静也。

养神之道在于排斥嗜欲,无所好憎,以静为主。《原道训》说:"人生而静,天之性也。感而后动,性之害也。物至而神应,知之动也。知与物接,而好憎生焉。好憎成形,而知诱于外,不能反己,而天理灭矣。"养生要清心寡欲,保持"人生而静"的本性。《精神训》说得更为彻底:

> 是故五色乱目使目不明,五声哗耳使耳不聪,五味乱口使口爽伤,趣舍滑心使行飞扬。此四者,天下之所养性也,然皆人累也。故曰嗜欲者使人之气越,而好憎者使人之心劳,弗疾去则志气日耗。夫人之所以不能终其寿命而中道夭于刑戮者,何也?以其生生之厚。夫惟能无以生为者,则所以修得生也。

人性本静,为什么要修养呢?这是因为受了外界诱惑牵累所致。这里"五色"、"五声"、"五味"、"趣舍"四方面外物,滑乱生命本来的正常功能之语本于《老子·十二章》。老子要人少私寡欲。《淮南子》进而将一切用来"养性"(保养性命)的东西,统统认为是"人累"(人的忧患、累赘)。并认为得长生之道在于"无以生为"即不以生活享受作为追求目标的人,才能"修得生",修即长,长久地拥有生命。

《淮南子》的修养论把先秦道家养生论与道内丹术沟通起

来。将神仙家向外寻求仙药转向向内修养贵身。将养形转向养神:《精神训》说:

> 若吹呴呼吸,吐故纳新,熊经鸟伸,凫浴猿躩,鸱视虎顾,是养形之人也,不以滑心。

这里"若吹呴呼吸,吐故纳新,熊经鸟伸,凫浴猿躩,鸱视虎顾"是古代养生导引之法,《庄子·刻意》也有这样的话,《淮南子》认为这只是"养形之人"强调贵神而贱形,重在养神。养神之重,重在养气。这些都为道家"道""气"论向道教内丹术过渡架起了桥梁。

内丹术兴起于何时、何人,说法不一。唐宋时论内丹术往往奉东汉桓帝时魏伯阳的《周易参同契》为祖。但当时没有内丹的名目,内丹一词大约在隋代才出现。《道藏源流考》说:"至隋代,有青霞子苏玄朗。《罗浮山志》曰:'隋开皇中,来居罗浮'。'乃著《旨道篇》示之。自此道徒始知内丹矣。'盖自此始有内丹之称。"不过内丹术大势流行还是宋金时期的道教南北宗。

宋代对内丹术有重要影响的理论家是张伯端。他在所撰《悟真篇》中说:

> 人人本有长生药,自是迷徒枉摆抛。甘露降时天地合,黄芽生处坎离交,井蛙应谓无龙窟,篱鷃争知有凤巢?丹熟自然金满屋,何须寻草学烧茅。(《悟真篇》卷上,其六)

这里首先指出每个人生来就有长生药,人人皆可成仙。这长生药就是精、气、神,只有愚昧的人才会舍弃自身本有的长生药而向身外求药;其次指出人体内的"甘露(先天之气)"下降,"黄芽(先天元精)"生出,通过自身的交变、交合,则自成金丹于体内；只有井蛙、小鸟，才不知身内自有炼取长生药的好地方（"龙窟"、"凤巢"）。再次指出外丹家"寻草""烧茅"那样去炼丹是不必要的，要人们修道成仙时不离自身，向自己身内去求成仙的坦途，从而超脱现实世界，进入彼岸的仙境。很明显，张伯端内丹思想是"贵身"、"贵神"思想的发展和具体化。张伯端本人既非道士，仅采取口授秘诀的方式授徒，因而开始社会影响并不算大。南宋时出了个白玉蟾，创道教南宗，专主内丹修炼之说，内丹术在社会上的影响才大起来。张伯端被尊为南宗祖师，称紫阳真人。南宗亦可称之为紫阳派。

这时，在北方道教又有所谓北宗，即全真道。它的创始人是金代的王喆（号重阳子）。全真派在修炼的途径上，也主内丹。在成吉思汗的支持下，全真派元初达到盛极一时。后南宗逐步并入全真道，但从丹术理论之精微和其影响之深远来看，南宗却高于北宗，而且后来不少北宗道士也研攻南宋的《悟真篇》。

南北丹术的具体方法有所不同。南宗翁葆光《悟真篇注序》说：

> 夫炼金丹大药，先明天地未判之前，混沌无名之始气，立为丹基。次辨真阴真阳，同类无情之物，各重八两，立为炉鼎。假此炉鼎之真气，施设法象，运动周星，诱此先天之始气，不越半个时辰，结成一粒，附在鼎中，大如黍米，此名金丹也。取金丹一粒吞归五内，擒伏一身之精色，犹猫捕鼠，如鹞搠鸟，不能飞走矣。然后运以阴阳之真气，谓之阴符阳火，养育精气，化成金液之质，忽尾闾有物，直冲夹脊双关，历历有声，逆上泥丸，触上腭，颗颗降入口中，形如雀卵，馨香甘味美，此名金液还丹也。徐徐咽下丹

田,结为圣胎,十月胎圆火足,即脱胎沐浴,化为纯阳之躯,无饥渴寒暑之患,刀兵虎兕之不能伤,而为陆地神仙。方始投于静僻之地,兀兀面壁九年,以空其心,谓之抱一。九年行满,形神自然俱妙,性命圆通,与道合真,变化不测矣。此名九转金液大还丹也。

北宗的内丹的炼功方法,据王颐中集《丹阳真人语录》说:

是以要道之妙,不过养气。人但汩没利名,往往消耗其气。学道者无他务,在养气而已。夫心液下降,肾气上升,至于脾,元气氤氲,则丹聚矣,若肝与肺,往来之路也。习静至久,当自知之。苟不养气,虽挟泰山,超北海,非道也。

又《丹阳真人直言》(收入金王喆《立教十五论》)说:

夫大道无形,气之祖也,神之母也。神气是性命。性命是龙虎。龙虎是铅汞。铅汞是水火。水火是婴姹。婴姹是阴阳。真阴真阳即是神气。种种异名,皆不用着;只是神气二字。欲要养气全神,须常屏尽万缘,表里清静,绵绵固守不动。三年不漏下丹结,六年不漏中丹结,九年不漏大丹结。圆备此名九转大功,亦名三千功满。三田圆备谓之神丹,法身轻举,永为神仙。

南北宗丹术的炼功方法与途径虽有所不同,但两派丹术都以炼养精气神为主。所谓精、气、神,实际都是一气所化。人皆禀受父母先天元气而生,人一旦生成,就具有不待于外的圆足性。因此其修炼功夫上首先是长生之道只应向自身本性中求取。张伯端说:

欲体乎至道,莫若明乎本心。故心者道之体也,道者心之用也。人能察心观性,则圆明之体自现,无为之用自

成。不假施功,顿超彼岸。(《悟真篇·后序》)

白玉蟾《海琼白真人语录》卷一说:

> 夫人之心本自圆通,本自灵宝,本自正一,本自混元。以人一心而流出无穷无尽之法,盖如天一之气生育万物也。

王喆更明白地说:

> 心本是道,道即是心,心外无道,道外无心。(《二十四诀》)

这些论述把得道成仙的修炼功夫归结为心性修养,这已属修养论的范畴。道教这些观念与《淮南子》"贱形贵神"的形神观有关。《淮南子》中"心"与"神"常混用或代用。如《俶真训》说:"精有湫尽而行无穷极,则滑心浊神。""滑心""浊神"并举,是因为神随心在,心受滑乱,神也"清"不起来。张伯端是北宋人,其生活年代(983—1082年)比程颢还要早,陆九渊、王守仁"心即理"(《象山先生全集》卷十一,《与李宰》)的本体论既受佛的影响,也来自道(教),是有根据的。其次是要否弃一切物欲。人本性是圆足的。人禀气而生,后因外在事物的干扰,如酒色、劳役,致使精衰神疲,以致死亡,因此修炼者就要否弃物欲。张伯端说:

> 法法法原无法,空空空亦非空。静喧语默本来同,梦里何劳说梦。有用用中无用,无功功里施功。还如果熟自然红,莫问如何修种。(《悟真性宗直指》)

这首诗是以"无可无不可"来看待外界事物,对外物不产生任何认识,要人们不接触客观外物。推崇自然而然地生长,反对人工的"修种"。王喆《丹阳真人语录》第六说:

> 夫道以无心为体,忘言为用,以柔弱为本,以清静为

基。若施于人,必节饮食绝思虑。

这更是要求回复人本性的本然状态,在内丹家看来,只有回复到排除一切外界干扰的自然、本然状态,才能得道成仙。这与《淮南子》修养论中,排除一切"人累",可以得长生是一致的。正是基于这一观点,宋以后儒、释、道才有融合的趋势。

内丹术的最终目的是成仙,与外丹术一样的虚幻,但内丹理论对中国医学与气功学有较大贡献。

(3)"气类相感论"与道教道法

所谓道法,就是道教各种各样的法术。它是道教的一个重要内容。《道藏》中收有《道法会元》一书,竟达268卷之巨,其种类之多、数量之大,可以想见。

道教法术施行时,有一定的仪式规定,有一定的场所,如神庙、灵迹。有法衣、剑、镜等法物。斋醮仪式中,还有音乐的伴奏。除这些之外,还有章奏、符、咒语、捏诀等形体动作。所有这些,都和民间巫师的巫术极为相似,其中不少来自民间巫术,和鬼神迷信。

民间宗教迷信本与道家分庭抗礼。老子提出一个自然的天道观,本可以扫除不少的宗教迷信。但老子道论玄而又玄,十分抽象,一般人很难了解。道家不但没能扫除民间宗教迷信,相反道家思想还不断宗教化了。到庄子那里,天道已成了"造化者"了,宗教性增强了。战国后期,在老子之上又加了个黄帝,世称黄老。黄帝是传说中的人物,自然威望与资格都比老子高,黄老新道家与老子道家相比更多了一些神秘的东西,如阴阳家的一些观点。《汉书·艺文志》中以"黄帝"名义的阴阳家著作著录不少。司马谈《论六家要旨》说:"阴阳家之术,大祥而众忌讳，使人拘而多畏。"《汉书·艺文志》也说阴阳家的流弊"牵于禁忌，泥于小数，舍人事而任鬼神"。黄老新道家吸收了阴阳家的许多禁忌思想，也是不可避免的。

《淮南子》也受阴阳家禁忌思想的影响。《氾论训》记有一段论述原始宗教禁忌起源的话：

> 夫见不可布于海内，闻不可明于百姓，是故因鬼神机祥而为之立禁，总形推类而为之变象。何以知其然也？世俗言曰："飨大高者而豚为上牲。葬死人者裘不可以藏，相戏以刃者，太祖軵其肘，枕户橉而卧者，鬼神跖其首。"此皆不著于法令，而圣人之所不口传也。

这里认为这些禁忌都没有法律作依据，所以只能"因鬼神机详而为之立禁"。圣人可以利用鬼神机祥来达到自己的政治目的。接着《氾论训》对这些禁忌作了现实的解释：

> 夫飨大高而豚为上牲者，非豚能贤于野兽麋鹿也，而神明独飨之，何也？以为豚者，家人所常畜而易得之物也，故因其便以尊之。裘不可以藏者……世以为裘者，难得贵贾之物也，而可传于后世，无益于死者而足以养生，故因其资以奢之。相戏以刃，太祖軵其肘者，夫以刃相戏，必为过失；过失相伤，其患必大；无涉血之仇争忿斗，而以小事自内于刑戮，愚者所不知忌也，故因太祖以累其心。枕户橉而卧，鬼神履其首者，使鬼神能玄化，则不待户牖之行；若循虚而出入，则亦无能履也。夫户牖者，风气之所从往来，而风气者阴阳相捔者也，离者必病，故托鬼神以伸诫之也。凡此之属，皆不可胜著于书策竹帛而藏于官府者也。故以机祥明之。为愚者之不知其害，乃借鬼神之威以声其教，所由来者远矣。而愚者以为机祥，而狠者以为非，

唯有道者能通其志。

对于社会上流行的鬼神崇拜,作者认为是社会需要,而不是真有效验。"借鬼神以声其威",用以推行禁忌。"愚者以为机祥"就是迷信;"狠者以为非",就是反对迷信,"唯有道者能通其志",便是承认迷信禁忌都有实际的用处,而愿意假借鬼神机祥来维持这类民间禁忌。

所谓民间"巫鬼禁忌",就是用某种物件,或行某种仪式,用以感应自然界或超自然界的势力,以为自身或团体求福禳灾。它是由原始宗教信仰的巫术演变而来。巫鬼禁忌转化为道教法术与《淮南子》"气类相感论"有密切的联系。《淮南子》说:

> 虚廓生宇宙,宇宙生气,气有涯垠,清阳者薄靡而为天,重浊者凝滞而为地。……天地之袭精为阴阳,阴阳之专精为四时,四时之散精为万物。(《天文训》)

它认为宇宙万物都是由"气"发展生成的;天是气,地是气,万物皆气。"天地合和阴阳,陶化万物,皆乘一气者也。"(《本经训》)人也是"气"发展形成整个宇宙万物过程中的产物。《精神训》说:"烦气为虫,精气为人。"这是朴素唯物主义的。但《淮南子》又接受了阴阳家的"感应"思想,使之与元气论相配合,形成了"气类相感论"。

既然天、地、万物与人都是气所构成,因此它们之间可以互相沟通,互相反馈感应。《吕氏春秋·应同》说:"类固相召,气同则合,声比则应。鼓宫而宫动,鼓角而角动。平地注水,水流湿;均薪施火,火就燥。"认为物与物之间,在一定的条件下,有互相感召的作用。物类相同就互相吸引,气类相同就互相投合,声音相同就互相应和。击大宫而小宫应,击大角而小角和,水流湿者先濡,火就燥者先燃。这是为什么呢?原因就在于元

气相通。《淮南子》承认这种感应论,对气类相感的现象揭示了很多。《览冥训》说:

> 夫物类之相应,玄妙深微,知不能论,辩不能解。故东风至而酒湛溢,蚕呼丝而商弦绝,或感之也。画随灰而月运阙,鲸鱼死而彗星出,或动之也。故……君臣乖心,则背谲见于天,神气相应,征矣。故山云草莽,水云鱼鳞,旱云烟火,涔云波水,各象其形类,所以感之。

这里从现象学的角度考察了自然界各种事物神秘的感应效果:酒受东风的感应就会沸溢;蚕吐丝时商调琴弦则易断,这是物物感应。用芦草灰画圈则月晕出现缺口,鲸鱼死去则彗星出现,这是物与天的相感。这种感应作用也体现在天人之间,如"君臣乖心",就会使天象出现异常变化。通过大量"玄妙深微"的自然现象和人事观察,归纳出事物之间普遍存在着"气类感应"的关系。对这种感应又认为"知不能论,辩不能解",已感到了其神秘性。于是《淮南子》构筑了一个庞大复杂的"气类感应"系统,《天文训》说:

> 物类相动,本标相应,故阳燧见日则燃而为火,方诸见月则津而为水。虎啸而谷风至,龙举而景云属,麒麟斗而日月食,鲸鱼死而彗星出,蚕呼丝而商弦绝,贲星坠而勃海决。人主之情上通于天,故诛暴则多飘风,枉法令则多虫螟,杀不辜则国赤地,令不收则多淫雨。

天、地、人同源于"气",而且"物类相动,本标相应",所以提出了天人相关、互相感应的哲学观点。这里举例说明天地与人类之间有气相贯通,同时强调上天是地下万物的主宰,通过祥瑞灾异来表示对人间政治的褒贬。《泰族训》说:

> 夫湿之至也,莫见其形,而炭已重矣。风之至也,莫见

其象,而木已动矣。……故天之且风,草木未动,而鸟已翔矣;其且雨也,阴曀未集,而鱼已噞矣,以阴阳之气相动也。故寒暑燥湿,以类相从;声响疾徐,以音相应也。……圣人者,怀天心,声然能动化天下者也。故精诚感于内,形气动于天,则景星见,黄龙下,祥凤至,醴泉出,嘉谷生,河不满溢,海不溶波。故《诗》云:"怀柔百神,及河峤岳。"逆天暴物,则日月薄蚀,五星失行,四时干乖,昼冥宵光,山崩川涸,冬雷夏霜。《诗》曰:"正月繁霜,我心忧伤。"天之与人,有以相通也。故国危亡而天文变,世惑乱而虹霓见,万物有以相连,精祲有以相荡也。

气类相感就像木炭受潮的湿气,吹动草木的风,无形无象,看不见。但看不见并不等于不存在,这种阴阳之气的存在,鸟、鱼都能预先感受得到。"寒暑燥湿,以类相从;声响疾徐,以音相应",就是这种气类相感的写照。人受天地之精气,人的精神也是一种精气,物类能以阴阳之气相感动,那么人与天地也能以阴阳之气相感召。人的"精诚感于内",就能其"形气动于天",在这个"气类相感"的基本原则下,就建立了天人感应的宗教哲学。这本是原始宗教巫术和阴阳家的根本理论,经过《淮南子》的哲学化,使道家与道教沟通起来,渐渐成为道家、儒家公认的原则,成为中国道教的基本教条。

道教的法术,虽然经过许多人为的加工而更加系统化,但在试图与天神相感通、役使鬼神去克服困难、支配那些外在于自己、围绕着自己的自然的和其他的异己力量方面,与《淮南子》的"气类相感论"是一致的。而且有了《淮南子》的"气类相感论"为其基础,使得古代民间巫术得到哲学的承认,大张旗鼓地公然活动,渐渐为道教法术所吸收,更为规范化。《览冥

训》中就能见到类似道教法术的事例:

> 昔者师旷奏《白雪》之音,而神物为之下降,风雨暴至,平公癃病,晋国赤地。庶女叫天,雷电下击,景公台陨,支体伤折,海水大出。夫瞽师庶女,位贱尚菜,权轻飞羽,然而专精厉意,委务积神,上通九天,激厉至精。由此观之,上天之诛也,虽在圹虚幽闲,辽远隐匿,重袭石室,界障险阻,其无所逃之,亦明矣。
>
> 武王伐纣,渡于孟津,阳侯之波逆流而击,疾风晦冥,人马不相见。于是武王左操黄钺,右秉白旄,瞋目而拢之曰:"余任天下,谁敢害吾意者!"于是风济而波罢。鲁阳公与韩构难,战酣日暮,援戈而拢之,日为之反三舍。夫全性保真,不亏其身,遭急迫难,精通于天。若乃未始出其宗者,何为而不成?

这里说眼瞎的乐师师旷、贫贱的寡妇庶女,无地位,无权力;但是由于他们精神专一,意志坚定就能上通于九天,感动神灵。上天的惩罚人是逃避不了的。武王伐纣,逆浪疾风大作,武王瞪目大喝,顿时风停浪静;鲁阳公援戈拢日,可以使"日为反三舍。"而且相信"全性保真,不亏其身"的人可以具有超自然的神力,"何为而不成"呢!这样,《淮南子》的"气类相感论"已经不知不觉地走向了道教的轨道。这一理论充实于道教的法术之中,使其法术比巫术、方术更加理论化、系统化和程式化。

2.《淮南子》与道教义理

《淮南子》以道为主,兼采诸子百家之说,用方士的观念来阐发道、儒、阴阳等家的思想,从而在理论上武装了当时社会上流行的觅求仙方仙药的方仙道。这种思想的混融、酿造,使方士之流成为了有理论的方仙道流派,这也是先秦道家逐渐转变为方仙道、黄老道的开始。方仙道、黄老道是道教的前身,为后来创建的道教作了理论铺垫与组织准备。道教组织及其义理体系,正是在这一基础之上造构起来的。可见《淮南子》与道教有着密切的思想联系。后世道教尊奉《淮南子》,明正统十年(1445)刊成的《正经道藏》太清部"动"、"神"、"疲"字号就收载《淮南鸿烈解》二十八卷,并尊称刘安为"太极真人",列入道教神仙系统。《淮南子》的思想与道教义理有许多共同的地方。

(1) 对"道"的崇拜与信仰

《淮南子》与道教义理一个突出的共同点,是表现在对"道"的崇拜与信仰上。道教以"道"名教,而且道教学者几乎没有不讲"道"的。道教所讲的"道"显然不是"神道设教"之道,而是与老子上升为哲学范畴的"道"有关。但是"道"在《老子》那里,其概念十分抽象、模糊、玄之又玄。它的含义,并非一目了然,可以有不同的解释。《淮南子》将老子"道"观念作了新的解释,为"道"成为道教义理作了理论上的铺垫。

第一,给生成宇宙万物的"道"以"元气"来解释。《淮南子》和道教学者都认为"道"是世界的本原,是万物发生的总根源。《原道训》说:"道者一立而万物生矣。"《泰族训》说:"夫道,有形者皆生焉。"东晋著名的道教理论家葛洪也说:"道者涵乾括坤"(《抱朴子·道意》),是充满宇宙的最高存在物。这种道生万物的思想来源于老子,《老子·四十二章》说:"道生一,一生二,二生三,三生万物。"《淮南子》对老子这个观点进行了修正。《天文训》说:"道始于一,一而不生,故分而为阴阳合和而万物生,故曰:'一生二,二生三,三生万物'。"又说:"道始于虚廓","虚廓生宇宙,宇宙生元气",然后形成天地万物。显然"道"、"一"和"虚廓"都是通过"元气"的作用和阶段生成万物的。也就是说"道"、"一"、"虚廓"都是一种"气"。《淮南子》有意不引《老子》"道生一"而说,"道始于一"就是要否定老子"有生于无"的主张,以元气释道。这种以元气释道的说法为道教学者所吸收。

南朝梁道教中的重要人物陶弘景在论述道生万物时说:"道者混然,是生元气。元气成,然后有太极。太极则天地之父母,道之奥也。"(《真诰·甄命授》第一)提出道——元气——太极——天地的宇宙生成论,已将元气纳入道生万物的四个层次之中。这时的《养生服气经》说:"道者,气也。"(陶弘景《养生延命录·服气疗病篇》引,又唐释法琳《辩正论》引)。明《正统道藏》洞神部收《太上养生胎息气经》也说:"道者,气也。"《道藏》里著录有《元气论》,可惜已经失传,但《云笈七签》卷五十六辑存《元气论》一篇,在上半篇论述天地万物生成理论时说:"道即元气也。"以上所述,《淮南子》以元气释道以后,道家学者论"道"与"气"的关系,有两种说法,一是道生气,一是道即气。前者发挥《老子》"道生一"而来,后者从《淮南子》。道教学者多数倾向后者,一步步将"道"与"气"紧密结合起来,直到"道者气也"这个定义的完成。

第二,强调"道"的神秘性。《淮南子》里,"道"具有多重含义。"道"既是宇宙万物的本原,又是天地万物变化、发展的客观规律及社会和天地万物必须遵守的法则。"道"的特征,在《淮南子》看来,既有可知的一面,又有神秘不可知的一面。其可知的一面,是指它认为"道"是无形无象而又实存,道无所不在而运动不息;它以无形无象生成有形的万物,在永恒的运动中不断演化产生宇宙万物。其神秘不可知的一面,是指它认为"道"是不可闻见、不可测知、不可捉摸的神秘东西。《原道训》说:

> 夫道者,覆天载地,廓四方,柝八极,高不可际,深不可测,包裹天地,禀授无形。

《齐俗训》说:

> 往古来今谓之宙,四方上下谓之宇,道在其间而莫知其所。

这些是说宇宙是空间和时间的统一体,而道在空间上包容一切,在时间上无穷无尽,但却又是"莫知其所",也即是无法把握的神秘东西。有关道的神秘不可知性《道应训》说得更清楚:

> 道不可闻,闻而非也;道不可见,见而非也;道不可言,言而非也。孰知形之不形者乎?故《老子》曰:"天下皆知善之为善,斯不善也。"故"知者不言,言者不知也。"

道不可以听到,不可以看见,不可以言说,谁知晓造成形体的道是无形状的呢?这就把道完全看成是神秘不可知的东西了。这样,"道"生万物就神化了。《泰族训》说:

> 天设日月,列星辰,调阴阳,张四时。日以暴之,夜以息之,风以干之,雨露以濡之。其生物也,莫见其所养而物长;其杀物也,莫见其所丧而物亡。此之谓神明。

又说:

> 阴阳四时,非生万物也;雨露时降,非养草木也;神明接,阴阳和,而万物生矣。

所谓神明,是指"道"运化阴阳的奥妙莫测。后世道教义理中"道"就是自然运化,而又是神明,与《淮南子》中神秘的"道"的理论,有着密切关系。

为道教创立奠定了理论基础的重要道教经典《太平经》认为,道是万物的元首,"夫道何等也?万物之元首,不可得名者。六极之中,无道无能变化。"(《太平经合校》第 16 页)就是说,道是万物的本源,又是事物变化的根源。"道无所不能化,故元气守道,乃行其气,乃生天地……无守道而行,即称神而无方。上象人君父,无所不能制化,实得道意。地守道而行,五方合中央,万物归焉。……凡事无大无小,皆守道而行,故无凶。今日失道,即致大乱。"(《太平经合校》第 21 页)这里提出了"道意"范畴,将"道"人格化了。《老子想尔注》也把"道"视为有人格、有意志的主宰一切的至上尊神。它说:"一道者也……一散形为气,聚形为太上老君,常治昆仑,或言虚无,或言自然,或言无名。皆同一耳"(第 10 章),把"道"人格形象化了。又说:"情欲思虑,怒喜恶事,道所不欲"(第 15 章),"锐者,心方欲图恶;愤者,怒也,皆非道所喜"(第 4 章),"道之所言,无一可弃者,得仙之士,当贵道言"(第 17 章),"道甚广大,处柔弱不与俗人争,教人以诚慎者宜左契,不诚慎者置左契"(第 34 章),"道设生以赏善,设死以威恶"(第 20 章)等等,这些说"道"有思想、意识、性情、语言种种人的特征。

"道"的神秘化、人格化,通过若干环节,道教的神仙体系中有了一个最早存在并创造万物的最高主神。这个最高主神在不同时期的不同道派或经典中有着各种不同的名称,如《太平经》称之为"天"、《老子想尔注》称之为"太上老君"、《枕中书》称之为"元始天王"、《魏书·释老志》引道士寇谦之言称之为"无极至尊",较多的经典则称为"三清尊神"(元始天尊"天宝君"、灵宝天尊"太上道君"、道德天尊"太上老君")等等。这些不同名称的最高主神实质上都是"道"的神化。这样,道教所崇拜的"道"就具有神仙创造世界的意义。《淮南子》神秘"道"论的一面,将其本体论引向了宗教。

(2) 崇拜鬼神

《淮南子》的基本思想是无神论的。它在论述鬼神迷信产生的原因和对鬼神迷信应取的态度时,也记载了大量古代宗教所信奉的星宿、山川之神及古代宗教的祭祀十祝之事。这些内容后世道教或纳入其神仙系统,或戒为其宗教活动的内容。

第一,神仙资料。神仙的传说远在道教产生以前就有。《淮南子》记载了不少神仙资料。《天文训》说:

> 四时者,天之吏也;日月者,天之使也;星辰者,天之期也;虹霓、彗星者,天之忌也。天有九野,九千九百九十九隅,去地五亿万里。

又说:

> 东方,木也。其帝太皞,其佐句芒,执规而治春。……南方,火也,其帝炎帝,其佐朱明,执衡而治夏。……中央,土也。其帝黄帝,其佐后土,执绳而治四方。……西方,金也。其帝少昊,其佐蓐收,执矩而治秋。……北方,水也。其帝颛顼,其佐玄冥,执权而治冬。

这些原是用来说明天体的分布、运行、特性等的话,由于涂上了神话的色彩,被后世道教演成"天地五方五帝"说。《天文训》中还提出了"天一元始",被道教演成"元始天尊"。《淮南子》所载天上的星宿,皆为天神。如《天文训》说:"太微者,太一之庭也。紫宫者,太一之居也。轩辕者,帝妃之舍也。咸池者,水鱼之囿也。天阿者,群神之阙也。四宫者所以为司赏罚。"这些天

神住在天上,天神十分神明,无所不察,上天的惩罚,人是无法逃脱的。《览冥训》说:

> 然而专精厉意,委务积神,上通九天,激厉至精。由此观之,上天之诛也,虽在圹虚幽闲,辽远隐匿,重袭石室,界障险阻,其无所逃之,亦明矣。

"上天之诛"是何等厉害啊!在地上也有仙境。《地形训》说:

> 昆仑之丘,或上倍之,是谓凉风之山,登之而不死。或上倍之,是谓悬圃,登之乃灵,能使风雨。或上倍之,乃维上天,登之乃神,是谓太帝之居。

这里的"凉风之山"、"悬圃"是长生不死和成灵的仙地。再往上登高一倍,就是上天了,登上者可为天神。这些原本为古代神仙家、方士虚拟的关于神仙世界的传说,通过《淮南子》的记载,后来为道教所承袭,成为道教的神仙世界。对神仙世界的崇拜,是道教最基本的信仰,自然是道教的根本教义。

第二,祷祠鬼神。《淮南子》对鬼神基本上是持怀疑态度。但它认为圣人可以利用鬼神机祥来达到其政治目的,所谓"因鬼神机祥而为之立禁"、"借鬼神之威以声其教"(《氾论训》),就是其对鬼神这一态度的写照。它还认为祭享历史人物,祭祀山川日月,祭井、灶、门、户、箕、帚、臼、杵神等等"非以其神为能飨之也,恃赖其德,烦苦之无已也,是故以时见其德,所以不忘其功也"(《氾论训》),是为了感恩戴德。基于这种态度,《淮南子》不反对对鬼神祷祠。《氾论训》说:

> 炎帝于火,死而为灶;禹劳天下,死而为社;后稷作稼穑,死而为稷,羿除天下之害,死而为宗布,此鬼神之所以立。

这里炎帝、禹、后稷、羿等人都是对人民有过贡献的历史人物,

所以死后成了神仙,这就是《淮南子》认为鬼神产生的一项原因。对于这样的鬼神,它认为要给以礼遇。《本经训》说:

> 静洁足以享上帝,礼鬼神。

《氾论训》说:

> 天下岂有常法哉,当于世事,得于人理,顺于天地,祥于鬼神,则可以正治矣。

祭祀上帝鬼神,只要态度静穆,陈设洁净就行了。治理天下要符合实际情况,满足人的本性,与天地和,与鬼神协调。《诠言训》说:

> 知道者不惑,知命者不忧。万乘之主卒,葬其骸于广野之中,祀其鬼神于明堂之上,神贵于形也。

由于精神比形体更贵重,所以一个万乘大国国君死后,人们把他的尸骸埋在旷野之中,而在明堂上祭祀他的神灵。可见,祭祀鬼神是很值得重视的事情。《泰族训》说:

> 夫鬼神,视之无形,听之无声,然而郊天,望山川,祷祠而求福,雩兑而请雨,卜筮而决事。

那鬼神,看上去没有形体,听起来没有声音,然而每年要举行郊祀来祭享上天,举行望祀来祭享山川。祷祠鬼神可以求福。雩祭可以祈求降雨。用卜筮可以用来决断事情。这些祭祀、祈福、求雨、卜祝之事本是古代宗教巫术一类活动,《淮南子》有着其丰富的记载。后世道教吸收为"道法"等道教的宗教活动。

(3) 崇拜方仙道

东汉兴起的道教是在方仙道的基础上演进而形成的,可以说方仙道实是道教的前身。方仙道之名最早见于《史记》,《史记·封禅书》说:

> 自齐威、宣之时，邹子之徒，论著终始五德之运，及秦帝而齐人奏之，故始皇采用之。而宋毋忌、正伯侨、充尚、羡门子高，最后皆燕人，为方仙道，形解销化，依于鬼神之事。邹衍以阴阳主运，显于诸侯，而燕齐海上之方士传其术不能通，然则怪迂阿谀苟合之徒自此兴，不可胜数也。

从这里可以看出，方仙道是方士们将其神仙学说与邹衍的阴阳五行说糅合起来的；其法"形解销化，依于鬼神"，企图长生不死；主要流行于燕齐上层社会，其代表人物有宋毋忌、正伯侨等人。他们大概是战国末年人。所谓"方"是指长生不死的仙方，所谓"仙"是对不死的探求。所谓方仙道就是由方士们将其服食长生术与邹衍阴阳五行说糅合起来的一种神仙理论。

西汉文景时尊黄老之言，黄老之学大兴。社会上的方仙之士及黄老学者、儒生方士多往归淮南王刘安。在刘安的主持下，以八公及儒生大山、小山为骨干，将黄老之道与方仙之道相融合，集体写成了《淮南子》。从古代宗教发展的角度看，《淮南子》是当时方仙道的有一定代表意义的著作，淮南王刘安是这时方仙之士众望所归的领袖。刘安还有《淮南中篇》八卷，专言神仙黄白之术，二十余万言。可见刘安是崇尚当时流行的方仙道的。

《淮南子》一书充满了对仙境、仙人的种种描绘，反映了方仙道对长生不死的追求。《地形训》说：

> 禹乃以息土填洪水以为名山，掘昆仑虚以下地，中有增城九重，其高万一千里百一十四步二尺六寸。上有木禾，其修五寻，珠树、玉树、琁树、不死树在其西，沙棠、琅玕在其东，绛树在其南，碧树、瑶树在其北。

又说：
> 疏圃之池，浸之黄水，黄水三周复其原，是谓丹水，饮之不死。

又说：
> 昆仑之丘，或上倍之，是谓凉风之山，登之而不死。

又说：
> 东方有君子之国，西方有形残之尸。

《地形训》是论述地理及物产的专篇，受方仙道的影响，记载了不少当时寻觅仙药、仙境、仙人的方士们所幻想和追求的境地。这里所说昆仑山就是其仙境之一。昆仑山有城"九重"，高万一千里，上有不死之树，有"饮之不死"之"丹水"，有"登之而不死"的"凉风之山"，居之不死的"君子之国"。这些神妙的幻想给后世道教造构仙境、仙国、洞天福地以根据。如《太平经》就以昆仑山为真人、神仙居住之处（见《太平经合校》卷一百十二）。方仙道虚拟的关于仙境的传说，后来为道教所承袭，成为道教的神仙世界。

方仙道幻想成仙长生，不外乎两个途径：一为外求仙方仙药，服之不死，一为内修道德，养性炼形。这两个方面《淮南子》都有记载。《览冥训》说：
> 羿请不死之药于西王母，姮娥窃以奔月，怅然有丧，无以续之。何则？不知不死之药所由生也。

姮娥就是嫦娥，是羿之妻。高诱注："姮娥，羿妻；羿请不死之药于西王母，未及服食之，姮盗食之，得仙，奔入月中为月精也。""嫦娥奔月"的神话传说是方仙之士外求仙方仙药，服之不死飞升思想的反映，同时也给后世道教服食仙药可以成为仙真以根据。《精神训》说：

所谓真人者,性合于道也,故有而若无,实而若虚,处其一不知其二,治其内不识其外,明白太素,无为复朴,体本抱神,以游于天地之樊,芒然仿佯于尘垢之外,而消摇于无事之业。……以死生为一化,以万物为一方,同精于太清之本,而游于忽区之旁。有精而不使,有神而不行,契大浑之朴,而立至清之中。是故其寝不梦,其智不萌,其魄不抑,其魂不腾。反覆终始,不知其端绪。甘瞑太宵之宅,而觉视于昭昭之宇,休息于无委曲之隅,而游敖于无形埒之野。居而无容,处而无所;其动无形,其静无体;存而若亡,生而若死;出入无间,役使鬼神;沦于不测,入于无间。以不同形相嬗也,始终若环,莫得其伦。此精神之所以能登假于道也。是故真人之所游。

这一段话对真人进行了神化。所谓真人,"性合于道也","有而若无,实而若虚","治其内不识其外",处在"天地之樊"、"尘垢之外"、"无事之业"。实际上就是由普通凡人得道而获得神通的仙真。《本经训》说"莫生莫死,莫虚莫盈,是谓真人",就是这种仙真。他们具有"居而无容,处而无所"的行状,"其动无形,其静无体,存而若亡,生而若死"。他们具有"出入无间,役使鬼神"的超自然的神力,"沦于不测,入于无间,以不同形相嬗也"。这些是当时方仙道所幻想和追求的美妙境界。真人精神专一,"治其内,不识其外"的修炼方法为后世道教所吸收。通过修炼道德,达到长生不死,成为仙真,是道教的一个重要思想。

(4) 事生为本,事死为末

　　道教是一种以生为乐,重生恶死,甚而追求长生不死的宗教。这种重生的教义在《淮南子》中有反映。《泰族训》说：

> 凡人之所以事生者，本也；其所以事死者，末也。

这里提出了事生为本、事死为末的思想。生死是人之大事，大凡正常的人无不爱生而恶死，这也是中国先民的传统。道教的教义就是重生恶死，以生为乐的。早期道教的重要经典《老子想尔注》就把《老子》第十六章中的"公乃王，王乃大"改为"公乃生，生乃大"；把第二十五章中"故道大、天大、地大、王大，域中有四大，而王居其一焉"的"王"字均改为"生"。认为"生"比"王"重要，甚至还将"生"与"道"相提并论，说："生，道之别体也"，认为生是"道"的表现形式，生与道同样重大。《太平经》中说，"夫天道恶杀好生"，也是重生的。

以事生为本，必须重视养生，如何养生呢？《泰族训》说：

> 治身，太上养神，其次养形；治国，太上养化，其次正法。神清志平，百节皆宁，养性之本也；肥肌肤，充肠腹，供嗜欲，养生之末也。

养生修身，最重要的是养神，其次才是养形。"神清志平，百节皆宁"是养性的根本。去欲养性，炼术摄生，可以达到长生不老。《精神训》说：

> 夫至人倚不拔之柱，行不关之途；禀不竭之府，学不死之师；无往而不遂，无至而不通；生不足以挂志，死不足以幽神；屈伸俯仰，抱命而婉转；祸福利害，千变万纷，孰足以患心！若此人者，抱素守精，蝉蜕蛇解，游于太清，轻举独往，忽然入冥。

这里所描绘的得道的"至人"能"倚不拔之柱，行不关之途；禀不竭之府，学不死之师；无往而不遂，无至而不通"，"抱素守精，蝉蜕蛇解，游于太清，轻举独往"。这已经进入了一种神仙的境界。据说王乔、赤诵子(也叫赤松子)就是这样得道成仙的仙人。《齐俗训》说：

> 夫王乔、赤诵子吹呕呼吸、吐故纳新,遗形去智,抱素反真,以游玄眇,上通云天。

《泰族训》说：

> 王乔、赤松去尘埃之间,离群慝之纷,吸阴阳之和,食天地之精,呼而出故,吸而入新,蹀虚轻举,乘云游雾,可谓养性矣,而未可谓孝子也。

王乔、赤诵子(赤松子)通过"吹呕呼吸、吐故纳新,遗形去智,抱素反真"的修炼,终于达到"以游玄眇,上通云天"的神仙境地。他们离开尘世,脱离人间恶势力的纠纷,"吸阴阳之和,食天地之精,呼而出故,吸而入新,蹀虚轻举,乘云游雾"可以说是养性了。这种修身养性是与修养道德结合在一起的。《诠言训》说：

> 原天命,治心术,理好憎,适情性,则治道通矣。

只有弄清天命的本原,端正心计,理顺好憎感情,调和情性,那么治道才畅通。《淮南子》把炼形延命的方术与明天命、修心性、去嗜欲的道德修养结合一致,而为长生之道,将道家、儒家、方仙家融于一体,这是西汉修身养性的一大特色。同时这也是后世道教性命双修独特修炼方式的基础。道教其根本信仰是长生不老,羽化成仙。为此,它在《淮南子》修身养性的基础上,逐渐凝结成道教性命双修的修行方式。所谓性,是指心性、品性,即道士的个人道德修养和人生的精神境界;所谓命,就是指肉体的生命。只有既修成精神上的超脱自在,不为世间浊物所累的"性功",也修成养神炼形,活力无比的"命功",才可以真正炼养成长生不死的神仙。这种"性命双修"的修持手段,也是道教一独特之处。

　　以上所举四个方面,既是《淮南子》思想的重要内容,也为后世方士创建道教作了理论铺垫。后世道教义理体系,正是在《淮南子》基本思想上造构起来的,可以说《淮南子》实际上是道教义理所遵循的圭臬,是后世道教义理的泉源、宝库和理论基础。

六 《淮南子》与传统军事理论

"国之大事,在祀与戎。"(《左传》成公十三年)中国古代的思想家、政治家、军事家都十分重视对军事思想和用兵策略的探讨和总结。《淮南子》也是如此。它除了有《兵略训》专题论述军事外,其他许多篇中也颇存兵论。其军事理论,兼儒、道而参兵家,并结合了当时战争的实际。《要略》说:

> 《兵略》者,所以明战胜攻取之数,形机之势,诈谲之变;体因循之道,操持后之论也。所以知战阵分争之非道不行也,知攻取坚守之非德不强也。诚明其意,进退左右无所失击危,乘势以为资,清静以为常;避实就虚,若驱群羊。此所以言兵者也。

这里所谓"体因循"、"操持后"、"乘势"、"清静"、"避实就虚"等基本上是道家的思想原则,其着重研究"道"在军事上的体现。但这些又本之以儒家的"德义",辅之以兵家的"形机之势"、"诈谲之变",形成了其儒、道、兵相结合的、完整的新道家的军事理论。这对后世军事思想及活动产生了极大的影响。

1. 义战论

《淮南子》继承和发展了许多先秦思想家的"义兵"思想，提出"用兵有术矣，而义为本"（《本经训》），主张以"义"来评价战争。

(1) 战争是不可避免的

《淮南子》认为战争是不可避免的。《兵略训》论述战争的根源时说：

> 凡有血气之虫，含牙带角，前爪后距，有角者触，有齿者噬，有毒者螫，有蹄者趹，喜而相戏，怒而相害，天之性也。人有衣食之情，而物弗能足也，故群居杂处，分不均，求不澹，则争。争，则强胁弱而勇侵怯。人无筋骨之强，爪牙之利，故割革而为甲，铄铁而为刃。贪昧饕餮之人，残贼天下，万人搔动，莫宁其所有。

这里从动物相争进而讲到人的争夺，认为动物有好争好斗的天性，人亦有强取豪夺的本能，这是战争兴起的基本根源。虽然《淮南子》将人与动物相提并论，把人间争夺简单归之于天性，很不确切，但它指出的战争不可避免性，却是正确的。人要生存，而财物不足，分配不均，必然会出现争夺生活和生产资料的纠纷。有人以强凌弱，以勇欺怯，贪婪凶暴，残害天下，造成社会动乱，这时就必须有人挺身而起，用武力除暴安良，这样战争就不可避免了。可是，春秋战国以来，大小战争频繁，人们普遍厌恶战争，于是"偃兵"，即废止战争，就成了善良人们的共同愿望,也为许多思想家所倡导。老子说:"以道作人主者,不以兵强天下,其事好还;师之所处,荆棘生,大军之后,必有凶年。"(《老子·三十章》)又说:"兵者不祥之器,非君子之器,不得已而用之。恬淡为上,胜而不美,而美之者,是乐杀人。"(《老子·三十一章》)这些都是从根本上反对一切战争。老子主张"天下有道,却走马以粪"(《老子·四十六章》)。认为战争会带来种种灾祸,应该把战马用于耕作,即废止战争。孔子也鄙薄"军旅之事"(《论语·卫灵公》)。他在谈到为政三要素:足食、足兵、民信时,认为必不得已要去掉一项时,首先可以去兵(见《论语·颜渊》)。墨子提出"非攻",反对发动战争的一方,支持被攻击的一方,企图以此止息战争。其后的宋钘、尹文也提出"偃兵",他们的学说没有传下来,《庄子·天下》说他们"禁攻寝兵,救世之战……上说下教,虽天下不取,强聒而不舍"。其主张近于墨子。此外,公孙龙也主张"偃兵"。总之,所有偃兵论者只讲应否偃兵,而没有论证能否偃兵。针对种种偃兵观点,《兵略训》指出:

> 兵之所由来者远矣。黄帝尝与炎帝战矣,颛顼尝与共工争矣。故黄帝战于涿鹿之野,尧战于丹水之浦,舜伐有苗,启攻有扈,自五帝而弗能偃也,又况衰世乎?

这里以具体的历史事实说明战争的由来已经很久远了,即使是五帝那样圣明的君王都不能偃兵息战,又何况后来衰亡之世呢!《时则训》说:

> 立秋之日,天子亲率三公九卿大夫,以迎秋于西郊。还,乃赏军率武人于朝。命将率,选卒厉兵,简练桀俊,专任有功,以征不义,诘诛暴慢,顺彼四方。

这些内容与《礼记·月令》、《吕氏春秋·十二纪》、《逸周书·

时训解》中的说法大同小异,说明历代君王不仅不能偃兵免战,而且由于他们的重视,逐渐形成了进行军事活动的具体法规和制度。这些军事法规和制度又为后世所沿袭。

(2) 拥护义战,反对不义之战

《淮南子》认为虽然战争是不可避免的,但是战争的目的与性质是可以区分的。人们必须持正确的用兵目的,进行义战,反对不义之战。《兵略训》说:

> 古之用兵者,非利土壤之广而贪金玉之略,将以存亡继绝,平天下之乱,而除万民之害也。

这里实际上将战争分为正义与非正义两种不同的性质。但从战争的历史看,正确的用兵目的不是为了谋图土地、掠夺珍宝,而是为了"存亡继绝"、平乱除害。因此《兵略训》说:"夫兵者,所以禁暴讨乱也。"《本经训》也说:"兵者所以讨暴,非所以为暴也。"可见,平灾除害、禁暴讨乱是义战,否则就是不义之战。从这个标准出发,《淮南子》认为,五帝时,"炎帝为火灾,故黄帝擒之,共工为水害,故颛顼诛之"(《兵略训》)。这种部落联盟之间的战争是义战。进入阶级社会之后,当人们彼此争强时,"圣人勃然而起,乃讨强暴,平乱世,夷险除秽,以浊为清,以危为宁"(《兵略训》),这更是义战。然而"晚世之兵,君虽无道,莫不设渠堑,傅堞而守。攻者,非以禁暴除害也,欲以侵地广壤也。"(《兵略训》)。这显然是些不义之战。《淮南子》认为义战对社会发展是利大于弊的。《兵略训》说:"圣人之用兵也,若栉发耨苗,所去者少而所利者多。"因为当不义横行之时,"杀无罪之民,而养无义之君,害莫大焉。殚天下之财,而赡一人之欲,祸莫深焉。使夏桀、殷纣,有害于民而立被其患,不至于为炮烙。晋厉、宋康行一不义而身死国亡,不至于侵夺为暴。此四君者,皆有小过而莫之讨也,故至于攘天下,害百姓,肆一人之邪,而长海内之祸,此大伦之所不取也。"正由于其不义行径对社会构成了"害",符合用兵征讨的目的和原则,所以要讨"害"以安天下。这与《荀子·议兵》"刑一人而天下服罪"的用兵境界是一致的。因而《淮南子》认为义战的作用和意义就像"畜池鱼者必去猵獭,养禽兽者必去豺狼"(《兵略训》)一样,"所去者少而所利者多"。而不义之战只能给社会带来危害,给人民带来痛苦:"晚世之时,七国异族,诸侯制法,各殊习俗,纵横间之,举兵而相角。攻城滥杀,覆高危安,掘坟墓,扬人骸,大冲车,高重京,除战道,便死路,犯严敌,残不义,百往一反,名声苟盛。是故质壮轻足者为甲卒千里之外;家老羸弱凄怆于内。……所谓兼国有地者,伏尸数十万,破车以千百数,伤弓弩、矛戟、矢石之创者,扶举于路。"(《览冥训》)由此可见,《淮南子》拥护义战,反对不义之战。

(3)"用兵有术矣,而义为本"

在进行义战的方针上,《淮南子》提出:"用兵有术矣,而义为本。"(《本经训》)主张将"义"贯穿于义战的全过程。在义战尚未开始之前,就要慎重,先对危害社会、民众的恶势力进行教导和警告。《兵略训》说:"教之以道,导之以德而不听,则临之以威武,临之威武而不从,则制之以兵革。"《本经训》也说:"有不行王道者,暴虐万民,争地侵攘,乱政犯禁,召之不至,令之不行,海之不变,乃举兵而伐之。"这些话说明即使义战,也是在教导、警告无效后才进行的。义战开始后,要"以论虑之,以策图之,以义扶之,非以亡存也,将以存亡也"(《兵略训》)。

即要以"义"来武装自己军队的头脑,本着不是消灭存在的国家,而是保存将要灭亡的国家之宗旨,去进行义战。《兵略训》说,当义兵进入敌境时,要先命令军队:"毋伐树木,毋抉坟墓,毋燕五谷,毋焚积聚,毋捕民虏,毋收六畜。"对内约束军纪。还要对外申明大义:"废不义而复有德",即除掉暴虐之主,恢复有德人的君位。战胜之后,为其民众重新安定秩序:"以家听者禄以家,以里听者赏以里,以乡听者封以乡,以县听者侯以县,克国不及其民,废其君而易其政,尊其秀士而显其贤良,振其孤寡,恤其贫穷,出其囹圄,赏其有功。"《本经训》也说:"戮其君,易其党,封其墓,类其社,卜其子孙以代之。"最好能达到:"车不发轫,骑不被鞍,鼓不振尘,旗不解卷,甲不离矢,刃不尝血,朝不易位,贾不去肆,农不离野。"实现人人安居乐业。敌方民众"开门而待之,淅米而储之,唯恐其不来","故义兵之至也,至于不战而止"。只"招义而责之,大国必朝,小城必下"(《兵略训》)。这些说法与《吕氏春秋》颇为相近。如《吕氏春秋》说,战争前,"先发声出号曰,兵之来也,以救民之死。……将以诛不当为君者也,以除民之仇而顺天之道也"(《怀宠》)。战争中,"不虐五谷,不掘坟墓,不伐树木,不烧积聚,不禁室屋,不取六畜,得民虏而奉之","攻克其国,不及其民"。战胜后,还要"举贤封能,恤孤赈寡,敬老救罪,分财散粟","故义兵至,则邻国之民归之若流水,诛国之民望之若父母,行地滋远,得民滋众,兵不接刃而民服若化"(《怀宠》)。《淮南子》袭用《吕氏春秋》的一些论述,表明它站在新道家的立场上,对其义兵思想给予肯定和总结。

《淮南子》兵以义为本的义战思想与《吕氏春秋》"有义兵而无偃兵"(《荡兵》)的义兵思想是一脉相承的。而事实上,兵以"义"出,是中国古代军事思想的一大特点。先秦各家都主张根据战争的目的,将战争划分为"义战"与"不义之战"两种性质,虽然他们对战争的"义"与"不义"的标准有所分歧,但对"义战"基本上是肯定的。孔子不反对符合仁义的战争,认为"礼乐征伐自天子出"(《论语·季氏》),能"兴灭国,继绝世,举逸民"(《论语·尧曰》)的战争是义战。孟子赞扬"一怒而安天下"、"以义攻不义"、"伐而不取"、"箪食壶浆"的"王师"(《孟子·梁惠王下》)。认为只有商汤伐桀、武王伐纣那样的战争,才是义战,才是"以至仁伐至不仁",因而"无敌于天下"。(《孟子·尽心下》)荀子以"禁暴除害"为用兵之旨,他说:"彼兵者,所以禁暴除害也,非争夺也。"又以"乱百姓者"为征讨对象;推崇"仁义之兵"(《荀子·议兵》)。老子说:"故抗兵相加,则哀者胜矣。"(《老子·六十九章》)意思是两军势均力敌,悲愤的一方将获胜,因为悲愤的一方总是被欺侮的一方,正义在他们那边。墨子把战争分为"攻"与"诛",他力主"非攻",但认为"禹征有苗,汤伐桀,武王伐纣"是"诛"(《墨子·非攻下》),而"诛"是可行的。就连法家、兵家也讲义战。《管子》的《兵法》和《幼官》两篇认为战争是"辅王成霸"和"立利除害"的工具,而不是"非地是求,罚(非)人是君"。《管子·参患》说:"外以诛暴,内以禁邪",也说明兵只能由义出发。《吴子·图国》把兵分为"义兵"、"强兵"、"刚兵"、"暴兵"和"逆兵"五种,他所谓"义兵"即为"禁暴救乱"而发动的战争,属于义战,其他四种属于不义之战。《司马法·仁本》说:"杀人安人,杀之可也;攻其国爱其民,攻之可也;以战止战,虽战可也,"肯定义战。他提出"争义不争利,是以明其义也"的主张。《尉缭子·武议》说"兵者,所以诛暴乱,禁不义也",也是肯定义战。《淮南子》以"义为本"的义战思想是对以上各家义战思想的继承和总结。

除了继承先秦各家义战思想外，《淮南子》的义战论还总结了秦末汉初正反两方面的历史经验。秦始皇不以"义兵"统一天下，而以严酷的武力统一天下，为其二世灭亡埋下了祸根。秦以首级计功、坑降卒、屠城等不义之事，史不绝书。《史记·项羽本纪》载有"楚虽三户，亡秦必楚"之类的誓词，就反映了六国被兼并后积怨深重。因此，陈胜一呼，天下响应，秦王朝在人民的反抗中覆灭。《兵略训》说："陈胜兴于大泽，攘臂袒右，称为'大楚'，而天下响应"；"然一人唱而天下应之者，积怨在于民也。"点明了秦末农民战争爆发的原因。之后楚汉相争，项羽兵力强大，以西楚霸王的名义号令天下，他虽勇猛顽强，战无不胜，但同秦兵一样残暴，坑降卒，屠城，大失民心，最后也归于失败。相反，刘邦兵力较弱，但以义兵行之所以能够屡败屡起，最后战胜项羽，取得最后的胜利。这些历史的经验对《淮南子》义战论的形成起了积极作用。

《淮南子》的义战论对当时和后世都有一定的影响。如汉武帝建元六年（公元前135年）武帝遣军征讨闽越，刘安上《谏伐南越书》，劝阻对闽越用兵。刘安的谏书虽没有能阻止汉武帝的用兵，但汉武帝对闽越归降的处理，正运用了《淮南子》义战论的观点。汉武帝为嘉奖淮南王的心意，在初次用兵南越胜利后，派庄助晓谕刘安。庄助宣读武帝谕旨时说：

> 今者大王以发屯临越事上书，陛下故遣臣助告王其事。王居远，事薄遽，不与王同其计。朝有阙政，遗王之忧，陛下甚恨之。夫兵固凶器，明主之所重出也，然自五帝三王禁暴止乱，非兵，未之闻也。……今闽越王狼戾不仁，杀其骨肉……又数举兵侵陵百越，并兼邻国……有司疑其

> 以虎狼之心,贪据百越之利,或于逆顺,不奉明诏,则会稽、豫章必有长患。且天子诛而不伐,焉有劳百姓苦士卒乎?故遣两将屯于境上,震威武,扬声乡(响)。屯曾未会,天诱其衷,闽王陨命,辄遣使者罢屯,毋后农时。南越王甚嘉被惠泽,……此一举,不挫一兵之锋,不用一卒之死,而闽王伏辜,南越被泽,威震暴王,义存危国,此则陛下深计远虑之所出也。事效见前,故使臣助来谕王意。(《汉书·严助传》)

这是庄助为使刘安理解汉武帝旨意所讲的一番话。庄助所言从战争性质、目的到具体的用兵方针及结果都体现了《淮南子》的义战思想。就连刘安在表示谢罪时也说,汉武帝的这次用兵,"虽汤伐桀,文王伐崇,诚不过此。"(《汉书·严助传》)

后世许多政治家、军事家也大力提倡义战。汉魏之际杰出的军事家、政治家曹操就是其中之一。曹操说:"吾起义兵,为天下除暴乱。旧土人民,死丧略尽,国中终日行,不见所识,使吾凄怆伤怀。"(《三国志·魏志·武帝纪》)他认为兵须以义动。他起兵平黄巾起义时的口号即是"举义兵以诛暴乱"。他施行"挟天子以令诸侯"的策略就在于利用汉室的残余影响力使自己在道义上居于有利地位。这些都是出于他"兵以义动"(《资治通鉴》汉献帝初平元年)的指导思想。这显然是本于《淮南子·本经训》"用兵有术矣,而义为本"。曹操还认为战争自古不可避免,但只有持"不得已而用之"的态度才能使用兵符合道义。他说:"圣贤之于用兵,戢时而动,不得已而用之。"(《孙子兵法序》)又说:"自顷以来,军数征行,或遇疫气,吏士死亡不归,家室怨旷,百姓流离,而仁者岂乐之哉?不得已也。"(《三国志·魏志·武帝纪》)这一观点也与《淮南子》义战论相一致。与曹操同时代的另一位卓越的政治家、军事战略家诸葛亮也主义战,他说:"戎狄之人,难以理化,易以威服,礼有所任,威有所施。是以黄帝战于涿鹿之野,唐尧战于丹浦之水,舜伐有苗,禹讨有扈,自五帝三王至圣之主,德化如斯,尚加之以威武,故兵者凶器,不得已而用之。"(《诸葛亮集·十六策·治军》),他认为"以文为先,以武为后"(《诸葛亮集·十六策·喜怒》)。"文"是指礼乐教化,"武"即指战争。文先武后是指在教化行不通的不得已的情况下,才用兵的。这一点与《兵略训》"教之以道,导之以德而不听,则临之以威武;临之威武而不从,则制之以兵革"相同。另外,诸葛亮说:"治军之政,谓治边境之事,匡救大乱之道,以威武为政,诛暴讨逆,所以存国家安社稷之计。"(《诸葛亮集·十六策·治军》)这里论述战争的目的和作用也与《淮南子》义战论一样。

主张义战的后世军事著作也不少,如中国第一部将《武经七书》作为一个整体统一注释的兵书《施氏七书讲义》就主张义战,此书作者为宋代施子美。施子美说:"兵有所可用,虽尧舜大王不可得而舍;兵有所不可用,虽秦皇汉武不可得而强。何者?兵之为用,伐罪吊民而已,苟利于民,何惮而不为邪。不然,是以燕伐燕民,何望焉。况帝王举兵为天下唱,岂专以杀伐为哉。故杀一人而天下为之举安,杀之可也。为所杀者少而所安者众也。"(《司马法讲义·仁本》)他把战争分为义战与不义之战,认为合义即可用兵。他主张用兵应当师出有名,"师出无名,事故不成"(《吴子讲义·图国》)。另一部军事史评论性的兵书《何博士备论》,为宋代何去非撰,也主张义战。他认为战争不可避免,但用兵时必须贯彻兵以义动的原则:"夫兵以义动"(《何博士备论·吴论》),"兵以义举"(《何博士备论·符坚论上》)。他说,项羽争天下,兵不以义动,"轻指关中天险之势,燔烧屠戮,以逞其暴,卒举而遗之二三降虏,反怀区区之故楚而甚荣其归,乃曰:富贵不归故乡,如衣绣夜行,谁能知者。"(《何博士备论·楚汉论》)宋代苏洵撰的《权书》是传世的论兵名篇。苏洵认为,战必以义,"凡兵上义,不义虽利勿动"(《权书·心术》),以义而动,能励士,"夫惟义可以怒士,士以义怒可与百战。"否则,"他日将有所不可措手足也"(《权书·心术》)。即兵不义动虽然获益于一时,但从长远来看,是有害的。这些兵书中的义战思想都与《淮南子》义战论一脉相通。

2. 政胜论

《淮南子》特别注重战争与政治的关系,提出"兵之胜败,本在于政"(《兵略训》),主张以政治眼光看待军事活动。

(1) 兵本在政

《淮南子》认为兵本在政,强调政治对于战争的制约作用。在《淮南子》看来,政治不仅是战争的要素,而且是战争诸多要素中最根本的一条。决定军事胜负的不在军事本身,而在政治。《兵略训》中说:

> 兵之胜败,本在于政。

意思就是战争胜败的根本在于政治。换句话说,坚实的政治基础,是战争致胜的强大后盾和先决条件。除此之外,其他要素都是次要的。《兵略训》说:

> 甲坚兵利,车固马良,畜积给足,士卒殷轸,此军之大资也,而胜亡焉。明于星辰日月之运、刑德奇赅之数、背乡

(向)左右之便,此战之助也,而全亡焉。

它认为兵精粮足只是"军之大资",但胜利并不取决于这些条件。精通阴阳、形势及技巧,对战争的胜利有帮助,但不是决定因素。所以《兵略训》说,这些因素"莫不为用,然皆佐胜之具也,非所以必胜也"。又说:"地广人众,不足以为强,坚甲利兵,不足以为胜,高城深池不足以为固;严令繁刑,不足以为威。"

作为根本要素的"政",包括"治国家,理境内,行仁义,布德惠,立正法,塞邪隧,群臣亲附;百姓和辑,上下一心,君臣同力。"(《兵略训》)也就是说平时的政治要清明。《淮南子》相信平时国内的政治优势是可以压倒千里之外的敌人的,通过修文德、礼仪可以得到天下的拥护。《兵略训》说:"四方怀其德,修政庙堂之上而折冲千里之外,拱揖指挥而天下响应。"它认为如何能达到"运筹于庙堂之上,而决胜于千里之外"呢?必须修文德以强政,文德积累,威势才能确立,它将这种境界称为"先胜而后战"。《兵略训》说:

文之所以加者浅,则势之所胜者小;德之所施者博,而威之所制者广。威之所制者广,则我强而敌弱矣。……故千乘之国,行文德者王;万乘之国,好用兵者亡。

这是说,在平时行政时,文德积累和影响越少那么威势所能产生的慑服作用就越小,而文德所施予的面越广,那么威势慑服的面就越大。威势所慑服的面广了,那我方就强,敌方就弱了。这样下去,千乘小国只要坚持行文德也能王天下,相反,万乘大国一味好战,滥用武力也会灭亡。所以要重文德而不徒恃武力。汤以七十里之地,修文德竟能获胜;而智伯空有千里,穷兵黩武,结果也灭亡,就是最好的例子。这说明战争的失败,其关键并不在交战当时,而在"素行无刑久矣",即长期行政失德的结果。

从兵本在政的思想出发,《兵略训》将用兵分为三策。上策是"修政庙堂之上,而折冲千里之外。"即不用军事手段,而仅靠平时清明的政治达到不战而胜。中策是出征临敌,"未至兵交接刃而敌人奔亡"。即依靠"地广民众,主贤将忠,国富兵强,约束信,号令明"等实力,迫使敌人不战而走。下策是兵刃相接,"流血千里,暴骸盈场,乃以决胜"。即依靠明了战事,指挥得当,经过血战而决胜负。

《淮南子》兵本在政的观点,主要来自儒家。孔子认为:"远人不服,则修文德以来之。"(《论语·季氏》)只有以仁德为政,才可以使"天下之民归心焉"(《论语·尧曰》)。孟子进而提出"仁义无敌"(《孟子·梁惠王上》)论,他说:"固国不以山溪之险,威天下不以兵革之利。得道者多助。失道者寡助……故君子有不战,战必胜矣。"(《孟子·公孙丑下》)荀子说:"故坚甲利兵不足以为胜,高城深池不足以为固,严令繁刑不足以为威,由其道则行,不由其道则废。"(《荀子·议兵》)这些论述《淮南子》多引用,但它并不像儒家那样过分夸大政治的作用,以至于完全抹杀了军事的作用,而是强调政治对于战争的制约作用。

《淮南子》兵本在政的观点也来源于法家和兵家。《管子》说:"城郭(廓)沟渠不足以固守,兵甲强力不足以应敌,博地多财不足以有众,唯有道者,能备患于未形也,故祸不萌。"(《牧民》)又说,如果政治修明,"则列阵之士,皆轻其死而安难,以要上事,本兵之极也。"(《七法》)认为平时政治好可以免除战患;战时政治好可以保证胜利。因此,它主张用兵先要"畜之以道,养之以德"(《兵法》),"内守完固",而后"外攻胜服"(《重令》)。《商君书·战法》说:"凡战法必本于政胜,则其民不争。不争则无以私意,以上为意。"《韩非子·五蠹》也说:"强,则能攻人者也;治,则不可攻也。治强不责于外,内政之有也。"他们都认为政治对于战争起决定作用,内政修明就能进可以攻,退可以守。《孙子兵法·计篇》指出,"道"与"法"是决定战争胜负的五大因素中的两项,而"道"居首位。《形篇》又说:"善用兵者,修道而保法,故能为胜败之政",孙子也认识到政治决定军事。《尉缭子·兵谈》说:"富治者,兵不发轫,甲不出橐(装兵甲的袋子),而威制天下。故曰兵胜于朝廷。"这是说军事的胜利取决于良好的政治。法家、兵家的修明政治与儒家有所不同,多指立法、庙算等,并不是基于德义。《淮南子》吸收法家、兵家的观点,使得所论的"政"之内容更加全面。

《淮南子》"兵本在政"的观点,不仅继承和整理了先秦各家的思想,而且还是大量历史事实的总结。如《主术训》说:"纣兼天下,朝诸侯,人迹所至,舟楫所通,莫不宣服。然而武王甲卒三千,禽之于牧野。"其原因不在于别的,而在于周武王"之义德厚而号令行也",即良好的政治。像这样的事例,战国时的楚怀王和秦朝的二世皇帝也很典型。《兵略训》说:

> 楚国之强,大地计众,中分天下;然怀王北畏孟尝君,背社稷之守而委身强秦,兵挫地削,身死不还。二世皇帝,势为天子,富有天下,人迹所至,舟楫所通,莫不为郡县。然纵耳目之欲,穷侈靡之变,不顾百姓之饥寒穷匮也,兴万乘之驾,而作阿房之宫,发闾左之戍,收太半之赋,百姓之随逮肆刑、挽辂首路死者,一旦不知千万之数。天下敖然若焦热,倾然若苦烈,上下不相宁,吏民不相慬。戍卒陈胜兴于大泽,攘臂袒右,称为"大楚",而天下响应。当此之

> 时,非有牢甲利兵劲弩强冲也,伐棘枣而为矜,周锥凿而为刃,刿掷笑奋儋儶,以当修戟强弩,攻城略地,莫不降下。天下为之縻沸蚁动,云彻席卷,方数千里。势位至贱而器械甚不利,然一人唱而天下应之者,积怨在于民也。

这些史实进一步说明政治决定兴衰,民心不可背离。它不仅为《淮南子》兵本在政观点提供了依据,而且更增强了此论点的说服力。总的说来,政治决定军事,而不是军事决定政治,这是中国古代军事思想的传统观念之一,也是其军事思想中最有价值的观念之一。"兵之胜败,本在于政"当是一条颠扑不破的历史真理。

(2)"兵之所以强者,民也"

《淮南子》认为"兵之所以强者,民也"(《兵略训》),强调君主要能得到民众的拥护。这一条,既体现政治在战争中的具体作用问题,又涉及到战争与民众关系问题。政治与战争的关系说到底是政治与民的关系。《兵略训》说:

> 政胜其民,下附其上,则兵强矣;民胜其政,下畔其上,则兵弱矣。

这是说政治能驾驭人民,臣下能亲附主上,那么军队就强大;相反,民众左右了政治,臣下背叛了主上,那么军队就衰弱。可见"兵强"的关键也就在于"胜其民"之"政"了。如何修好这政呢?具体地说,要做到"德义足以怀天下之民,事业足以当天下之急,选举足以得贤士之心,谋虑足以知强弱之势。此必胜之本也"(《兵略训》)。而其中得民心又是内修政治中最基本的一条。因此,《淮南子》得出了"兵之所以强者,民也"的结论。《兵略训》说:

> 民之所以必死者，义也；义之所以能行者，威也。是故合之以文，齐之以武，是谓必取；威仪并行，是谓至强。……是故内修其政以积其德，外塞其丑以服其威，察其劳佚，以知其饱饥，故战日有期，视死若归。故将必与卒同甘苦俟饥寒，故其死可得而尽也。

这里先从总的论述"兵之所以强者，民也"。民众之所以决心牺牲自己换取战争的胜利，是因为懂得道义；道义之所以能够为人民所信任，是因为君王、将领有崇高威望。所以，只要君主用文德来团结民众，用勇武精神来整齐士卒，就必定取胜。威信和道义同时发挥作用，这样，军队就最强大。通过对"兵之所以强者，民也"的论证，又将战争与民众的关系归结为君主与民众的关系；君主能够关心人民"劳佚"、"饱饥"等最基本的生活需求，那么人民就会视死如归地勇敢作战，将领能够与士卒"同甘苦俟饥寒"，那么士卒就会以拼死战斗相报。可见，兵之强弱与君主满足民众的要求有关。《兵略训》接着进一步论述了君、民的相互要求与兵之强弱的关系：

> 主之所求于民者二：求民为之劳也，欲民为之死也。民之所望于主者三：饥者能食之，劳者能息之，有功者能德之。民以偿其二责，而上失其三望，国虽大，人虽众，兵犹且弱也。若苦者必得其乐，劳者必得其利，斩首之功必全，死事之后必赏，四者既信于民矣，主虽射云中之鸟，而钓深渊之鱼……兵犹且强，令犹且行也。是故上足仰，则下可用也；德足慕，则威可立也。

君主要求民众为之劳作和拼死，民众希望君主能让其得到食物、休息和恩赏。如果民众满足了君主的要求，而君主却让人民完全失望，那么虽然国大人众，军队还是衰弱。如果君主能在让民众得到欢乐、利益、军功、抚恤等四方面取信于民,那么君主即使很悠闲,军队仍然可以强大,号令仍然能得到执行。君主值得依靠,臣下就可为其所用;君主德行值得敬慕,其威望便可树立。这些道理在战争中表现得更为明显。《兵略训》说:

> 明王之用兵也,为天下除害,而与万民共享其利。民之为用,犹子之为父,弟之为兄,威之所加,若崩山决塘,敌孰敢当。

英明的君主进行"为天下除害,而与万民共享其利"的义战,民众替君主效命,如同子弟为父兄,这样,军威所到像"崩山决塘",敌人谁能抵挡。《泰族训》说:"汤、武革车三百乘,甲卒三千人,讨暴乱,制夏、商,因民之欲也,故能因,则无敌于天下矣。"认为汤、武革命的胜利,就是因为符合了广大民众的愿望,"因民之欲也"。《兵略训》也说:"因民之欲,乘民之力而为之,去残除贼也。故同利相死,同情相成,同欲相助。顺道而动,天下为响;因民而虑,天下为斗。"因民之欲,不仅受到本方民众的拥护,而且也受到敌方民众的拥护。前引敌方民众"开门而待之,渐米而储之,唯恐其不来也"便是证明。相反,君主就得不到民众的拥护。"君为无道,民之思兵也,若旱而望雨,渴而求饮。"(《兵略训》)《淮南子》所阐述的兵之强弱在于君主能否关心民众的切身利益、能否得到民众拥护的道理,肯定了民众和士兵在战争中所起的重大作用,这是其进步的民本论的反映。但是,由于时代和阶级的限制,《淮南子》没有也不可能认识到民众在战争中的决定作用。这与我们今天所强调的决定战争胜负的因素是人,是人心的向背的观点还有距离。

《淮南子》"兵之所以强者,民也"的观点是继承和发展先秦思想家、军事家思想而来的。儒家最重爱民。荀子认为"爱民者强,不爱民者弱。……民齐者强,民不齐者弱。"(《荀子·议兵》)他更强调"附民"(使民心归附)、"壹民"(使民心一致)是用兵的要领。指出:"凡用兵攻战之本在乎壹民。……士民不亲附,则汤、武不能以必胜也。"(《荀子·议兵》)法家、兵家也认识到这一点。《管子》说:"凡兵之胜也,必待民之用也,而兵乃胜"(《重令》);"民不劝勉,不行制,不死节,则战不胜,而守不固。"(《法法》)"不能治民而能强其兵者,未之有也。"(《七法》)商鞅认为民是兵之本,"有民者不可以言弱"(《错法》);"圣君之治人也,必得其心,故能用力。力生强,强生威,威生德,德生于力。"(《靳令》)认为国强兵胜都取决于民心的向背。孙武认为决定战争的胜负的必要条件是"令民与上同意",是看"兵众孰强?士卒孰练?"(《孙子兵法·计篇》)吴起说:"百姓皆是吾君而非邻国,则战已胜矣。"(《吴子·图国》)认为百姓拥护本国君主反对邻国,就等于战争已胜利了。《司马法》说:"见危难,无忘其众"(《定爵》)意思是遇到危难,就要依靠民众来解决。孙膑说:"取众者,胜之胜者也。""得众,胜。""不得众,不胜。"(《孙膑兵法·纂卒》)又说:"兵不能胜大患,不能合民心者也"(《孙膑兵法·兵失》),认为争取民心十分重要。黄老学派也重视民众在战争中的作用,《十大经·兵容》说:"三遂绝从(郊外农民拒绝从军),兵无成功;三遂务从,兵有成[功]。"这些论述都肯定了民众和民心在战争中的积极作用。《淮南子》对此作了较全面的总结,形成了颇为系统完善的"兵之所以强者,民也"的观点。

(3)"兵失道而弱,得道而强"

《淮南子》认为"兵失道而弱,得道而强"(《兵略训》),强调要依据"道"的原理用兵。《淮南子》认为战争、用兵的根本在于政治,然而"兵之胜败,本在于政"之政,就是它反复申明的依照道的原则施行的政治。这便将"兵之胜败"又与"道"联系起来了。《兵略训》说:

> 兵失道而弱,得道而强;将失道而拙,得道而工;国得道而存,失道而亡。

这是说军队、将领、国家都必须依道而行。从中可以看出,这个"道"是广义的道,它既是指自然的道,又是指政治的道、军事的道。但从《兵略训》来看,讲得最多的还是军事的道。《兵略训》说:

> 神莫贵于天,势莫便于地,动莫急于时,用莫利于人。凡此四者,兵之干植也,然必待道而后行,可一用也。

天、地、时、人四者,是决定战争胜利的主要因素,但一定是依赖道的指导去利用它们。《兵略训》说:"兵以道理制胜。"是说用兵要依道的原理来进行就能获胜。《要略》说:"战阵分争,非道不行。"是说战争中列阵交攻,没有道是行不通的。这些道都是指军事之道。

那么,军事之道是什么样的呢?《兵略训》说:

> 所谓道者,体圆而法方,背阴而抱阳,左柔而右刚,履幽而戴明,变化无常,得一之原,以应无方,是谓神明。夫圆者,天也;方者,地也。天圆而无端,故不可得而观;地方而无垠,故莫能窥其门。……凡物有朕,唯道无朕。所以无朕者,以其无常形势也。……因形而与之化,随时而与之移。

这里所谓的道就是军事之道。军事之道是一种军事规律和技巧。《淮南子》强调军事之道应与自然之道相符。由于自然之道变化无常，所以军事之道也"无常形势"。作为战争的指挥者就要根据自然之道来掌握军事之道，要洞察千变万化的战争形势，善于因时、因地、因事机动灵活地作战，使战术、策略、战法、军务、将士、装备等不可少的取胜因素得以充分发挥。

《淮南子》依道用兵的观点，本于道家老子，但又吸收了儒、法、兵各家的思想，因此其观点较老子更为周全。《老子》依道用兵，重点在战略指导思想方面。而《淮南子》不仅用道指导战略战术，而且也用于其战争观和军事认识论方面。同时，它还剔除了《老子》道中某些唯心的、消极的因素，使之更具规律性和指导性。《淮南子》强调要掌握变化规律，从而能灵活机动，无疑是抓住了依道用兵的实质。

3.《淮南子》的具体用兵之术

《淮南子》认为要取得战争的胜利，除了在前述义战、兵本在政、兵强在民，依道用兵等总原则的指导下外，还要遵守各种具体的兵术。于是，它在继承先秦各家用兵之术及总结历史上用兵经验的基础上，论述了许多具体的用兵之术，大大丰富了我国的军事文化。

(1) 将领论

俗话说，"千军易得，一将难求"。由此可以看出我国古代对将领的重视程度。《淮南子》也认为将领是取得战争胜利的重要因素："凡用兵者，必先自庙战，主孰贤，将孰能……"(《兵略训》)。将要充分发挥其应有的作用，就应具备"三隧、四义、五行、十守。"《兵略训》说：

> 将者必有三隧、四义、五行、十守。所谓三隧者,上知天道,下习地形,中察人情。所谓四义者,便国不负兵,为主不顾身,见难不畏死,决疑不避罪。所谓五行者,柔而不可卷也,刚而不可折也,仁而不可犯也,信而不可欺也,勇而不可凌也。所谓十守者,神清而不可浊也,谋远而不可慕也,操固而不可迁也,知明而不可蔽也,不贪于货,不淫于物,不嗑于辩,不推于方,不可喜也,不可怒也。

这里几乎包括了将领的职责、将领的素质、将领的使用等内容。"三隧"指将能,"四义"是将操,"五行"是将德,"十守"则兼有操、德、能。神清、知明属于将能,操固、不贪、不淫属于将操,而不推方、不可喜、不可怒又兼及将的风度和修养。将能,即指将领的能力。将为全军的核心,应能熟知天地人三道,保持清醒的头脑,善于掌握和利用各种战略战术来指挥战斗,达到"发必中铨,言必合数,动必顺时,解必中揍,通动静之机,明开塞之节,审举措之利害,若合符节。"(《兵略训》)这才叫将能。将德,即指将领德行、品德。战争贵无隙,将德也贵无隙。所以善将应能刚能柔,仁、信、勇齐备,又辅之以知明,有德而不颛于德,才是上将。将操,指将领的操守、意志。战争是涉险履危,出生入死之事,所以将之操,首要的是应该能"固",具有坚定不移的精神。能固则勇,"便国不负兵"是勇于仁,"为主不顾身"是勇于忠,"见难不畏死"是勇于义。在平时则不贪不淫,端正操守,不馁于危难,也不迁于外物,才是良将。修养,指将领的道德修养,心性修养。用兵崇尚"无形",将心也崇尚"无形";用兵贵"因变",将心亦贵"因变";用兵的最高境界是"神明",将领修养的最高境界也叫"神明"。《兵略训》说:

> 将军之心,滔滔如春,旷旷如夏,湫漻如秋,典凝如

冬,因形而与之化,随时而与之移。

将领的心境通过修养,要达到不轻露喜怒哀乐,如四季俱在:和暖如春,明朗如夏,寂寥如秋,凝结如冬,因顺形势而随之变化,顺随时机而与之迁移。这样才能保持清醒的头脑去指挥战斗。将领的道德品质通过修养也可以达到完善和升华。《兵略训》说:

> 无天于上,无地于下,无敌于前,无主于后,进不求名,退不避罪;唯民是保,利合于主,国之实(宝)也,上将之道也。

这种具备不怕天,不怕地,不怕敌人,不担心君主在后牵制,进攻不为名,后退不逃避罪责,一心保卫民众,符合君主的根本利益,这样的将领乃"国之实(宝)也",这是"上将之道也"。这种德行正是其修养的结果。

然而,《淮南子》中的许多为将之术,又不能单独归到将能,还是将德、将操、修养哪一方面。

忠君。"忠"是将德之一。而以将操为内容的"四义"中,已说到"便国不负兵,为主不顾身,见难不畏死,决疑不避罪"。这些内容从一定意义上说都是忠君要求的具体表现,反映了《淮南子》要求将领具有为君谋利益,不顾身家性命,对君主负责的操守。同时这又是具体的行为和修养内容。《淮南子》提出"将忠"(《兵略训》)是战争取胜的关键。因此在《兵略训》的最后一部分内容中,袭用了古代君主授将出征及将受命出征仪式的内容,强调了将领既受君命必须为君尽忠,其思想行为应当"利合于主"的观点。

将卒关系。这一方面是属于将能中"中察人情"的内容,也是"仁"的具体要求,属于将德,而如何保持和维系将卒之间的和谐关系,又是为将的重要修养。《兵略训》从将能范畴的知"虚实"论起。《兵略训》说:"守不可攻,战不可守者,虚实是也。""善战者不在少,善守者不在小,胜在得威,败在失气。"认为将领应当知"虚实"而"用民气"。《兵略训》说:

> 气之有虚实也,若明之必晦也,故胜兵者非常实也,败兵者,非常虚也,善者能实民气,以待人之虚也;不能者,虚其民气,以待人之实也。故虚实之气,兵之贵者也。

什么是"虚"气?《兵略训》说:"上下有隙,将吏不相得,所持不直,卒心积不服,所谓虚也。"什么是"实"气?《兵略训》说:"主明将良,上下同心,气意俱起,所谓实也。"可见气的虚实,取决于将卒的离合关系。将卒同心则气实,将卒异心则气虚。这样就由知"虚实"切换到将卒关系了。

由于"千人同心,则得千人之力;万人异心,则无一人之用"(《兵略训》),所以战争要求军队内部将卒同心同德,步调一致。《兵略训》说:

> 将卒吏民,动静如身,乃可以应敌合战。……将以民为体,而民以将为心,心诚则肢体亲刃,心疑则肢体挠北。心不专一,则体不节动,将不诚心,则卒不勇敢。

这是说将卒关系就似心体关系。只有将卒"动静如身",上下一体,才能发挥出最大的战斗效率。然而,将卒之间,并无血亲关系,有的只是一种像君民关系同样的互求关系:"主之所求于民者二:求民为之劳也,欲民为之死也。民之所望于主者三:饥者能食之,劳者能息之,有功者能德之。"(《兵略训》)只有各自要求得到满足才能形成"相报之势"(《主术训》)。这就要求将领加强自身的道德修养,先使士卒感到"上足仰"(《兵略训》),而后士卒才能真正可用。作为将领首要的是应当爱卒抚卒。

"同利相死,同情相成,同爱相趋,同恶相助"(《兵略训》),乃人之常情。"故良将之用兵也,常以积德击积怨,以积爱击积憎。"具体来说,即要以德义怀"天下之民","视下如子"、"如弟"这样就能使"下视上如父"、"如兄"(《兵略训》),而为之尽死力。将领要求士卒和自己一体同心,尽力效死,还要求"将必与卒同甘苦"。《兵略训》说:

> 古之善将者,必以其身先之,暑不张盖,寒不被裘,所以程寒暑也。险隘不乘,上陵必下,所以齐劳佚也。军食孰然后敢食,军井通然后敢饮,所以同饥渴也。合战必立矢射之所及,以共安危也。

将领不仅思想上爱卒抚士,与士卒同好恶,而且在生活上要与士卒同甘苦,在战斗中与士卒"共安危"。处处率身先行,以身为教。这一方面,战国军事家吴起作出了榜样。《史记·孙子吴起列传》说:"(吴)起之为将,与士卒最下者同衣食。卧不设席,行不骑乘,亲裹赢粮,与士卒分劳苦。卒有病疽者,起为吮之。"因此,他为鲁将,曾使鲁国大破齐师;为魏将,"与诸侯大战七十六次,全胜者六十四,余则钧解(即不分胜负),辟土四面,拓地千里"(《吴子·图国》);为楚将,"南平百越,北并陈蔡,却三晋;西伐秦。诸侯患楚之强"(《史记·孙子吴起列传》)。《淮南子》总结了不少像吴起这样的经验。《兵略训》说:

> 将无疑谋,卒无二心,动无堕容,口无虚言,事无尝试,应敌必敏,发动必亟。
>
> 故良将之卒,若虎之牙,若兕之角,若鸟之羽,若蚈之足。可以行,可以举,可以噬,可以触。强而不相败,众而不相害。……守有必固,而攻有必胜,不待交兵接刃,而存亡之机固以形矣。

可见将卒关系密切、和谐,利益一致,是保证战斗取胜的基础。只有上下一体同心,同甘苦,共安危,互相配合,互相协助,才能立于不败之地。

独见独知。这也是将能与修养的完美配合和高度发挥。《兵略训》说:

> 夫将者,必独见独知,独见者,见人所不见也,独知者,知人所不知也,见人所不见谓之明,知人所不知谓之神。

独见独知是与众不同的洞察力。这是为将者所必备的将能。有此洞察力,将领才能在迷离混乱、纷繁复杂、变幻莫测、真假难分的情况下,拨开笼罩在事物表面的云雾和面纱,迅速看清本质,抓住关键,作出正确的判断。将领这种深邃、高明的洞察力,可以表现在战场上,具有随时根据征兆、时机判断敌情,作出决策的能力,也可以表现在善于通过军力、人心等多种因素,预见战局发展趋势的能力上。同时"见人所不见"、"知人所不知"又是一种修养的最高境界。

总之,《淮南子》对将领素质提出了较为全面的要求。为将者应有独见独知的洞察力和高超的作战指挥能力,能知天、习地、察人,学识渊博,有效地治军作战。要有不计较拥有兵力多少,不顾身、不畏死、不避罪,忠君报国的精神,要有优秀的品德和坚定不移的操守,能知虚实,爱士卒,及遵守各项处理具体问题的原则,才是上等之将。其论述如此全面,是前人所未及的。

关于将领素质的要求,最早提出系统标准的是孙子,他说:"将者,智、信、仁、勇、严也。"(《孙子兵法·计篇》)《孙膑兵法》有《将义》、《将德》、《将败》、《将失》各篇专论为将的德操、修养和缺失。其中《将德》部分残缺较多，《将义》、《将败》、《将失》较为完整。《将义》指出为将必须具备义、仁、德、信、智、决（建立在知胜条件上的果断）等各种德操，可视为对《孙子兵法·计篇》的发展。其专辟《将败》一篇，又罗列了二十条为将致败的原因：

　　一曰不能而自能，二曰骄，三曰贪于位，四曰贪于财，〔五曰〕□，六曰轻，七曰迟，八曰寡勇，九曰勇而弱，十曰寡信，十一……十四曰寡决，十五曰缓，十六曰怠，十七曰□，十八曰贼，十九曰私，廿曰自乱。

《兵略训》"四义"、"五行"、"十守"虽有一些与《孙子兵法》、《孙膑兵法》不同之处，但也可以看出《淮南子》从中得到了若干启示。除兵家无不论将而外，儒家的《荀子》也论将，《六韬》有《论将》、《选将》、《将威》、《阴符》各篇专论将。各家论将各有详略，但"爱"、"威"兼备，德、法并用则是共同精神。《淮南子》的将领论，受其不少影响。

　　《淮南子》之后，历代军事家、政治家都对将领的素质极为重视。诸葛亮的《将苑》（亦叫《心书》）论将尤为深刻。其对将领的素质进行了全面的论述和分析。如《将志》说："不恃强，不怙势，宠之而不喜，辱之而不惧，见利不贪，见美不淫；以身殉国，壹意而已。"《将刚》说："善将者其刚不可折，其柔不可卷。"《将强》说："高节可以厉俗，孝弟可以扬名，信义可以交友，沉虑可以容众，力行可以建功。"《将善》说，"五善"者，所谓善知敌之形势，善知进退之道，善知国之虚实，善知天时人事，善知山川险阻。"四欲"者所谓战欲奇，谋欲密，众欲静，心欲一。以及将材、将器之分，将情之用，应该说都受到了《淮南子》的影响。《淮南子》对将领素质提出的要求，有些至今仍不失其借鉴作用。

(2)"以无形制有形"论

《淮南子》特别强调用兵以无形制有形。《兵略训》说：

> 无形而制有形，无为而应变，虽未能得胜于敌，敌不可得胜之道也。

它认为以无形而制有形，是一种即使不能战胜敌人，但也使敌人不能得胜的作战原则。可以说是立于不败之地的方法。"形"在古代兵法中，一指"战"形，即作战方式的创造和运用。二指示形，即创造一种迷惑敌人的外部形式。三指物质力量。所谓"无形"并非没有"形"或不要"形"；而是要隐蔽自己的意图、行动和实力，迷惑敌人。《兵略训》说：

> 兵贵谋之不测也，形之隐匿也，出于不意，不可以设备也。

可见，用兵无形，是指军事行动贵在谋虑不可测度，形体隐藏不露，举动出人意料，神出鬼没，使敌人不可以布置防范。

为什么要以无形制有形呢？因为任何战形、示形及物质力量，如果不能达到使人莫测高深、不知不觉的"无形"境界，那么一切有形的智巧刁泼都仍是有机可乘的，都是可以对付和制服的。《兵略训》说：

> 任天者可迷也，任地者可束也，任时者可迫也，任人者可惑也。

利用天道的人可能被天道迷惘，凭借地利的人可以受地形的束缚，依赖时机的人可以受时机的逼迫，依靠人和的人可以被人际关系弄糊涂。正如《兵略训》所说的，我方像麋鹿那样乱跑的话，那么，对方可以设"罝罘"以相制；我方像鱼鳖那样乱游，那么,对方可以设"网罝"以相取;我方像鸿鹄那样高傲飞翔,那么对方可以设"矰缴"以射落。只有对"无形"者无可奈何。换句话说,每一兵道的反面,都必然对生出克此兵道的策略。兵道无穷,胜克之策也无穷,这些都不是根本的取胜之道。而根本之道就在彻底扫除这些技巧、智谋的形迹,做到"无形"。《兵略训》说:

> 是故圣人藏于无原,故其情不可得而观;运于无形,故其陈不可得而经。无法无仪,来而为之宜;无名无状,变而为之象。深哉睭睭,远哉悠悠;且冬且夏,且春且秋。上穷至高之末,下测至深之底;变化消息,无所凝滞;建心乎窈冥之野,而藏志乎九旋之渊。虽有明目,孰能窥其情?

这种"藏于无原","运于无形"是一种"神明"的境界。这种境界与"独知人之所不能知""独见人之所不能见"境界一样。由于"无形"是"无法无仪",深幽玄妙,遥远渺茫,使对方不可观其情,也不得知其意,而无从防范,处于无可奈何的被动地步。

怎么样以无形制有形呢?首先要在用兵之前对敌我双方与军事有关的各种情况进行研究和对比分析,研究以无形制有形。《兵略训》说:

> 凡用兵者,必先自庙战:主孰贤?将孰能?民孰附?国孰治?蓄积孰多?士卒孰精?甲兵孰利?器备孰便?故运筹于庙堂之上,而决胜乎千里之外矣。

这里所谓"庙战",是指在战争开始之前在朝廷上的计谋、谋划和决策,它与孙武"庙算"相似。《孙子兵法·计篇》说:"夫未战而庙算胜者,得算多也;未战而庙算不胜者,得算少也。多算胜,少算不胜,而况于无算乎。""庙算"是战前在自己的指挥部中进行周密的研究、计算(古代出征命将,一般都在祭祀祖先的宗庙里进行，以示慎重）。凡是预计可以打胜仗的，是因为胜利的条件充分，预计不能打胜仗的，是因为条件不充分；条件充分则胜，不充分则不胜，无条件者肯定失败。经过了这样的计算和分析，就叫"先胜而后求战"的"胜兵"，就是"立于不败之地"的"善战者"，无论攻守，都能"自保而全胜"。相反，不经过战前的"庙算"就贸然出兵，就是"先战而后求胜"的"败兵"（《孙子兵法·形篇》）。《淮南子》将"算"改为"战"，在谋划的程度上，有所加深。《兵略训》说："兵，止也，防乱之萌，皆在谋略。""谋略"着重于战争的全局，犹如今之战略上的策划；"计算"、"权谋"则着重于某次具体的战争，犹如今战役上的计策。虽然它们还不能与现代战争中的"战略"与"战术"之概念相提并论，但其在谋划上的含义是相同的。通过"庙战"就可能决胜于千里之外，这是它提出用兵三策中的上策："修政庙堂之上而折冲千里之外。"而《孙子兵法·谋攻》提出过"上兵伐谋，其次伐交，其次伐兵，其下攻城，攻城之法为不得已"的思想，《淮南子》"庙战""而决胜乎千里之外"当是从其"上兵伐谋""不战而屈人之兵，善之善者也"（《孙子兵法·谋攻》）之中脱胎出来的。这种"决胜乎千里之外"的"胜"，就是无形之胜。它是通过"将孰能？民孰附？国孰治？蓄积孰多？士卒孰精？甲兵孰利？器备孰便"的"庙战"而取得的。因此，"庙战"又是知己知彼的过程。在知己知彼的基础上，进一步隐蔽己方的形迹，了解敌方的行踪，不断求得"制有形"的新招，找出制胜的关键点。可见《淮南子》"庙战"是对《孙子兵法》"庙算"思想的继承和发展。其次，是示形。示形用诈，使敌方"静不知其所守，动不知其所为"（《兵略训》）。此即孙子提出的"兵者，诡道也"（《孙子兵法·计篇》）、"兵以诈立"（《孙子兵法·军争》）。示形的基本原则是：致人而不致于人，形人而我无形。《兵略训》说的"使彼知吾所出，而不知吾所入；知吾所举；而不知吾所集"，当是示形基本原则的体现。就是隐己之真形，示乱以假象，使敌人产生种种错觉与失误，进而将敌人诱入失败的陷阱。示形的基本思想多是反示，即在于从真实点的对立面"造形"，或多示少，或少示多，或强示弱，或弱示强，或进示退，或退示进，变化无常。又分以虚实，以虚示敌，以实强己。《兵略训》说：

> 用兵之道，示之以柔而迎之以刚，示之以弱而乘之以强，为之以歙而应之以张，将欲西而示之以东，先忤而后合，前冥而后明，若鬼之无迹，若水之无创。故所乡（向）非所之也，所见非所谋也，举措动静，莫能识也，若雷之击，不可为备。所用不复，故胜可百全。与玄明通，莫知其门，是谓至神。

这里其示形者仿佛是战场上的高级魔术师，虚虚实实，真真假假，隐蔽自己的真实意图，以各种假象迷惑敌人，以达到以无形制有形。《孙子兵法·计篇》有著名的"诡道十二法"，即"故能而示之不能，用而示之不用，近而示之远，远而示之近，利而诱之，乱而取之，实而备之，强而避之，怒而挠之，卑而骄之，佚而劳之，亲而离之"。《兵略训》这里所讲的用兵之道与之一脉相通，体现了兵不厌诈的正确战术思想。再次，在隐形的同时，还必须持静。因为在以无形制有形之中，"静"起到重要作用。《兵略训》说："兵静则固。"这是说军队平静安定则稳固。与"静"相对的是"动"，"物未有不以动而制者也"（《兵略训》），就是说，事物没有不因为妄动而受制约或控制的。《兵略训》说：

> 静以合躁，治以持乱……敌先我动，则是见其形也；彼躁我静，则是罢其力也。形见则胜可制也，力罢则威可

> 立也。……是故圣人贵静。静则能应躁,后则能应先,数则能胜疏,博则能禽(擒)缺。

这是说用兵要善于耐心等待时机,以安静来对付敌方的急躁。一旦敌人形迹暴露了,急躁、疲惫了,我方就可以克敌制胜。可见,"静"既能稳定己方,不显形迹,达到隐形的目的;又能暴露敌方破绽,避其锋锐,攻其薄弱,克敌取胜。同时,这里体现了后发制人的战术思想。《淮南子》"静以合躁"源于老子以静驭躁思想,《老子》说:"静为躁君……躁则失君。"(《二十六章》)又说:"清静为天下正。"(《四十五章》)"我好静,民自正。"(《五十七章》)还说:"守静笃","归根曰静"(《十六章》)等等。这些是说静是动的主宰,动而不静,就失去了主宰。清静无为即可为天下首领,只要统治者好静,人民自然端正。人要切实坚守清静,万事万物归根结底都要回到出发点,就叫做"静"。《淮南子》将《老子》的守静论运用到军事指导思想上来,对于以无形制有形有一定作用。其"后发制人",从文字上来说,也源于《老子》。《老子·六十七章》说:"不敢为天下先",即不争先。老子对此一再予以强调。如:"是以圣人后其身而身先"(《七章》),"欲先人,必以身后之"(《六十六章》)等等。老子的这种思想衍化为一套"进道若退"(《四十一章》),后发制人的政治策略和军事战术。《淮南子》以无形制有形的用兵之术,体现了老子后发制人的战术思想,可以"视其所为,因与之化;观其邪正,以制其命"(《兵略训》)。但用兵无形也不排除"先发制人",因此,与《老子》只讲以退为进、后而不先相比,《淮南子》更为全面。

《淮南子》以无形制有形的用兵之术,实际上是"道"原则在战争中的运用。《兵略训》说:

> 夫有形埒者天下讼(公)见之,有篇籍者,世人传学

> 之，此皆以形相胜者也，善形者弗法也。所贵道者，贵其无
> 形也，无形则不可制迫也，不可度量也，不可巧诈也，不可
> 规虑也。

这是说，世上一切有形的事物都有一定范围和功能，同时也有一定的缺陷和局限，因而不能圆满完美。"道"之所以圆满无缺陷受人尊贵，就是因为它无形。这原是道家推崇"道"的一个很基本的特性，然而把这种特性用于一切人的活动，不论是政治、军事，也都能得出相同的结果。《淮南子》认为人的一切才智、德操都不如"道"完美，都有其缺陷。《兵略训》说：

> 仁勇信廉，人之美才也，然勇者可诱也，仁者可夺也，
> 信者易欺也，廉者易谋也，将众者有一见焉，则为人禽
> 矣。

认为将"人之美才"用于战争是行不通的，统领大军的"将众者"只要表现出"仁勇信廉"中的一种，就会被敌人利用而制服，因此说："兵以道理制胜而不以人才之贤"（《兵略训》）。为了进一步阐明这个道理，《兵略训》列举了八种人为的用兵机变与技巧，即"善修行陈者"、"善为天道者"、"善为诈伴者"、"善为充干者"、"善用轻出奇者"、"善为地形者"、"善因时应变者"、"善为设施者"。这八者或属兵权谋，或属兵形势，或属兵阴阳，或属兵技巧，当然都是用兵的高度修养，都是难能可贵的兵术，也是兵家不可缺少的学问和素养。《兵略训》说：

> 凡此八者，不可一无也，然而非兵之贵者也。

对于这八项具体军务和战术，《淮南子》肯定其不可无，但也点明了其非兵之贵。所贵者，道也。以"无形"的"道"来指导这一切，运作这一切，以道来统帅军事。"道"无形，用兵也应无形。用兵无形，高深莫测，难识难辨；用兵有形，有机可乘，易于制

服,所以要以无形制有形。

以无形制有形的战例在中国古代战争中不胜枚举。《史记·李将军列传》就记载了一件李广以无形制有形巧计脱险败匈奴之事。一次,李广率100名骑兵追击3名匈奴射雕人,发现远处来了几千名匈奴骑兵,李广率领的骑兵都很恐慌,想迅速往回走,李广认为"吾去大军数十里,今如此以百骑走,匈奴追射我立尽。今我留,匈奴必以我为大军之诱,必不敢击我。"于是命令大家前进,前进到离匈奴只有两里地,停下,下令大家下马"解鞍以示不走"。这样,匈奴果真不敢攻击了。后匈奴有一骑白马的将官出来检查他们的部队,被李广袭杀,敌人一直不敢攻击。半夜,匈奴害怕汉军伏击引兵而去。李广在敌我力量极为悬殊的情况下,临危不惧,以无形制有形,造成匈奴军的错觉,使之不战而退,成为我国古代战争史上著名战例。又如公元234年诸葛亮率蜀军第五次北伐魏军,蜀军多次挑战,魏军终不出战,两军相持了一百多天。据《资治通鉴》卷七十二记载,诸葛亮派人给司马懿送去"巾帼妇人之服"羞辱之,以激怒他出战,但司马懿依然按兵不动。八月诸葛亮病死军中,这次攻魏便结束。蜀军由长史杨仪率领,准备撤退。司马懿风闻诸葛亮已死,蜀军撤退,便率军追击。蜀军"反旗鸣鼓",假装要进攻魏军,司马懿恐诸葛亮未死,以计诱战,遂引军退回。于是杨仪率军南归。杨仪虽然没有达到预定的北伐目的,但他以无形制有形,在蜀军力量消耗很大的情况下,使魏军不敢攻蜀是有一定作用的。

(3) 因乘而迅疾论

《淮南子》以无形制有形不是消极被动,而是因利乘便,积极进行谋略思维,利用一切可因乘的条件,找出敌方破绽,迅疾击敌,克敌制胜。胜的关键在"因"上。《淮南子》认为天数、地利、人和是战争胜利的重要条件,但更为重要的是将领"因""乘"各种条件,扬己之长,纵敌之短而取胜。《兵略训》说:

> 所谓天数者,左青龙,右白虎,前朱雀,后玄武。所谓地利者,后生而前死,左牡而右牝。所谓人事者,庆赏信而刑罚必,动静时,举错疾。此世传之所以为仪表者,固也,然而非所以生。仪表者,因时而变化者也。

天数、地利、人事乃兵家世代所传的"仪表"。但是这并不是产生"仪表"的因素,产生"仪表"的因素,须能"因时而变化"。也就是说,天时、地利,乃至一切人为的法令、技巧都是用兵不可缺少的要件,然而能否取得战争的胜利,仍有待于妥善利用诸多条件的高超手法。"因",有依据、利用、凭藉的意思。在兵法上,能随时随地灵活机动地运用可利用的条件,创造胜利的契机叫做"因"。"乘"与"因"同义。善用兵者,不光要注重隐形、持静,还要注重因乘。只有能"因"一切可因的条件,善"乘"一切能乘的时机,才能获胜。"因",首先是要因天时、地利、人和等条件。《兵略训》说,善用兵者"上隐之天,下隐之地,中隐之人"。所谓"隐之天"就是因天时而隐之。对"大寒甚暑,疾风暴雨,大雾冥晦"等可因乘的天时,能"因"此而变者,就叫"隐之天"。所谓"隐之地"就是因地利而隐之。对"山陵丘阜,林丛险阻"等可因乘的地利,能利用它掩我而制敌,就叫"隐之地"。所谓"隐之人"就是因人谋而隐之。埋伏、追击、攻击等一切军事行动都"出入无形",使敌人"莫知其端绪者",就叫"隐之人"。《兵略训》所说的"随时而与之移"、"因形而与之化"、"因资而成功"都是指因天时、地利、人和等条件而用兵。其次是因敌致胜。因敌是依据敌情的变化而用兵,临战之前迅速而准确的掌握敌人的有关情况,制订对策。战争中,找出敌人破绽,抓住战机,因机而立胜。《兵略训》所谓"善用兵者,见敌之虚,乘而勿假也,追而勿舍也,迫而勿去也。""视其(敌)所为,因与之化;观其邪正,以制其命"。这些都是说的因敌而致胜。另外"因"在更广泛的意义层次上,是指决策环境中借助各方不同力量的相互制约,利用和引导各方面的变化,审时度势,促使各方面向有利于己方转化。《淮南子》"因时变而制宜适""乘时应变"(《氾论训》)已体现了这层意思。

"因乘"用兵思想在先秦已经有了。老子说:"上善若水。"(《老子·八章》)认为在战争中,作战方略应随兵形而有变化,如同水依地势而流一般。《孙子兵法·虚实》更明确地提出"因形而错(通措)胜于众,众不能知;人皆知我所以胜之形,而莫知吾所以制胜之形;故其战胜不复,而应形于无穷。"要求人们都要掌握"因乘"的用兵之术。又说:"兵形象水,水之形避高而趋下,兵之形避实而击虚。水因地而制流,兵因敌而制胜。故兵无常势,水无常形,能因敌变化而取胜者,谓之神。"发展了老子以水喻兵的思想,指出因敌致胜就叫做用兵如神。《吴子·议将》认为作战"必先占其将而察其才,因形用权,则不劳而功举"。一定要先判断观察敌方将领的才能,因敌情而使用计策权谋。这样就可不劳而成功。《吕氏春秋》说:"凡兵,贵其因也。因也者,因敌之险以为己固,因敌之谋以为己事。能审因而加胜(应作'势'),则不可穷矣。胜(衍字)不可穷之谓神,神则不可胜(不可战胜)也。"(《决胜》)发展了孙武因敌致胜的思想。《淮南子》继承了先秦思想家和兵家"因"的兵术,而在所"因"的对象上更为全面,因乘方式上更为积极。这些对后世有一定的影响。如明代何良臣《阵纪》说:"惟因字最妙,或因敌之险以为己固。或因敌之谋以为己计,或因其因复变用其因,或审其因而急乘其所因。"(《因势》)

与因乘用兵相配合的是迅疾。迅疾就是快速,疾速。即要求对瞬息万变的军情能够迅速掌握并作出果断决策;一经决定,则迅速接近敌人,迅速攻击敌人,迅速完成战斗。《兵略训》说:

> 善用兵,若声之与响,若镗之与鞈,眯不给抚,呼不给吸。

这是说用兵的速度极快,如同回音的应和,如同击鼓时发出的两声连响,使人迷了眼而来不及抚摸,呼气而来不及吸入。有了这样的速度,一旦发现敌人的薄弱环节,就要抓住不放,迅击疾攻,使敌人无法守,无法为,直至完全崩溃。《兵略训》说:

> 善用兵者,见敌之虚,乘而勿假也,追而勿舍也,迫而勿去也。击其犹犹,陵其与与,疾雷不及塞耳,疾霆不暇掩目。……当此之时,仰不见天,俯不见地,手不麾戈,兵不尽拔,击之若雷,薄之若风,炎之若火,凌之若波。敌之静不知其所守,动不知其所为。故鼓鸣旗麾,当者莫不废滞崩阤,天下孰敢厉威抗节而当其前者!故凌人者胜,待人者败,为人杓者死。

这里可以看出迅疾的作用,一方面是为了充分发挥"因乘"之术,即利用最有利的条件,把握最可为的战机,速战速决。另一方面也是为了实现以无形制有形。因为当我方以雷霆狂飙之势,迅疾出击之际,对方手足无措,不但无法应战,而且不暇见我形:"知吾所出,而不知吾所入;知吾所举而不知吾所集。"(《兵略训》)因此,我方得以保持"无形",操持主动,来无踪,去无影,如"神出而鬼形,星耀而玄逐,进退诎伸,不见朕垠(同'垠')"(《兵略训》)而运用迅疾之术也是有原则的,该出手时才出手。敌方虚实治乱未形,我方当静缓以待,敌方虚乱现形,我方才迅疾而攻。《兵略训》说:

> 善用兵者,当击其乱,不攻其治。是不袭堂堂之寇,不击填填之旗。容未可见,以数相持,彼有死形,因而制之。

> 视其所为,因与之化,观其邪正,以制其命。饵之以所欲,以罢其足。彼若有间,急填其隙。极其变而束之,尽其节而仆之。

迅疾而攻的原则也不是固定不变的,当敌人故意拖延,龟缩不动,欲以疲劳我军,《淮南子》认为,这时我军更应迅速出击,使对方无喘息之机。《兵略训》说:

> 敌迫而不动,名之曰奄迟,击之如雷霆,斩之若草木,耀之若火电。欲疾以速,人不及步铕(趋),车不及转毂,兵如植木,弩如羊角,人虽众多,势莫敢格。

迅疾之术的运用与实现,除了战场上的军事行动外,还必须有待于自我条件的充实与加强。《诠言训》说:

> (善用兵者)先为不可夺,以待敌之可夺,先为不可胜,以待敌之可胜。

《兵略训》也说:

> 善用兵者必先修诸己而后求诸人,先为不可胜而后求胜。

这些都是主张先要创造不可被战胜的条件,然后再去夺取胜利。

《淮南子》迅疾之术源于孙武。《孙子兵法》说:"兵之情主速,乘人之不及,由不虞之道,攻其所不戒也。"(《九地篇》)它认为用兵的意旨就是要迅速,出其不意,攻其不备。又说:"胜久则钝兵挫锐"(《作战篇》),"故兵贵胜,不贵久。"(《作战篇》)孙膑也认为用兵"迟"、"缓"和"师老"都是致败之由(见《孙膑兵法》:《将败篇》、《将失篇》)。《吕氏春秋》说:"凡兵,欲急疾捷先。欲急疾捷先之道,在于知缓徐迟后而(与也)急疾捷先之分也。急疾捷先,此所以决义(衍字)兵之胜也,而不可久处。知其不可久处,则知所兔起凫举死殪之地矣。虽有江河之险则凌之,虽有大山之塞则陷之,并气专精,心无有虑,目无有视,耳无有闻,一诸武而已矣。"(《论威》)这里所谓"急疾捷先",就是迅疾主动;所谓"缓徐迟后",就是迟缓被动。《吕氏春秋》强调急疾捷,主张用兵神速。

兵贵神速的战例在中国古代也不少。如公元621年唐高祖李渊派兵攻打割据江陵、自称梁帝的肖铣。赵郡王孝恭和李靖率兵自夔州(今四川奉节)顺流东下。此时,三峡江水正涨,诸将要求水落以后再进军。李靖说,兵贵神速,若乘水涨,突然抵其城下,使敌人措手不及,必然为我所擒。唐军随即以战船2000余艘,迅速出发,日夜兼程,急赶数百里,一举夺取了荆门(今湖北宜都西北)、宜都,最后肖铣被迫投降(见《新唐书·李靖传》)。从李靖所言可以看出他精通《淮南子》迅疾之术。

(4)"势"、"权"、"奇"论

《淮南子》论兵,除以无形制有形而外,又讲势、权、奇。《兵略训》说:

> 兵有三势,有二权。有气势,有地势,有因势。将充勇而轻敌,卒果敢而乐战,三军之众,百万之师,志厉青云,

气如飘风,声如雷霆,诚积逾而威加敌人,此谓气势。硖路津关,大山名塞,龙蛇蟠,却笠居,羊肠道,发笱门,一人守隘,而千人弗敢过也,此谓地势。因其劳倦怠乱、饥渴冻喝,推其擔擔,挤其揭揭,此谓因势。善用间谍,审错规虑,设蔚施伏,隐匿其形,出于不意,敌人之兵无所适备,此谓知权。陈卒正,前行选,进退俱,什伍搏,前后不相撼,左右不相干,受刃者少,伤敌者众,此谓事权。权势必形,吏卒专精,选良用才,官得其人,计定谋决,明于死生,举错得失,莫不振惊。故攻不待冲隆云梯而城拔,战不至交兵接刃而敌破,明于必胜之功也。

"气势",指军队的斗志;"地势"指选取有利的地形;"因势"指善于抓住战机。此三者合称"三势"。"知权"即懂得灵活掌握战机,这里指用间与隐形;"事权"即做事的权宜或权能,这里指列阵部伍、进退、法度等作战技巧。此二者合称"二权"。由此看来,倚道制胜机叫做"势";倚道随机应变叫做"权"。

《淮南子》论"势",不单在军事方面讲"三势"。它在讲"因循"之道时就已有了"因势"之论,所讲的是自然之势。其论政,亦好言势,《主术训》说:"人主之听治也……乘众势以为车。"又说"权势者,人主之车舆",又讲君臣关系为"相报之势",以臣之事君为"势之使之然"。强调"得势之利者,所持甚小,其存甚大"。总的来看,《淮南子》所论的"势",有广义和狭义之分。广义的"势"指一切的必然趋势、态势、形势而言,狭义的"势"则指权势而言。由于"势"是一种客观的存在和规律,而不是主观愿望可以随意行使的权力,所以"势"也为兵家所讲。有时又在"势"之上加一"形"字,叫做"形势"。《汉书·艺文志》有"兵形势"一类,专论如何利用行阵的分合变化,以创造有利情况而取胜。《孙子兵法》对"势"有许多形象的论述:"激水之疾,至于漂石者,势也"(《势篇》),这种如激水冲石之势,是指动势。"势如张弩,节如发机"(《势篇》),这种如张满的弓弩之势,是指态势。"如转圆石与千仞之山者,势也"(《势篇》),这种如高山滚石之势,是指位势。这些都是指事物的自然之势,但从其形象的表达来看,势具有快速性、突然性,这些具有了机动作战的特点。《孙子兵法》又说:"势者因利而制其权也。"(《计篇》)孙膑说:"其巧在于势。"(《孙膑兵法·纂卒》)《孟子·公孙丑上》说:"虽有智慧,不如乘势。"这又说明势不仅指事物自然之势,还包含人们主动创造之意。由此可见,在军事谋略学上,势的含义颇广。《吴子·论将》所言"四机"(气机、地机、事机、力机)是"势",《六韬·犬韬·武锋》所言"可击"敌军的十四战机也是势。《孙子兵法·计篇》指出:"计利以听,乃为之势,以佐其外。势者,因利而制权也。"也就是说,策略定了,还要创造一定的势,使策略得以顺利实行。《淮南子》综合了先秦诸家的理论,就其"三势"而言,包含颇广。凡是一切能够致胜的条件或情况都叫做"势"。《汉书·艺文志·兵书略》对"兵形势"作了这样的论述:"形势者,雷动风举,后发而先至,离合背向,变化无常,以轻疾制敌者也。"《淮南子》的"三势"较之更为具体、全面。

"权"与"势"有关。《孙子兵法·计篇》说:"势者因利而制其权",取势,必须制权。权,即权变,又与计谋有关。张预注释《孙子兵法》"因利制权"是"须因事之利,制为权谋,以胜敌耳。"《司马法·仁本》说:"以义治之之谓正,正不获意则权。"就是说,不能以公开的仁义的正道去解决,只能用非一般的、反常的、敌人不能察觉的手段去解决这就叫"权"。《淮南子》论

"道",本来就贵"权变",而不拘成法。用兵之术尤其不能只讲"正"而必须行权用谋以相辅,"权"与"谋"相生。能顺应"势"创造新"谋"叫做知"权"。所以常常权谋连称,而成为兵家至道。凡用兵、知兵者无不以权谋为要。《汉书·艺文志》分兵家为"权谋"、"形势"、"阴阳"、"技巧"四类,而以"权谋"统括其余三类:

> 权谋者,以正守国,以奇用兵,先计后战,兼形势,包阴阳,用技巧者也。

可见,用"奇"是权谋,"庙算"是权谋,一切应变之术,无不在权谋之列。所以先秦论兵者,无一不主"权"。除兵家皆论权外,《荀子·议兵》有"五权"。《管子·七法》也讲知"权"而用七法,必使"计定于内而后兵出乎境"也是权谋并言。不过各家说"权",都不免掺杂法令、仁义,有儒、兵、法之分。而纯粹以"权谋"为论的,只有孙子一家。

《淮南子》的"二权"中,其"知权"正合于《汉书·艺文志》"兵权谋":"先计后战"的要求。与"兵形势":"后发先至,离合背乡,变化无常"之意相似。而所谓"事权"正合于"兵技巧"的"习手足,便器械"。如果按《汉书·艺文志》的观点,除"二权"外,《淮南子》的"以无形制有形""迅疾""因乘"都应属兵权谋。

《淮南子》论势、权外,又主用"奇"。《兵略训》说:

> 同,莫足以相治也,故以异为奇……静为躁奇,治为乱奇,饱为饥奇,佚为劳奇。奇正之相应,若水、火、金、木之代为雌雄也。

"奇"与正相对,正指常法,奇指变法,以异道致胜谓之"奇"。借阴阳、刚柔、幽明、动静、正反变化之理,以混淆敌人耳目而达到无形制有形的目的也叫"奇"。

六 《淮南子》与传统军事理论

老子深知治国之道与用兵之策是不同的,因而提出了"以正治国,以奇用兵"(《老子·五十七章》);《文子·上礼》在老子的基础上提出了"以异为奇",以奇制胜的策略:"'以正治国,以奇用兵'。先为不可胜之政,而后求胜于敌。以未治而攻人之乱,是犹以火应火,以水应水也。同,莫足以相治,故以异为奇。奇,静为躁;奇,治为乱;奇,饱为饥;奇,逸为劳。(奇)正之相应,若水火金木之相伐也,何往而不胜!"《淮南子》显然是继承了文子的理论,发展了老子的以奇用兵的思想。

孙子提出"兵者,诡道也"(《孙子兵法·计篇》)"战势不过奇正,奇正之变,不可胜穷也。奇正相生,如循环之无端,孰能穷之哉?"(《势篇》)主张要正奇变化无穷。《淮南子》以权谋为"佐胜之具"(《兵略训》)就是渊源于孙子。孙子用兵,不称"义",而求"全"。所谓"全"者,"不战而屈人之兵"(《谋攻篇》)。《淮南子》论兵,分兵为三策,也源于孙子,但上策"德化"当然是儒家观念,不过它以不战而胜为用兵之善,又以"舆死扶伤,流血千里"为用兵下策,正与孙子相合。只不过孙子"不战"与求"全",是要通过权谋而定;《淮南子》则侧重正己以退敌,修政以感召。这是不同之处。然而一旦德化不可能而用兵,则《淮南子》也同于孙子。所以《淮南子》继承了孙子的许多论兵理论。不过《淮南子》论兵正如同兵家以外诸子论兵,仍多偏重于理论,而疏于技巧和经验。《淮南子》的军事学说对刘安自己来说,也没有用上。由于他决策时犹疑不决,置军事科学于不顾,最后企图通过军事冒险,侥幸取胜,其结局是可悲的。这正如《兵略训》所说:"夫为地战者不能成其王,为身战者不能立其功。"刘安要发动的是为实现其私利的非正义战争,失败是不可避免的。

七　《淮南子》的历史地位和评价

新道家《淮南子》,"兼儒、墨,合名、法"(《汉书·艺文志》),"采儒墨之善,撮名法之要"(《论六家要旨》)并不是一件很容易的事。"兼"、"合"、"采""撮"得不好,就会变成互相抵牾,或大杂烩。因此,对这部著作历来褒贬不一。

认为《淮南子》是"杂家"的,大多持贬抑态度。"杂家"之说始于《汉书·艺文志》。此后历代的正史之经籍志袭用《汉书》,直到《四库全书总目提要》亦仍其旧。不少学者倾向于"杂家"说且加以贬斥,认为《淮南子》驳杂不成一家之言。西汉末年学者扬雄在其著作《法言·问神》中曾引"或曰"说:"淮南、太史公者,其多知欤,曷其杂也?"此"杂"是指的杂拼而缺乏统领之意。黄震《黄氏日钞》则同于梁启超批评《吕氏春秋》,视为"天下类书之博者"(《黄氏日钞》卷五十五《读诸子·淮南子下》),既视为"类书"当然与兼合采撮不一样了。《四库简明目录》也说它"纵横曼衍,多所旁涉"(《四库简明目录》卷十三,子部、杂家)。现当代一些著名学者也有这样的看法。范文澜说:"《淮南子》虽以道为归,但杂采众家,不成为一家言。"(《中国通史》第二卷)侯外庐说:"其书意多杂出,文甚沿复。"(《中国思想通史》第二卷)冯友兰虽肯定《淮南子》的宇宙观,但认为此书"无中心思想"(《中国哲学史》)。

　　对于《淮南子》不成一家之言,前人早有驳正。高诱《淮南子注·叙目》说:"学者不论《淮南》,则不知大道之深也。"扬雄《法言·问神》驳斥"或曰"也说:"杂乎杂,人病以多知为杂,惟圣人为不杂。"称赞它"多知",而并非驳杂。又说:"淮南子一出一入,字直百金。"其推崇可谓至极。刘知几在《史通·自叙》中说:"其书牢笼天地,博极古今",刘勰也说《淮南子》"有倾天折地之说"(《文心雕龙·诸子》)。近现代学者也对《淮南子》大加赞赏。梁启超在《中国近三百年学术史·淮南子》中认为《淮南子》"匠心经营,极有伦脊,非漫然獭祭而已","其书博大而有条贯,汉人著述中第一流也",并称"《淮南鸿烈》为西汉道家言之渊府"。胡适说《淮南子》为"绝代奇书"(《淮南鸿烈集解·序》),"道家集古代思想的大成,而《淮南子》又集道家的大成"(《淮南王书》)。孙叔平《中国哲学史稿》说:"《汉书·艺文志》把《淮南子》列入'杂家'。其实,它并不是先秦各家思想的杂凑。对于道、儒、墨、法各家,它都有所继承,有所舍弃。"张岱年《中国哲学史史料学·淮南子》说:"《淮南子》主要是黄老之学,属于道家。"熊铁基《秦汉新道家略论稿》则认为"《淮南子》和《吕氏春秋》一样,是秦汉之际新道家的代表作"。这些驳斥《淮南子》不成一家之言的论述是中肯和实事求是的。

　　要驳斥《淮南子》不成一家之言的观点,必须给予《淮南子》符合实际的公正的评价,摆正它在中国学术史上的位置。

1. 集众家之长归之于新道家

西汉前期至中期,是中国古代学术思想承前启后的重要阶段。《淮南子》是西汉前期至中期新道家理论和实践的总结。它以道家为主,集众家之长归之于新道家。

先秦时期,诸子百家各自著书立说,各家有各家的特点:道家的自然无为,儒家的礼乐仁义,法家的严刑峻法,名家的名实之辨……他们都不相同,都分别反映了社会思想的一个方面。新道家学说是道家之学的新发展。它以道家思想为核心,熔铸儒、法等各家思想为一体,成为一种当时最完善,最行之有效的理论。《淮南子》的写作本意就是站在新道家的立场上对西汉以前的诸子百家进行批判性的总结,以构筑自己新的理论体系,为新生的统一的封建国家提供治国纲领。《要略》说:

> 若刘氏之书,观天地之象,通古今之事,权事而立制,度形而施宜,原道之心,合三王之风,以储与扈冶,玄眇之中,精摇靡览,弃其吟挈,斟其淑静,以统天下,理万物,应变化,通殊类,非循一迹之路,守一隅之指,拘系牵连之物,而不与世推移也,故置之寻常而不塞,布之天下而不窕。

这段落实于全书的写作旨意,决定了《淮南子》是一部集众家学说之长于新道家的著作,表现了作者容汇千川万流的大海般的胸怀和超越前人的气魄及对自己所创新的"不与世推移"的最终体系的自信。

《要略》回顾了殷周之际到战国末期道家以外各家学说、

七 《淮南子》的历史地位和评价

学派的形成及作用：

> 今《易》之《乾》、《坤》足以穷道通意也，八卦可以识吉凶、知祸福矣，然而伏羲为之六十四变，周室增以六爻，所以原测淑清之道，而捃逐万物之祖也。

这是讲《易》学。

> 文王之时，纣为天子，赋敛无度……文王欲以卑弱制强暴，以为天下去残除贼而成王道，故太公之谋生焉。

这是讲姜太公的兵学。

> 周公继文王之业，持天子之政，以股肱周室，辅翼成王。惧争道之不塞，臣下之危上也，故纵马华山，放牛桃林，败鼓折枹，搢笏而朝，以宁静王室，镇抚诸侯。成王既壮，能从政事，周公受封于鲁，以此移风易俗。孔子修成、康之道，述周公之训，以教七十子，使服其衣冠，修其篇籍，故儒者之学生焉。

这是讲儒家学说。

> 墨子学儒者之业，受孔子之术，以为其礼烦扰而不说，厚葬靡财而贫民，服伤生而害事，故背周道而用夏政。……故节财、薄葬、闲服生焉。

这是讲墨家学说。

> 齐桓公之时，天子卑弱……桓公忧中国之患，苦夷狄之乱，欲以存亡继绝，崇天子之位，广文、武之业，故《管子》之书生焉。齐景公内好声色，外好狗马……故晏子之谏生焉。

这是讲《管子》、《晏子》学说。

> 晚世之时，六国诸侯……力征争权，胜者为右，恃连与国，约重致，剖信符，结远援，以守其国家，持其社稷，故

>纵横修短生焉。

这是讲纵横学说。

>申子者,韩昭釐(王)之佐;韩,晋别国也……晋国之故礼未灭,韩国之新法重出,先君之令未收,后君之令又下,新故相反,前后相缪,百官背乱,不知所用,故刑名之书生焉。秦国之俗,贪狼强力,寡义而趋利,可威以刑,而不可化以善,可劝以赏,而不可厉以名……孝公欲以虎狼之势而吞诸侯,故商鞅之法生焉。

这是讲法家学说。从以上各家的形成过程,可见各家学说虽然各不相同,但都是为顺应当时统治者的需要而产生的。梁启超在《淮南子要略书后》一文中,将各学派的产生原因正确地概括为"皆起于时势之需求而救其偏敝",但其"所谓时势需求者,仅著眼于政治方面;似未足以尽之"(《中国古代学术流变研究》,中华书局1947年版)的批评,有所失察。《要略》中不仅从政治形势,也从地理环境、经济状况、人民智能风俗习惯等来说明各家形成。如《管子》成于齐国,除政治原因,还因为其地"东负海而北障河,地狭田少,而民多智巧"。又以韩国"地墝民险",作为申子刑名的成书条件。商鞅之法盛行秦国,还在于其俗"贪狼强力寡义而趋利,可威以刑而不可化以善,可劝以赏而不可厉以名"。仅就其政治原因来看,在为治理天下服务这大方向上是一致的。《氾论训》也说:"百家殊业,而皆务于治",又对各有所出的百家之言其相同作用有颇深刻的认识。从其产生的原因和作用的一致性来看,各家都有可以被吸收、利用的长处。《要略》中说要为"学者""详说"就必然会广泛吸收各家学说之长来形成自己的完整体系。

各具有长处的百家学说其相互关系如何呢?《淮南子》认

为,各家学说既有相互继承的一面,如《管子》"崇天子之位,广文、武之业";"孔子修成、康之道,述周公之训"(《要略》),又有后人否定前人的一面:"夫弦歌鼓舞以为乐,盘旋揖让以修礼,厚葬久丧以送死,孔子之所立也,而墨子非之。兼受尚贤,右鬼非命,墨子之所立也,而杨子非之。全性保真,不以物累形,杨子之所立也,而孟子非之。"如此"趋合人异"的原因,在于"各有晓心"(《氾论训》)。晓心,即心中明白,是思想家的思维活动及其结果,是其意识感于外界而动所作出的反映。然而,百家与新道家的关系,不是相反相成的配合互补,而是部分包含于整体。《齐俗训》说:"百家之言,指奏相反,其合道一体也。"《淮南子》站在新道家的立场上,重点继承了老庄的道家思想,但不是完全照搬因袭,而是有所选择,有所改造,有所创新。对儒、法各家有批判有吸收,兼合采撮各家之长,使之置于新道家思想的统帅之下,以道家思想为主体和核心。古今许多学者都明白这一点。东汉高诱《淮南子·叙目》中说:"其旨近《老子》,淡泊无为,蹈虚守静,出入经道。言其大也,则焘天载地,说其细也,则沦于无垠,及古今治乱存亡祸福,世间诡异瑰奇之事。其义也著,其文也富,物事之类,无所不载,然其大较归之于道。"这里"归之于道"即是指集众家之长于新道家。

《淮南子》直接标明引用的前人论述有《诗》、《周书》、《老子》、《庄子》、黄帝、孔子、《易》、《韩子》、《曾子》、《神农之法》、《慎子》、《管子》、《春秋》、《国语》、《书》、《公孙龙子》等16种,其中引用最多者为《老子》,81章被引用了42章,共60处。《淮南子》间接引用的前人论述则更多。据杨树达《〈淮南子〉证闻》粗略统计就有《老子》、《庄子》、《文子》、《列子》、《吕氏春秋》、《论语》、《孟子》、《荀子》、《商君书》、《尚书》、《诗经》、《左传》、

《公羊传》、《子思子》、《公孙龙子》、《尸子》、《礼记》、《楚辞》、《韩诗外传》、《邓析子》、《晏氏春秋》、《管子》、《墨子》、《战国策》、《新语》及邹衍大九州说等26种。其中，《原道训》"全衍《老子》之旨"；《俶真训》"全衍《庄子》之旨"；《地形训》"此文九州自冀州与《禹贡》九州偶同外，余皆与《禹贡》违异，盖即邹衍大九州也"；《缪称训》"多引证文，皆儒家说，与子思文同老七八节"；《道应训》"体裁效韩非《喻老篇》"。此外《庄子》、《吕氏春秋》被采用的也颇多。《文子》被采用的也较多，据刘文典《淮南鸿烈集解》引《文子》以校订《淮南子》的注文粗略统计，12篇全被采用，共达159处，为《淮南子》所采用最多的一种书。

《文子》，《汉书·艺文志》和《隋书·经籍志》都有著录。除篇数不同之外，两书的注都说文子是老子弟子。《文子》流传本与《淮南子》很多辞句是相同的，长期以来引起学者对该书的怀疑。唐《柳宗元集》中收有《辨文子》一文，认为《文子》是一部"驳书"，"窃取他书以合之者多"。章太炎、梁启超都如此说。胡适说得更明白：

  《文子》一书，相传是老子的弟子所作，内容往往与《淮南王书》相同，故清代学者多用来校正《淮南》。但《文子》实是伪书，只可算是一种《淮南》节本。"(《淮南王书》)
1973年，河北定县40号汉墓出土的大量竹简中就有《文子》，现已整理出与今本《文子》相同的文字六章。证明西汉流传的《文子》与今本《文子》大体相同，说明今本《文子》就是《汉书·艺文志》著录之本。据熊铁基《对〈文子〉的初步探讨》的研究，《文子》产生在战国末年，其思想和理论是新道家的理论基础。(详见《秦汉新道家略论稿》)如果将《淮南子》与今本《文子》相对照，更可以证明《文子》成书在《淮南子》之前，不是抄袭《淮

南子》而成。如《淮南子》、《文子》首篇都是论述宇宙本原"道"的,《文子》篇名《道原》,起首一段为:

老子曰:有物混成,先天地生,惟像无形,窈窈冥冥,寂寥淡漠,不闻其声,吾强为之名,字之曰道。夫道者,高不可极,深不可测,苞裹天地,禀受无形。原流泏泏,冲而不盈,浊以静之,徐清施之,无穷无所,朝夕表之。不盈一握,约而能张,幽而能明,柔而能刚。含阴吐阳而章三光,山以之高,渊以之深,兽以之走,鸟以之飞,麟以之游,凤以之翔,星历以之行。以亡取存,以卑取尊,以退取先。

《淮南子》首篇名《原道训》,起首一段为:

夫道者,覆天载地,廓四方,柝八极,高不可际,深不可测,包裹天地,禀授无形。原流泉浡,冲而徐盈;混混滑滑,浊而徐清。故植之而塞于天地,横之而弥于四海,施之无穷,而无所朝夕。舒之幎于六合,卷之不盈于一握。约而能张,幽而能明,弱而能强,柔而能刚。横四维而含阴阳,纮宇宙而章三光。甚淖而滒,甚纤而微。山以之高,渊以之深,兽以之走,鸟以之飞,日月以之明,星历以之行,麟以之游,凤以之翔。

这两段文字大致相同,内容基本一致,都是给"道"下的定义,但两相比较,《淮南子》字数多于《文子》,文字修饰优于《文子》,含义也更完备;而《文子》比《淮南子》要精练,《文子》那段的最后三句,不见于《淮南子》,这充分说明《文子》并非《淮南子》的节本。而正相反,《淮南子》是在《文子》的基础上广泛吸收各家学说整理发挥而成的。

1973年出土的长沙马王堆3号汉墓帛书《〈老子〉乙本卷前古佚书》,是流行于西汉前期的黄老新道家的著作。《淮南子》对其也有明显吸收。据余明光《黄帝四经与黄老思想》举例,被《淮南子》间接引用的就有11处。其中受影响最深的是道与法相结合的学说,变老庄的消极的"无为"为包含刑名法术之学在内的积极的"无为"。如《经法·道法》说:

> 道生法。法者,引得失以绳,而明曲直者殹(也)。故执道者,生法而弗敢犯殹,法立而弗敢废。□能自引以绳,然后见知天下而不惑矣。

《经法·名理》说:

> 是非有分,以法断之。虚静谨听,以法为符。……唯公无私,见知不惑,乃知奋起。

《十六经·姓争》说:

> 作争者凶,不争亦毋以成功。顺天者昌,逆天者亡。……刑德相养,逆顺若成。

《淮南子·主术训》则说:

> 法者,天下之度量,而人主之准绳也。县法者,法不法也;设赏者,赏当赏也。法定之后,中程者赏,缺绳者诛,尊贵者不重其罚,而卑贱者不重其刑,犯法者虽贤必诛,中度者虽不肖必无罪,是故公道通而私道塞矣。

《淮南子·修务训》也说:

> 若吾所谓"无为"者,私志不得入公道,嗜欲不得枉正术,循理而举事,因资而立[功],权自然之势,而曲故不得容者,事成而身弗伐,功立而名弗有,非谓其感而不应,攻而不动者。

可见《淮南子》和《经法》一样认为"法"是准绳,执法要公正无私;一样认为不能一味无作为,要顺应自然趋势而为。《淮南子》集众家之长归之于新道家,这就决定了《淮南子》是一部新道家的鸿烈集。

2. 对后世学术的影响

高诱在《淮南子·叙目》中说：
> 故夫学者不论《淮南》，则不知大道之深也。是以先贤通儒述作之士，莫不援采以验经传。

这里对《淮南子》学术影响的评价是符合实际的。

高诱，东汉涿郡人，卢植的弟子。他在《淮南子·叙目》中叙述其为《淮南子》作注的缘由时说：
> 自诱之少，从故侍中、同县卢君受其句读，诵举大义。会遭兵灾，天下棋峙，亡失书传，废不寻修二十余载。建安十年，辟司空掾，除东郡濮阳令，睹时人少为《淮南》者，惧遂凌迟，于是以朝铺（早晚）事毕之间，乃深思先师之训，参以经传道家之言，比方其事，为之注解，悉载本文，并举音读。典农中郎将弁（古"下"字，姓）揖借八卷刺之，会揖身丧，遂亡不得，至十七年，迁监河东，复更补足。

从这里可以看出高诱注《淮南子》是为了抢救珍贵的文化遗产。据高诱《吕氏春秋序》载，他在为《淮南子》作注之后，还为《吕氏春秋》作注（注中亦引用《淮南子》），使这两部新道家巨著在经过东汉末年大战乱后得以流传下来。高诱"作《淮南》"之前，还"正《孟子》章句"，而注《吕氏春秋》是在"《孝经》解毕讫"之后。高诱还曾注《战国策》。这表明高诱本人就是东汉末年以整理古籍著称的大学问家。其先师卢植是"海内大儒，人之望也"。"少与郑玄俱事马融。能通古今学，好研精而不守章句。"曾"作《尚书章句》、《三礼解诂》"(《后汉书·卢植传》),还曾与马日䃅、蔡邕等在东观校订中书《五经》传记,补续《汉记》。郑玄、马融都是东汉著名的经学家。"郑玄括囊大典,网罗众家,删裁繁诬,刊改漏失,自是学者略知所归。""凡玄所注《周易》、《尚书》、《毛诗》、《仪礼》、《礼记》、《论语》、《孝经》、《尚书大传》、《中候》、《乾象历》,又著《天文七政论》、《鲁礼禘祫义》、《六艺论》、《毛诗谱》、《驳许慎五经异义》、《答临孝存周礼难》,凡百余万言。"(《后汉书·郑玄传》)马融"才高博洽,为世通儒,教养诸生,常有千数。……著《三传异同说》。注《孝经》、《论语》、《诗》、《易》、《三礼》、《尚书》、《列女传》、《老子》、《淮南子》、《离骚》,所著赋,颂……对策、遗令,凡二十一篇"(《后汉书·马融传》)。他所注《淮南子》全佚。高诱《淮南子注》显然是师承卢植、马融而成。

据《隋书·经籍志》记载,《淮南子》还有许慎注。许慎也是东汉经学家,"少博学经籍,马融常推敬之,时人为之语曰:'《五经》无双许叔重。'……撰为《五经异义》,又作《说文解字》十四篇。"(《后汉书·许慎传》),《说文解字》是我国第一部说解文字原始形体结构及考究字源的文字学专著,其中引用了《淮南子》,如四篇上鸟部"凤"字下云"濯羽弱水,莫宿凤穴",就是引自《览冥训》。

又据《文选》李善注,《淮南子》还有延笃注。延笃是有名的经学家,"少从颍川唐溪典受《左氏传》……又从马融受业,博通经传及百家之言,能著文章,有名京师"(《后汉书·延笃传》)。

虽然这四种注至今只有高、许合成的一种注本,但在东汉后期竟有四位著名经学家竞相为《淮南子》作注,充分说明自汉武帝独尊儒术以来,以《淮南子》为代表的新道家在学术界并未完全受到排斥,相反在当时还颇受重视,成为热门。

《淮南子》在西汉时因其政治因素的影响,受到统治者的冷遇。汉武帝接受刘安献书"爱秘之",名为"爱",实在"秘",不愿《淮南子》在社会上广为流传。但《淮南子》还是受到有识之士的重视和引用。如刘文典《淮南鸿烈集解·天文训》引钱大昕云:

> 太史公《天官书》多承《淮南》之文,唯改太阴为岁阴,其说岁星晨出之月,与《淮南》常差两月,一举夏正,一用天正,似异而实同。……班氏《天文志》虽承史公之文,而改岁阴为太岁,不复言太阴,是东汉人已不知太阴、太岁之有别矣。

《史记》在自然科学的天文学方面直接引用了《淮南子》的内容,这在"淮南狱"后不久,充分显示了司马迁的胆识,也表明《淮南子》的学术价值。东汉著名科学家张衡的天文学著作《灵宪》也引用了《淮南子·天文训》的内容。

司马迁在《史记·太史公自序》中收录了其父司马谈的《论六家要旨》,虽按当时官方意旨将儒家列为各家之首,但文中最为推崇的所谓道家即新道家,这实际上是不指名地推崇《淮南子》。因为"因阴阳之大顺,采儒墨之善,撮名法之要",正是《淮南子》的学术特色,而"立俗施事,无所不宜,指约而易操,事少而功多",正是对《淮南子》学术价值的赞崇。

汉武帝死后,昭帝继位,为检讨武帝时以盐铁官营为主的各项政策,于始元六年(公元前81年)召开盐铁会议,从各地召集来的60名文学贤良与武帝时主持经济改革的御史大夫桑弘羊展开了激烈的辩论。《盐铁论》是桓宽记述两派辩论的记录。辩论双方除博引先秦文献外,亦引用当代文献。如《盐铁论·毁学》大夫曰:"司马子言:'天下攘攘,皆为利往。'"《盐铁论·箴石》贤良曰:"贾生有言曰:'恳言则辞浅而不入,深言则逆耳而失指。'"文学曰:"始江都相董生推言阴阳,四时相继,父生之,子养之,母成之,子藏之。"《盐铁论·晁错》记载双方专门就淮南王刘安的著作进行辩论:

> 大夫曰:"……日者,淮南、衡山修文学,招四方游士,山东儒墨咸聚于江淮之间,讲议集论,著书数十篇,然卒于背义不臣,谋叛逆,诛及宗族。"

> 文学曰:"……春秋不以寡犯众,诛绝之义有所止,不兼怨恶也。故舜之诛,诛鲧;其举,举禹。夫以玙璠之珑而弃璞,以一人之罪而兼其众,则天下无美玉信士也。"

可见刘安的著作在当时是与贾谊、司马迁、董仲舒等人的著作一样具有重大的社会影响,特别是在以文学贤良为代表的学术界中,反对株连,并不因为刘安谋反失败而否定其著作的学术地位。

刘向是西汉后期的著名学者,所著《说苑》20卷,据赵善诒《说苑疏证》(华东师大出版社1985年版)考证,该书所采古事古语出自《淮南子》的有39处。其另一著作《新序》对《淮南子》也有所引用。

扬雄是西汉末年的著名学者,在其《法言》中将淮南与太史公相对比:

"或曰:'淮南、太史公者,其多知欤,曷其杂也?'曰:'杂乎杂,人病以多知为杂,惟圣人为不杂。书不经,非书也。言不经,非言也。言书不经,多多赘矣。'"(《问神》)

"淮南说之用,不如太史公之用也。太史公,圣人将有取焉,淮南鲜取焉尔,必也儒乎。乍出乍入,淮南也。"(《君子》)这里扬雄虽然说刘安不及司马迁,但实际上还是承认刘安具有相当的学术地位。

《白虎通义》是班固根据经学家讨论、汉章帝裁决而撰写的一部儒家经典。该书是董仲舒以来今文经学说的总结,书中有些内容亦引自《淮南子》。如《八风》:

> 风者……象八卦。阳生于五,极于九,五九四十五日变,变以为风,阴合阳以生风也。距冬至四十五日条风至,条者正也。四十五日明庶风至,明庶者迎众也。四十五日清明风至,清明者清芒也。四十五日景风至,景大也,阳气长养。四十五日凉风至,凉寒也,行阴气也。四十五日昌盍风至,戒收藏也。四十五日不周风至,不周者不交也,阴阳未合化也。四十五日广莫风至,广莫者大也,同阳气也。

《淮南子·天文训》中说:

> 何谓八风?距冬至四十五日条风至,条风至四十五日明庶风至,明庶风至四十五日清明风至,清明风至四十五日景风至,景风至四十五日凉风至,凉风至四十五日阊阖风至,阊阖风至四十五日不周风至,不周风至四十五日广莫风至。

显然《白虎通义·八风》本自《淮南子·天文训》的这段话。可见,《淮南子》在经学盛行的东汉仍很有一定的影响。

东汉前期著名的思想家王充撰写《论衡》,极力反对经学神学化的思想。他在其《道虚》中说:

> 儒书言:淮南王学道,招会天下有道之人,倾一国之尊,下道术之士。是以道术之士,并会淮南,奇方异术,莫不争出。王遂得道,举家升天,畜产皆仙,犬吠于天上,鸡

鸣于云中。此言仙药有余,犬鸡食之,并随王而升天也。好道学仙之人,皆谓之然。此虚言也。……案淮南王刘安,孝武皇帝之时也。父长,以罪迁蜀严道,至雍道死。安嗣为王,恨父徙死,怀反逆之心,招会术人,欲为大事。伍被之属充满殿堂,作道术之书,发怪奇之文,合景(影)乱首,八公之(传)[俦],欲示神奇若得道之状,道终不成,效验不立,乃与伍被谋为反事,事觉自杀,或言诛死。诛死、自杀,同一实也。世见其书深冥奇怪,又观八公之(传)[俦]似若有效,则传称淮南王仙而升天,失其实也。

这段记载表明,原是刘安谋反失败,随刘安牵连而死数万人的悲剧,大约在东汉初已被神化为"一人得道,鸡犬升天"的喜剧。王充一针见血地指出"此虚言也",并进一步分析形成这传闻的原因与《淮南子》的"深冥奇怪"有关。

东汉末年著名学者应劭在其《风俗通义·正失》中说:

俗说:淮南王安,招致宾客方术之士数千人,作《鸿宝》、《苑秘》枕中之书,铸成黄白,白日升天。谨按:《汉书》淮南王安……亲伏白刃,与众弃之,安在其能神仙乎?安所养士,或颇漏亡,耻其如此,因饰诈说,后人吠声,遂传行耳。

刘安升天的神话在东汉广为流传,应劭对此进行辩驳,分析这种神话的产生与"漏亡"的刘安养士宾客有关,也颇有道理。

东晋著名道教理论家葛洪《神仙传》收有刘安,将刘安正式作为道教的神仙。以后《淮南子》也被视为道教的经典,现传明正统《道藏》四辅第四太清部收有《淮南鸿烈集解》二十八卷,分收在"动"、"神"、"疲"三函之中。

两汉以后,《淮南子》仍被他人著作引用,据刘文典《淮南鸿烈集解》粗略统计,有《晋书》、《宋书》、《隋书》、《史记索隐》、《史记正义》、《史记集解》、《汉书》晋灼注和颜师古注、《后汉书》李贤注、《水经注》、《山海经》郭璞注、《穆天子传》郭璞注、《世说新语》刘孝标注、《大戴礼记》卢辩注、《文选》李善注、《说文解字注》、《齐民要术》、《玉篇》、《北堂书钞》、《艺文类聚》、《一切经音义》、《白贴》、《开元占经》、《列子释文》、《太平广记》、《太平御览》、《酉阳杂俎》、《广韵》、《群书治要》、《困学纪闻》、《路史》、《意林》、《本草衍义序例》、《字汇补》、《云笈七签》、《摄大乘论音义》、《孔子集语》、《续博物志》等38种。其中《太平御览》1000卷,有208卷引用《淮南子》,遍及《要略》以外的20篇,共计260处;《艺文类聚》100卷,有49卷引用《淮南子》,遍及《时则训》、《主术训》以外的19篇,共59处;《初学记》30卷,有18卷引用《淮南子》,遍及《时则训》、《精神训》、《本经训》、《缪称训》、《道应训》、《要略》以外的15篇,共计44处;《文选》700余首,有80首的注引用《淮南子》,遍及《时则训》、《缪称训》、《诠言训》以外的18篇,共计139处。

唐宋以降,由于统治者倡导四书五经和佛学对儒学的影响日益加深,《淮南子》一度受到冷落,真正又受到关切是以清代乾嘉学派开始。在校订、研究《淮南子》方面成就较大的著名学者有惠栋、黄丕烈、顾广圻、卢文弨、王念孙、钱大昕、钱塘、钱坫、孙志祖、刘台拱、俞樾、陶方琦等。民国以来整理研究《淮南子》的著名学者有吴承仕、杨树达、王叔岷、沈雁冰、胡适、刘文典、于大成、徐复观等等。

《淮南子》备受两汉学者的重视,被后世书籍广泛引用,以及乾嘉以来许多学者为之整理、研究,这些说明《淮南子》对后世学术思想有着重大影响。

附录一

《淮南子》选译

原 道 训

[原文] 夫道者,覆天载地,廓四方,柝八极。高不可际,深不可测。包裹天地,禀授无形。原流泉浡,冲而徐盈。混混滑滑,浊而徐清。故植之而塞于天地,横之而弥于四海。施之无穷,而无所朝夕。舒之幎于六合,卷之不盈于一握。约而能张,幽而能明。弱而能强,柔而能刚。横四维而含阴阳,纮宇宙而章三光。甚淖而滒,甚纤而微。山以之高,渊以之深。兽以之走,鸟以之飞。日月以之明,星历以之行。麟以之游,凤以之翔。

[译文] 道,覆盖上天,承载大地,扩展到四面八方,无边无际。它高到没法达到它的顶,深到没法量出它的底。包裹了天地,孕育了万物。它像泉水从源头涌出,由虚缓而渐渐地盈满。又似滚滚波涛,由浑浊

而慢慢地变得清澈。所以把它直立起来可以充满天地之间,把它横放下去可以布满四海之内。用它能无穷无尽,永远没有盛衰的变化。它伸展开来可以盖住上下四方,收卷起来还不满一把。它既能收束又能张开,既能昏暗又能显明。既能纤弱又能刚强,既能柔软又能坚硬。它横贯了天地而包含着阴阳,维系着宇宙而使日月星辰发出光芒。它非常柔和,又极其纤细。但是,山峰因为有了它才高耸,水潭因为有了它才深邃。野兽因为有了它才会奔跑,鸟雀因为有了它才会飞翔。日月因为有了它才大放光明,星辰因为有了它才能够运行。麒麟因为有了它才出游,凤凰因为有了它才翱翔。

[原文] 故得道者,志弱而事强,心虚而应当。所谓志弱而事强者,柔毳安静,藏于不敢,行于不能,恬然无虑,动不失时,与万物回周旋转,不为先唱,感而应之。是故贵者必以贱为号,而高者必以下为基。托小以包大,在中以制外。行柔而刚,用弱而强,转化推移,得一之道,而以少正多。所谓其事强者,遭变应卒,排患扞难,力无不胜,敌无不凌,应化揆时,莫能害之。是故欲刚者,必以柔守之;欲强者,必以弱保之。积于柔则刚,积于弱则强。观其所积,以知祸福之乡。强胜不若己者,至于若己者而同。柔胜出于己者,其力不可量。

[译文] 所以得道的人,心志柔弱而能处事刚强,心境虚静而能行动恰当。所谓心志柔弱而能处事刚强,是说他柔弱安静,把自己隐藏于不敢有所作为之中,行动上也好像无能为力,平平静静地无思无虑,一举一动不失时宜,顺着自然万物的运动变化,不去首先倡导,感受了以后才去应和。因此尊贵的君王们总是用谦卑的词孤寡之类来称呼自己,高大的建筑物也必定以低处为基础。寄托在小处能包容广大,处在中间能控制四面八方。行动看起来柔弱而实际上刚毅,处事看起来怯懦而实际上坚强,将这个原理转化推移开去,就可以得到无所不包的道,就能够以少制多。所谓处事刚强,是说在遭受变故,应付意外,排除祸患,抵御危难的

时候,没有什么东西不能战胜,没有什么敌人不能打败,应对变化,考察时势,没有什么力量能够伤害他。所以想要刚毅,必须用柔弱来守护它;想要坚强,必须用怯懦来保养它。积聚柔弱多了就会刚毅,积聚怯懦多了就会坚强。观察积累的多少,就可以预见祸福在什么地方了。用强力只能胜过力量不如自己的人,遇到和自己力量相等的,就势均力敌不能取胜了。柔弱可以胜过力量大于自己的人,它的力量是不可估量的。

[原文]　　故天下神器,不可为也。为者败之,执者失之。夫许由小天下而不以己易尧者,志遗于天下也。所以然者何也?因天下而为天下也。天下之要,不在于彼而在于我,不在于人而在于我身。身得则万物备矣。彻于心术之论,则嗜欲好憎外矣。是故无所喜而无所怒,无所乐而无所苦,万物玄同也。无非无是,化育玄耀,生而如死。夫天下者亦吾有也,吾亦天下之有也。天下之与我,岂有间哉?夫有天下者,岂必摄权持势,操杀生之柄,而以行其号令邪?吾所谓有天下者,非谓此也,自得而已。自得则天下亦得我矣。吾与天下相得,则常相有已,又焉有不得容其间者乎?所谓自得者,全其身者也。全其身则与道为一矣。

[译文]　　所以天下是神圣的东西,不可以人为地去求取它。人为地去求取它,就要失败,把持了它,也会失去。许由以天下为小而不愿代替尧的君位,是因为他把天下在心目中抛开了。他所以这样做是什么原因呢?就是他知道要顺应自然规律来对待天下。天下的关键,不取决于他物而在于自己,不取决于别人而在于本身。身心得到了满足,那么天下万物就可说是齐备了。彻底懂得了心术的道理,那么嗜欲好恶都可以排除在外。因此没有值得喜欢,也没有值得发怒的,没有值得快乐,也没有值得痛苦的,天地万物都是同一的。没有什么是和非,它们的生长发育都由上天的照耀,生和死也是一样。天下属于我所有,我也属于天下所有。天

下和我之间,难道还有隔阂吗?拥有天下,哪里一定是要倚仗权势,把持生杀大权来发号施令呢?我所说的拥有天下,不是指的这些,而是自己满足罢了。自己满足那么天下也就对我满足了。我和天下互相满足,那么就天下有我,我也有天下,自己又怎么不能容身于天地之间呢?所说的自己得到满足,是指保全自身的完美。保全自身的完美,也就与道融成一体了。

[原文]　　夫形者,生之舍也;气者,生之充也;神者,生之制也。一失位则三者伤矣。是故圣人使人各处其位,守其职,而不得相干也。故夫形者非其所安也而处之则废,气不当其所充而用之则泄,神非其所宜而行之则昧。此三者,不可不慎守也。

[译文]　　形体,是生命的外壳;气脉,是生命的支柱;精神,是生命的主宰。一旦偏离了它们应处的位置,就会使三者都受到损伤。所以,圣人总是使人们各自安守自己的位置,履行自己的职责,而不让他们互相干扰。所以,对形体来说,不是安适的地方而去处之,就会遭到破坏;对气脉来说,不是该充实的地方而去使用,就会受到泄失;对精神来说,不是处在合理的地方而去推行,就会变得昏暗。这三种东西,是不能不谨慎地去对待的。

俶 真 训

[原文]　　夫鱼相忘于江湖,人相忘于道术。古之真人,立于天地之本,中至优游,抱德炀和,而万物杂累焉,孰肯解构人间之事,以物烦其性命乎?夫道有经纪条贯,得一之道,连千枝万叶。是故贵有以行令,贱有以忘卑,贫有以乐业,困有以处危。夫大寒至,霜雪降,然后知松柏之茂也;据难履危,利害陈

于前，然后知圣人之不失道也。是故能戴大员者履大方，镜太清者视大明，立太平者处大堂，能游冥冥者，与日月同光。是故以道为竿，以德为纶，礼乐为钩，仁义为饵，投之于江，浮之于海，万物纷纷，孰非其有？

[译文]　　鱼在江湖里遨游可以互相遗忘，人化在大道之中可以忘记一切。古代的真人，立足在天地的根本之处，承受中和之气，优游自在，怀抱着圣德，熏陶着和气，看待自然万物好像是杂乱的尘埃，谁愿意去参与人间的琐事，让外界事物扰乱自己的天性，辱没自己的生命呢？道是有条理秩序的，得到了"一"这个道的根本，千枝万叶就可以连通起来。因此尊贵的君王就有了行使命令的地方，低贱的人就有了忘记卑下的时候，贫穷的人就有了乐于本业的途径，困苦的人就有了度过危难的办法。严寒来临时，霜降雪落，这时才知道松柏枝叶繁茂，常盛不凋；处境困难，面临危险，利害摆在眼前，这时才知道圣人不会丢失道的本性。因此能够头顶着青天的人便能够脚踏大地，以太空作为镜子的人便能明察秋毫，创建太平盛世的人便能立于光辉的明堂之上，能够在冥冥中遨游的人，便能和日月发出一样的光芒。所以用道作钓竿，用德作丝线，用礼乐作钓钩，用仁义作钓饵，投到大江之中，飘浮在大海之上，世间纷纭的万事万物，有哪一个不会归它所有呢？

[原文]　　是故与至人居，使家忘贫，使王公简其富贵而乐卑贱，勇者衰其气，贪者消其欲，坐而不教，立而不议，虚而往者实而归，故不言而能饮人以和。是故至道无为，一龙一蛇，盈缩卷舒，与时变化。外从其风，内守其性，耳目不耀，思虑不营。其所居神者，台简以游太清，引楯万物，群美萌生。是故事其神者神去之，休其神者神居之。道出一原，通九门，散六衢，设于无垓坫之宇，寂寞以虚无，非有为于物也，物以有为于己也。是故举事而顺于道者，非道之所为也，道之所施也。

[译文]　　因此和道德修养很高的人相处在一起,使家居的人忘掉贫困,使王公贵族看轻富贵而乐于卑贱,刚勇的人会衰减他的锐气,贪婪的人会消除他的欲望,他静坐着不说教,站立着不议论,空着去他那儿学习的人会满载而归,所以他不必说话就能使人精神和谐。因此最高的道是无所作为的,或者像龙,或者像蛇,可升可伏,可卷可伸,随着时势变化。外表适应它的环境,内心保持它的本性,耳目不被声色迷惑,思想不被外物扰乱。道所表现的精神,则持守大的原则遨游于太空,促使万物生息,各种美好的事物蓬勃成长。因此使用精神过度的人,精神就会离开他,善于蓄养精神的人,精神就会伴随着他。道从产生它的本原出发,向上直通九天之门,向下分布于六合通衢,施向无边无际的宇宙,它寂寞而虚无,不是有意要对万物做些什么,而是万物会按照自身规律有所作为。因此办事合乎于道的人,并不是道对他做了什么,而是道影响着他罢了。

[原文]　　今夫积惠重厚,累爱袭恩,以声华呕苻妪掩万民百姓,使知之䜣䜣然,人乐其性者,仁也。举大功,立显名,体君臣,正上下,明亲疏,等贵贱,存危国,继绝世,决挐治烦,兴毁宗,立无后者,义也。闭九窍,藏心志,弃聪明,反无识,芒然仿佯于尘埃之外,而消摇于无事之业,含阴吐阳,而万物和同者,德也。是故道散而为德,德溢而为仁义,仁义立而道德废矣。

[译文]　　现在积聚恩惠,加施慈爱,用声誉和荣耀去爱护养育万民百姓,使他们高高兴兴,人人都乐意享受生活的欢乐,这就是仁。建立丰功伟绩,树起显赫的名声,使君臣亲密无间,摆正上下的关系,明确亲疏远近,区别贵贱等级,保存危难中的国家,恢复已灭绝的世族,决断治理纷乱烦杂的事务,复兴毁坏的宗庙,扶立没有后嗣的家庭,这就是义。禁绝人的情欲,隐藏起内心想法,抛弃聪明智慧,返回质朴无知的境地,茫茫然徘徊在世俗尘埃之外,逍遥于无需从事的事业之中,吞吐阴阳之气,和万物和睦同心,这就是德。因此道分散开来而成为德,德流溢出来

而成为仁义,仁义树立起来则道德就废止了。

[原文] 是故圣人之学也,欲以返性于初而游心于虚也。达人之学也,欲以通性于辽廓而觉于寂漠也。若夫俗世之学也则不然,擢德搴性,内愁五藏,外劳耳目,乃始招蛲振缱物之豪芒,摇消掉捎仁义礼乐,暴行越智于天下,以招号名声于世,此我所羞而不为也。是故与其有天下也,不若有说也;与其有说也,不若尚羊物之终始也,而条达有无之际。是故举世而誉之不加劝,举世而非之不加沮。定于死生之境,而通于荣辱之理,虽有炎火洪水弥靡于天下,神无亏缺于胸臆之中矣。若然者,视天下之间,犹飞羽浮芥也,孰肯分分然以物为事也!

[译文] 因此圣人的学习,是要把心性返回到本原,让心灵在无情无欲的境界中遨游。通达知命的人的学习,是想使心性通达于辽阔无边之处,在寂寞虚无中觉悟到自己的本性。说到世俗的人的学习就不是这样了,他们抛弃人的德性,内心愁苦使五脏六腑受损,外部忙乱使耳朵眼睛劳累,又开始无休止地追逐微小的利益和事物,奔走鼓吹仁义礼乐,在天下显扬表露自己的智慧和机巧,以谋求在世上招摇呼号博得好的名声,这种行为是我感到羞愧而不愿意做的。所以与其这样占有天下,不如舍弃了它;与其舍弃了它,不如逍遥于万物的变化之中,而通达至有无的境界里。因此全天下都来赞扬他,他也不会更加努力,全天下都来指责他,他也不会感到沮丧。在生和死的环境中泰然自若,在荣誉和耻辱面前无动于衷,即使有烈火、洪水蔓延泛滥于天下,自己的精神也不会感到惶恐欠缺。能够做到这样,就可以把天下的万事万物,都看得像飞扬的羽毛和浮动的小草一样,谁还愿意忙忙碌碌地把外物当做一回事呢!

[原文] 静漠恬澹,所以养性也,和愉虚无,所以养德也。外不滑内,则性得其宜;性不动和,则德安其位。养生以经

世,抱德以终年,可谓能体道矣。若然者,血脉无郁滞,五藏无蔚气,祸福弗能挠滑,非誉弗能尘垢,故能致其极。非有其世,孰能济焉?有其人,不遇其时,身犹不能脱,又况无道乎?

[译文]　　静漠恬淡,是用来修养本性;和愉虚无,是用来修养道德。外物不惑乱内在的本性,那么本性就能有安定的处所;本性保持平和之气,那么道德就能有安定的位置。人能够保养性命用来治理社会,持守道德以便享受天年,这可以说是体验到道了。这样的话,血脉不会郁积阻滞,五脏没有病痛伤害,灾祸与福气不能扰乱,非难与赞誉不能玷污,所以能达到最高的理想境界。但如果没有好的世道,怎么又能够做到呢?有这样的人,没有遇到好的世道,自身还不能脱难,何况是没有得道的人呢?

天　文　训

[原文]　　天道曰圆,地道曰方。方者主幽,圆者主明。明者吐气者也,是故火曰外景;幽者含气者也,是故水曰内景。吐气者施,含气者化,是故阳施阴化。天之偏气,怒者为风,地之含气,和者为雨。阴阳相薄,感而为雷,激而为霆,乱而为雾。阳气胜则散而为雨露,阴气胜则凝而为霜雪。

[译文]　　天的构形是圆的,地的构形是方的。方的大地主管幽暗,圆的上天主管光明。主管光明的天吐散阳气,所以火的光芒在外;主管幽暗的地蕴含阴气,所以水的光芒在内。吐散阳气的天放出光芒施予大地,蕴含阴气的地吸收光芒孕育万物,所以说阳气施予阴气孕育。天的偏离之气,郁结多了形成怒气,就产生风;地的蕴含之气,积累多了互相交合,就产生雨。阴气和阳气相逼近,感应而成为雷,激荡而成为霆,散乱而成为雾。阳气强烈占了上风,便散发为雨露,阴气强烈占了上风,便凝结为霜雪。

[原文]　　季春三月，丰隆乃出，以将其雨。至秋三月，地气不藏，乃收其杀。百虫蛰伏，静居闭户。青女乃出，以降霜雪，行十二时之气，以至于仲春二月之夕，乃收其藏而闭其寒。女夷鼓歌，以司天和，以长百谷禽鸟草木。孟夏之月，以熟谷禾，雄鸠长鸣，为帝候岁。是故天不发其阴，则万物不生；地不发其阳，则万物不成。天圆地方，道在中央。日为德，月为刑。月归而万物死，日至而万物生。远山则山气藏，远水则水虫蛰，远木则木叶槁。日五日不见，失其位也，圣人不与也。

[译文]　　春三月的时候，雨师便出现了，开始下雨。到了秋天九月，地气向地下隐藏，并收敛其肃杀之气。各种各样的昆虫潜伏起来，关闭门户静静地待在洞穴中。这时主管霜雪的青女之神来临了，开始降霜下雪，施行秋冬十二节气的阴寒之气，直到第二年的春二月下旬，才收住隐藏的地气闭塞严寒。这时主管万物生长的女夷接替青女出来击鼓唱歌，管理上天自然和顺之气，促使百谷禽鸟草木生长。夏四月，阳温之气让谷禾成熟，布谷鸟长声鸣叫，为天帝预报年成。因此上天不释放阴气，则万物不能生长；大地不释放阳气，则万物不能成熟。上天是圆的，大地是方的，而道正在天地中间。太阳是德，月亮是刑。月亮阴气归去，万物趋于死亡；太阳阳气到来，万物发育生长。太阳远离山丘，山丘的云气就隐藏起来；太阳远离水域，水中的虫鱼就蛰伏起来；太阳远离树木，树木的叶子就会干枯。太阳连续五天隐藏起来不露面，就偏离其应有的位置，圣人就会不高兴的。

[原文]　　天地以设，分而为阴阳。阳生于阴，阴生于阳。阴阳相错，四维乃通。或死或生，万物乃成。蚑行喙息，莫贵于人。孔窍肢体，皆通于天。天有九重，人亦有九窍。天有四时以制十二月，人亦有四肢以使十二节。天有十二月以制三百六十日，人亦有十二肢以使三百六十节。故举事而不顺天者，逆其

生者也。

[译文]　　天地设立以后,分为阴和阳。阳从阴中产生,阴从阳中产生。阴阳互相交错,四维才通畅。有死又有生,万物才能形成。用脚行走用嘴呼吸的动物,没有比人类更尊贵的了。人的眼睛、耳朵、鼻子、嘴巴等器官和手、脚等肢体,都和天相通。天有九层,人也有九窍。天有四季用来分配十二月,人也有四肢用来贯通十二经脉。天有十二月用来分配三百六十日,人也有十二经脉用来掌握三百六十关节。所以办事不顺应天时,是违背生存法则的。

地　形　训

[原文]　　地形之所载,六合之间,四极之内。照之以日月,经之以星辰,纪之以四时,要之以太岁。天地之间,九州八极。土有九山,山有九塞,泽有九薮,风有八等,水有六品。何谓九州？东南神州曰农土,正南次州曰沃土,西南戎州曰滔土,正西弇州曰并土,正中冀州曰中土,西北台州曰肥土,正北泲州曰成土,东北薄州曰隐土,正东阳州曰申土。

[译文]　　大地所承载的范围,包括天地四方之间,东南西北极远的地方。日月照耀着它,星辰经过它的上空,春夏秋冬四季管理着它,太岁星给它正天时。天地之间,有着九州八极。土地上有九座大山,大山中有九处要塞,还有九个大的湖泽,风有八种,水有六系。什么是九州？东南方是神州,也叫农土；正南方是次州,也叫沃土；西南方是戎州,也叫滔土；正西方是弇州,也叫并土；正中间是冀州,也叫中土；西北方是台州,也叫肥土；正北方是泲州,也叫成土,东北方是薄州,也叫隐土；正东方是阳州,也叫申土。

[原文]　　河水出昆仑东北陬,贯渤海,入禹所导积石

山。赤水出其东南陬,西南注南海丹泽之东。赤水之东,弱水出自穷石,至于合黎,余波入于流沙。绝流沙,南至南海。洋水出其西北陬,入于南海羽民之南。凡四水者,帝之神泉,以和百药,以润万物。

[译文]　　黄河发源于昆仑山的东北山麓,穿过渤海,进入大禹所疏通的积石山。赤水发源于昆仑山的东南山麓,向西南流入南海,在丹泽的东边。赤水的东面,弱水发源于穷石山,到了合黎山,余波流进了沙漠。穿过沙漠以后,向南到达南海。洋水发源于昆仑山的西北山麓,流进南海羽民国的南边。这四条大河,是天帝的神泉,用它来调和各种药物,用它来滋润世间万物。

[原文]　　东方川谷之所注,日月之所出。其人兑形小头,隆鼻大口,鸢肩企行,窍通于目,筋气属焉。苍色主肝,长大早知而不寿。其地宜麦,多虎豹。南方阳气之所积,暑湿居之。其人修形兑上,大口决眦,窍通于耳,血脉属焉。赤色主心,早壮而夭。其地宜稻,多兕象。西方高土川谷出焉,日月入焉。其人面末偻,修颈卬行,窍通于鼻,皮革属焉。白色主肺,勇敢不仁。其地宜黍,多旄犀。北方幽晦不明,天之所闭也,寒冰之所积也,蛰虫之所伏也。其人翕形短颈,大肩下尻,窍通于阴,骨干属焉。黑色主肾,其人蠢愚禽兽而寿。其地宜菽,多犬马。中央四达,风气之所通,雨露之所会也。其人大面短颐,美须恶肥,窍通于口,肤肉属焉。黄色主胃,慧圣而好治。其地宜禾,多牛羊及六畜。

[译文]　　东方是江河汇聚注入的地方,也是太阳、月亮升起的地方。那里的人体形尖细,小脑袋,高鼻子,大嘴巴,肩膀耸起,踮着脚走路,身上各个孔窍和眼睛相通,筋络之气也与之连通。东方属青色,主管肝,人身材高大,智力早熟,但不能长寿。那里的土地适合种麦子,虎豹很多。

南方是阳气积聚的地方,也是暑热潮湿占据的地方。那里的人体形修长,头部尖细,大嘴巴,眼角有皱裂,身上各个孔窍和耳朵相通,血脉也与之连通。南方属红色,主管心,人成熟得早,但寿命短。那里的土地适合种水稻。犀牛大象很多。西方是高原河流发源的地方,也是太阳、月亮落下的地方。那里的人脊背弯曲,脖子长,昂着头走路,身上各个孔窍和鼻子相通,皮肤也与之连通。西方属白色,主管肺,人很勇敢,但不仁慈。那里的土地适合种黍子,牦牛犀牛很多。北方是幽暗不明被上天所封闭的地方,也是冰雪长年不化,蛰伏动物躲藏栖身的地方。那里的人体形矮小,脖子短,肩膀宽,臀部低,身上各个孔窍和阴部相通,骨骼也与之连通。北方属黑色,主管肾,人很愚笨如同禽兽一样,但却长寿。那里的土地适合种豆类,狗马很多。中央是四通八达,各方风气流通,雨露会合的地方。那里的人大脸盘,短面颊,须髯美丽,身体肥胖,身上各个孔窍和嘴巴相通,肌肉也与之连通。中央属黄色,主管胃,人聪慧通达,善于治理国家。那里的土地适合种谷物,牛羊等家畜很多。

时　则　训

[原文]　六合:孟春与孟秋为合,仲春与仲秋为合,季春与季秋为合,孟夏与孟冬为合,仲夏与仲冬为合,季夏与季冬为合。孟春始赢,孟秋始缩;仲春始出,仲秋始内;季春大出,季秋大内;孟夏始缓,孟冬始急;仲夏至修,仲冬至短;季夏德毕,季冬刑毕。故正月失政,七月凉风不至;二月失政,八月雷不藏;三月失政,九月不下霜;四月失政,十月不冻;五月失政,十一月蛰虫冬出其乡;六月失政,十二月草木不脱;七月失政,正月大寒不解;八月失政,二月雷不发;九月失政,三月春风不济;十月失政,四月草木不实;十一月失政,五月下雹霜;十二月失政,六月五谷疾狂。

[译文]　　六合指的是一年之中十二个月相应的两个月互相影响而产生的变化。孟春一月和孟秋七月互相对应,仲春二月和仲秋八月互相对应,季春三月和季秋九月互相对应,孟夏四月和孟冬十月互相对应,仲夏五月和仲冬十一月互相对应,季夏六月和季冬十二月互相对应。孟春时万物开始生长,孟秋时万物开始衰亡;仲春时开始播种,仲秋时开始收藏;季春时是春耕大忙季节,季秋时是全面收获季节;孟夏时阳气开始舒缓平和,孟冬时阴气开始肃杀逞强;仲夏时白天逐渐变长,仲冬时白天逐渐变短;季夏时阳气的化育之德已将结束,季冬时阴气的肃杀之力也将告终。因此正月政令失当,七月凉风不会到来;二月政令失当,八月雷声就不停止;三月政令失当,九月天就不下霜;四月政令失当,十月就没有冰冻;五月政令失当,十一月冬眠动物就离开洞穴;六月政令失当,十二月草木仍不凋落;七月政令失当,正月严寒不会散去;八月政令失当,二月就听不到雷声;九月政令失当,三月春风不会停息;十月政令失当,四月草木不结果实;十一月政令失当,五月就下起冰雹寒霜;十二月政令失当,六月五谷生长反常。

[原文]　　制度阴阳,大制有六度:天为绳,地为准,春为规,夏为衡,秋为矩,冬为权。绳者,所以绳万物也;准者,所以准万物也;规者,所以员万物也;衡者,所以平万物也;矩者,所以方万物也;权者,所以权万物也。绳之为度也,直而不争,修而不穷,久而不弊,远而不忘。与天合德,与神合明。所欲则得,所恶则亡。自古及今,不可移匡。厥德孔密,广大以容,是故上帝以为物宗。准之为度也,平而不险,均而不阿,广大以容,宽裕以和。柔而不刚,锐而不挫,流而不滞,易而不秽。发通而有纪,周密而不泄,准平而不失,万物皆平。民无险谋,怨恶不生,是故上帝以为物平。规之为度也,转而不复,员而不垸,优而不纵,广大以宽。感动有理,发通有纪,优优简简,百怨不起。规度

不失,生气乃理。衡之为度也,缓而不后,平而不怨,施而不德,吊而不责。当平民禄,以继不足,勃勃阳阳,唯德是行。养长化育,万物蕃昌,以成五谷,以实封疆。其政不失,天地乃明。矩之为度也,肃而不悖,刚而不愦,取而无怨,内而无害。威厉而不慑,令行而不废,杀伐既得,仇敌乃克。矩正不失,百诛乃服。权之为度也,急而不嬴,杀而不割,充满以实,周密而不泄。败物而弗取,罪杀而不赦,诚信以必,坚悫以固,粪除苛慝,不可以曲。故冬正将行,必弱以强,必柔以刚。权正而不失,万物乃藏。

[**译文**]　法令制度有阴有阳,变化很多,大的规则有六种:天是绳,地是准,春天是规,夏天是衡,秋天是矩,冬天是权。绳是用来衡量万物曲直的;准是用来衡量万物平正的;规是用来衡量万物圆全的;衡是用来衡量万物均衡的;矩是用来衡量万物方度的;权是用来衡量万物轻重的。绳墨作为一种法度,正直而不弯曲,修长而没有尽头,经久而不破败,遥远而不会被遗忘。它的品德可以与天相吻合,它的明察可以与神灵相一致。它所想要的就能够得到,它所厌恶的则必定败亡。从古到今,都不会改变。它的德行周全细密,广大而兼容,因此上帝把它作为万物的根本。水准作为一种法度,平稳而不起伏,公平而不偏袒,广大而兼容,宽裕而平和。柔软而不刚硬,锐利而不折损,流匀而不停滞,简易而不繁杂。发散贯通而有准则,周详细密而不泄漏,它平正而不偏差,万物都处于平和状态。人们没有险恶的阴谋,怨恨邪恶不会滋生,因此上帝把它作为万物平正的标准。圆规作为一种法度,旋转而不能停止,周圆而不乱滚,优游自在而不放纵,广大而宽容。感动万物而有条理,发散贯通而有准则,宽和而舒缓,各种怨恨不会产生。圆规的法度不失去,万物的生长之气就能通畅无阻。衡器作为一种法度,和缓而不落后,平静而不怨恨,施予而不求回报,恤问而不行责难。公平地分配人们的收入,接济食用不足的人,它旺盛清明,只知道布施恩德。它促使万物生长发育,繁衍昌盛,让五谷成熟,让国家富足。它的政令不失去,天地之理才能显明。矩尺作为一种法度,庄重而不谬误,刚强而不昏庸,它索取而没有怨言,它收纳而没有

危害。威严而不使人害怕,政令推行而不被废止,杀戮征伐获得成功,仇敌便被攻克。矩尺的法度不失去,众多受惩罚者才会归服。秤锤作为一种法度,急切而不增多,刑杀而不剥夺,充满而丰实,周密而不泄漏。摧毁事物而不从中掠取,执行刑杀而决不宽赦,诚实守信说到做到,坚定实在稳固不变,扫除暴虐邪恶,不使用巧诈权术。因此冬天的政令一旦实行,弱小必定变得强大,柔软必定变得刚强。秤锤的法度公正而不失去,万物就能够保藏。

览 冥 训

[原文]　　夫物类之相应,玄妙深微,知不能论,辩不能解。故东风至而酒湛溢,蚕呋丝而商弦绝,或感之也。画随灰而月运阙,鲸鱼死而彗星出,或动之也。故圣人在位,怀道而不言,泽及万民。君臣乖心,则背谲见于天,神气相应征矣。故山云草莽,水云鱼鳞,旱云烟火,涔云波水,各象其形类,所以感之。夫阳燧取火于日,方诸取露于月,天地之间,巧历不能举其数。手征忽怳,不能览其光,然以掌握之中,引类于太极之上,而水火可立致者,阴阳同气相动也。此傅说之所以骑辰尾也。

[译文]　　世上万物之间可以互相感应,玄妙而深微,聪明的人不能说清楚,善辩的人不能解开奥秘。因此东风吹来美酒就溢出,蚕吐丝时商调弦就断绝,这是因为有所感应的缘故。用芦苇灰画圆缺一角,月晕便出现残缺,鲸鱼死在海边,彗星便会出现,这是因为互相关联的缘故。所以圣人在位执政,心中持守无为之道而口中不必说话,恩泽就可以施及万民。君臣离心离德,太阳旁边的五色云气就会异常,神和气互相感应,就会有征兆反映出来。因此山中生出的云气像草莽,水中生出的云气像鱼鳞,旱天产生的云气像烟火,雨天产生的云气像水波,各种云气的形状都和它们的形类相似,这是互相感应而形成的。阳燧从太阳那里取火,方

诸从月亮那里取露水,天地之间这种感应现象,即使是善于计算的历术家也不能说清究竟有多少。手可以抓住细微的东西,但是抓不住日月的光芒,然而有了阳燧、方诸在手中,就能从九天之上招引日光月光,水和火可以立即得到,这是因为阴阳同气互相感动而造成的。这也正是傅说死后他的灵魂升入九天骑坐在辰星、尾星的原因。

[原文]　　夫道者,无私就也,无私去也。能者有余,拙者不足。顺之者利,逆之者凶。譬如隋侯之珠,和氏之璧,得之者富,失之者贫。得失之度,深微窈冥,难以知论,不可以辩说也。何以知其然?今夫地黄主属骨,而甘草主生肉之药也,以其属骨,责其生肉,以其生肉,论其属骨,是犹王孙绰之欲倍偏枯之药,而欲以生殊死之人,亦可谓失论矣。若夫以火能焦木也,因使销金,则道行矣;若以慈石之能连铁也,而求其引瓦,则难矣。物固不可以轻重论也。夫燧之取火于日,慈石之引铁,蟹之败漆,葵之乡日,虽有明智,弗能然也。故耳目之察,不足以分物理;心意之论,不足以定是非。故以智为治者,难以持国,唯通于太和,而持自然之应者,为能有之。故峣山崩而薄落之水涸,区冶生而淳钩之剑成。纣为无道,左强在侧;太公并世,故武王之功立。由是观之,利害之路,祸福之门,不可求而得也。

[译文]　　道不会偏私亲近谁,也不会偏私疏远谁。能行道的人功德有余,不能行道的人功德不足,顺应道的人就会得到利益,违背道的人就会遭到灾祸。比如隋侯之珠,和氏之璧,得到它的人就可以富裕,失掉它的人就变得贫穷。得和失用什么尺度去衡量,是精深奥妙的,难以凭智慧来谈论,也不能够辩说清楚的。怎么知道它是这样的呢?如今用的地黄,主要功用是生长骨骼,而甘草的主要功用是生长肌肉,如果因为地黄能生骨,硬要它去长肉,因为甘草能长肉,硬要它去生骨,这就像王孙绰把治疗偏瘫的药量加大一倍,想让死去的人活过来一样,也可以说是失

去常理了。至于因为火能烧焦木头,而使它去熔化金属,这是行得通的;假如因为磁石能吸铁,而要它去吸瓦,那就难了。事物本来就不可以用轻重来衡量的。阳燧能从太阳中取火,磁石能吸铁,螃蟹能坏漆,葵花朝向太阳,即使有聪明智慧,也不能够辩说清楚。因此光凭耳朵、眼睛的考察,还不能够分清事物的原理;光凭心里的看法,还不能够确定是非的标准。因此靠聪明来治理的人,难以保有国家,只有精通阴阳变化,而又能把握住自然万物互相感应规律的人,才能保有国家。因此崤山的崩塌,薄落河水便干涸,区冶出生,淳钩宝剑便铸成。纣王无道,佞臣左强便出现在他身边;姜太公与文王同时,周武王的功业才会建立。从这里可以看出,利益、灾害、祸患、幸福的门路,不是追求就可以得到的。

[原文]　　夫道之与德,若韦之与革。远之则迩,近之则远。不得其道,若观鲦鱼。故圣若镜,不将不迎,应而不藏,故万化而无伤。其得之乃失之,其失之非乃得之也?今夫调弦者,叩宫宫应,弹角角动,此同声相和者也。夫有改调一弦,其于五音无所比,鼓之而二十五弦皆应,此未始异于声,而音之君已形也。故通于太和者,惛若纯醉而甘卧,以游其中,而不知其所由至也。纯温以沦,钝闷以终,若未始出其宗,是谓大通。

[译文]　　道和德的关系,就好像经过加工的熟皮和去了毛的兽皮一样。你觉得它很远,它就在你身边,你觉得它很近,它又像远在天边。不能掌握这个道理,就像观看水中的小鱼,可见而不可得到。因此圣人就像一面镜子,不送不迎,应对自如而不去隐藏,所以有千变万化而不会损伤。它得到也就是失去,它失去不也是得到了吗?现在弹奏弦乐的人,叩击这一宫弦,另一宫弦也应和发声,弹动这一角弦,另一角弦也随着振响,这是同一声类互相感应的现象。如果改调成另一声类,它和五音不相符合,拨动它,二十五根弦都跟着应和,这样发出的声音没有什么差别,只是改变了主音已经显现了。因此通达阴阳和顺之气的人,昏昏然如同喝醉了美酒而酣睡,遨游于这美妙的境界,却不知道自己是怎样到达这

一境界的。纯真温顺地隐伏起来,无情无欲地和道相始终,好像从来没有离开过道的根本,这就叫大通。

[原文]　　夫圣人者,不能生时,时至而弗失也。辅佐有能,黜谗佞之端,息巧辩之说,除刻削之法,去烦苛之事,屏流言之迹,塞朋党之门。消知能,修太常,隳肢体,绌聪明,大通混冥,解意释神,漠然若无魂魄,使万物各复归其根。则是所修伏牺氏之迹,而反五帝之道也。夫钳且、大丙不施辔衔,而以善御闻于天下;伏戏、女娲不设法度,而以至德遗于后世。何则?至虚无纯一,而不喋喋苛事也。《周书》曰:"掩雉不得,更顺其风。"今若夫申、韩、商鞅之为治也,挬拔其根,芜弃其本,而不穷究其所由生。何以至此也?凿五刑,为刻削,乃背道德之本,而争于锥刀之末,斩艾百姓,殚尽太半,而忻忻然常自以为治,是犹抱薪而救火,凿窦而出水。夫井植生梓而不容瓮,沟植生条而不容舟,不过三月必死。所以然者何也?皆狂生而无其本者也。河九折注于海而流不绝者,昆仑之输也。潦水不泄,瀇漾极望,旬月不雨则涸而枯,泽受瀷而无源者。譬若后羿请不死之药于西王母,姮娥窃以奔月,怅然有丧,无以续之。何则?不知不死之药所由生也。是故乞火不若取燧,寄汲不若凿井。

[译文]　　圣人不能制造机遇,只是机遇到来时不会失去罢了。辅佐有才能的人,贬斥谗佞之徒的歪门邪道,平息巧辩者的胡言乱语,废弃严酷的刑法,除去繁琐苛刻的事情,堵住流言的传播,闭塞结党营私的门路。收起智巧之能,修治自然的法规,禁绝各种贪念嗜欲,排开小的聪明,全部通达混沌初开的状态,解除意念,解放精神,淡薄得如同没有魂魄一样,使万事万物各自回复到它们的本原。这就是依循了伏羲氏的业绩,返归到五帝治理天下的大道上去了。钳且、大丙不用缰绳、马衔,却以善于驾驭而闻名于天下;伏羲、女娲不设置法令制度,却凭着最高的道德而留

名于后世。为什么呢？因为他们最虚静纯粹，而不是热衷于繁杂的事务。《周书》说："如果抓不到野鸡，就要改变位置到顺风处去寻找。"如今申不害、韩非、商鞅治理国家的办法，是拔掉它的根，抛弃它的本原，而不去深究社会弊病产生的由来。为什么会到这个地步呢？制定残酷的五刑，办事刻薄无情，背离了道德的根本，却在细小末节上去争斗，任意宰割百姓，刮尽他们的大半财物，却洋洋得意自以为得到了大治，这就像抱着柴草去救火，挖开洞穴去止水一样。在井边植树长出的旁枝，容不得汲水的瓦瓮来碰撞，在水边植树长出的旁枝，容不得来往的小船去挤压，不出三个月就会死去。原因在哪里呢？都是盲目生长而没有考虑到立地之本的缘故。黄河曲曲弯弯注入大海，而水流不会断绝，是因为有昆仑山为它输送水源。积水没有排泄出去，广阔无边，一眼望不到头，但十天半月不下雨，就会干涸见底，这是因为积聚的水没有源泉而造成的。就比如后羿向西王母求得长生不死的灵药，他的妻子姮娥偷吃后飞上了月宫，后羿怅然有所失，没有办法再得到这药了。为什么会这样呢？因为他不知道长生不死的灵药是如何制成的。因此向别人讨火不如自己钻燧去取，向别人求水不如自己凿井。

精　神　训

[原文]　　夫静漠者，神明之宅也；虚无者，道之所居也。是故或求之于外者，失之于内；有守之于内者，失之于外。譬犹本与末也，从本引之，千枝万叶，莫不随也。夫精神者，所受于天也；而形体者，所禀于地也。故曰："一生二，二生三，三生万物。万物背阴而抱阳，冲气以为和。"故曰一月而膏，二月而胅，三月而胎，四月而肌，五月而筋，六月而骨，七月而成，八月而动，九月而躁，十月而生。形体以成，五藏乃形。是故肺主目，肾主鼻，胆主口，肝主耳。外为表而内为里，开闭张歙，各有经纪。

故头之圆也象天,足之方也象地。天有四时、五行、九解、三百六十六日,人亦有四支、五藏、九窍、三百六十六节。天有风雨寒暑,人亦有取与喜怒。故胆为云,肺为气,肝为风,肾为雨,脾为雷,以与天地相参也,而心为之主。是故耳目者,日月也;血气者,风雨也。日中有踆乌,而月中有蟾蜍。日月失其行,薄蚀无光;风雨非其时,毁折生灾;五星失其行,州国受殃。夫天地之道,至紘以大,尚犹节其章光,爱其神明,人之耳目,曷能久熏劳而不息乎?精神何能久驰骋而不既乎?

[译文]　　安静淡漠是神明的住所;空虚无为是道的居处。因此在身外有所追求,在内心就会有所丧失;在内心有所追求,在身外就会有所丧失。这就好像树根和树梢的关系,牵引树根,千枝万叶,没有不随着而动的。精神是从上天得来的;而形体是从大地得来的。所以说:"纯一的道产生阴阳二气,阴阳二气产生三即和气,和气产生万物。万物背着阴抱着阳,阴气、阳气交流而成为和气。"因此说怀抬一个月生成油膏状,两个月变成肿块状,三个月成为胚胎,四个月长出肌肉,五个月长出筋络,六个月长出骨骼,七个月具备人形,八个月开始活动,九个月剧烈躁动,十个月可以出生。形体长成以后,五脏随之形成。所以肺主管眼睛,肾主管鼻子,胆主管嘴巴,肝主管耳朵。外面五官是表象,而内中五脏是里层,张开闭合,各有其主宰。所以头是圆的象征上天,脚是方的象征大地。天有四季、五行、九个区域、三百六十六日,人也有四肢、五脏、九窍、三百六十六个关节。天有刮风、下雨、寒冷、暑热,人也有获取、给与、欢喜、愤怒。因此胆是云,肺是气,肝是风,肾是雨,脾是雷,以此来和天地相配合,而心脏是五脏的主宰。因此人的耳目,就像天上的日月;人的血气,就像自然界的风雨。太阳中有三足乌,而月亮中有蟾蜍。日月如果不按常规运行,就会发生日食、月食失去光辉;风雨如果不合时令到来,就会毁折万物造成灾害;五星如果离开它的运行轨道,大地上的州郡国家就要遭受祸殃。天地施予万物的道理,极其深远而广大,尚且还要节制它们的光芒,爱惜它们的神采,人的耳目怎么能够长期经受辛劳而不休息呢?人的精神又怎

么能够长久思虑而不停止呢?

[原文] 是故血气者,人之华也;而五藏者,人之精也。夫血气能专于五藏而不外越,则胸腹充而嗜欲省矣。胸腹充而嗜欲省,则耳目清,听视达矣。耳目清,听视达,谓之明。五藏能属于心而无乖,则勃志胜而行不僻矣。勃志胜而行之不僻,则精神盛而气不散矣。精神盛而气不散则理,理则均,均则通,通则神。神则以视无不见,以听无不闻也,以为无不成也。是故忧患不能入也,而邪气不能袭,故事有求之于四海之外而不能遇,或守之于形骸之内而不见也。故所求多者所得少,所见大者所知小。

[译文] 因此说血气是人的精华;而五脏则是人的精髓所在。血气能聚集在五脏之内而不外泄,那么胸腹中就会充实而嗜欲也随之减少。胸腹中充实而嗜欲减少,那么耳目就会清新,听觉视觉就通达无阻碍。耳目清新,听觉视觉通达无阻碍,这就叫做明。五脏能受心的主宰而不背离,那么旺盛之气占了上风,行为也不会偏斜。旺盛之气占了上风行为不偏斜,那么精神饱满而精气不会消散。精神饱满精气不消散,那么生命的运动就顺畅,顺畅了就平和,平和了就通达,通达了就到了神的境界。到了神的境界,用它来观察事物,没有不能见到的;用它来倾听声音,没有不能听到的;用它来办事情,没有不能成功的。因此忧患不能侵入,而邪气也不能袭击。所以有些事情到四海之外去寻找而不能得到,有些事情持守在身体之内而不能看见。因此欲求多的人所得到的却少,着眼大的人所知道的却小。

[原文] 夫悲乐者,德之邪也;而喜怒者,道之过也,好憎者,心之暴也。故曰:"其生也天行,其死也物化,静则与阴俱闭,动则与阳俱开。"精神澹然无极,不与物散,而天下自服。故

心者形之主也,而神者心之宝也。形劳而不休则蹶,精用而不已则竭。是故圣人贵而尊之,不敢越也。

[译文]　　悲哀和快乐的感觉,是对德的偏离,喜欢和愤怒的表情,是对道的损伤;爱好和憎恶的产生,是对心的暴虐。所以说:"人活着是天的自然运行,人死去是物体的必然变化,安静时和阴气一起关闭,行动时和阳气一起开放。"精神淡泊无穷无尽,不与外物一起散失,那么天下自然服从于道德。所以心是形体的主宰,而精神是心的珍宝。形体劳累不休息就会倒下,精神使用过度就会衰竭。因此圣人重视保护形体和蓄养精神,不敢超过使用它们的限度。

[原文]　　尊势厚利,人之所贪也,使之左据天下图,而右手刎其喉,愚夫不为。由此观之,生尊于天下也。圣人食足以接气,衣足以盖形,适情不求余。无天下不亏其性,有天下不羡其和,有天下无天下一实也。今赣人敖仓,予人河水,饥而餐之,渴而饮之,其入腹者,不过箪食瓢浆,则身饱而敖仓不为之减也,腹满而河水不为之竭也。有之不加饱,无之不为之饥,与守其篅笔,有其井,一实也。人大怒破阴,大喜坠阳,大忧内崩,大怖生狂。除秽去累,莫若未始出其宗,乃为大通。清目而不以视,静耳而不以听,钳口而不以言,委心而不以虑,弃聪明而反太素,休精神而弃知故。觉而若昧,以生而若死,终则反本未生之时,而与化为一体,死之与生一体也。

[译文]　　显赫的地位和丰厚的财物,是常人所贪求的,假如让他左手拿着天下的版图,而右手拿着刀割断自己的喉咙,那么即使愚蠢的人也不会这样做。由此看来,生命比得到天下更重要。圣人吃的食物只求能够延续生命,穿的衣服只求能够遮住身体,使性情安适而不贪求其余的东西。不占有天下不会损伤他的本性,占有天下也不会扰乱他内心的平和,占有天下和不占有天下是一样的。如今送给人一座大粮仓,又把河

水给予他,饿了去吃,渴了去饮,进入他肚子里的,不过一竹篮饭、一瓢水罢了,那么他吃饱了而粮仓的储存不会因此减少,他喝足了而河水不会因此干枯。有了粮仓、河水他不会饮食过量,没有粮仓、河水他也不会减少食欲,这和守着自己的一个小粮囤、一口小水井是一样的。人大怒就会破坏阴气,大喜就会损伤阳气,大忧会使内脏碎裂,大怖会使人疯狂。除去杂念邪恶,抛开忧患拖累,不如未曾离开根本,这才是最高的通达清醒。使眼睛明亮而不让它看东西,使耳朵清静而不让它听声音,使嘴巴闭上而不让它说话,使内心归于自然而不让它思虑,抛弃聪明巧智,回到最朴素纯净的境界中去,止息住精神,除去巧诈伪装。醒来好像睡着一样,活着如同死去一般,最终要返回到本来未生之时,和自然造化融成一个整体,那么死去和活着也是融成一个整体的。

本 经 训

[**原文**] 　　夫仁者,所以救争也;义者,所以救失也;礼者,所以救淫也;乐者,所以救忧也。神明定于天下而心反其初;心反其初而民性善;民性善而天地阴阳从而包之,则财足而人澹矣,贪鄙忿争不得生焉。由此观之,则仁义不用矣。道德定于天下而民纯朴,则目不营于色,耳不淫于声,坐俳而歌谣,被发而浮游,虽有毛嫱、西施之色不知说也;《掉羽》、《武象》不知乐也,淫泆无别不得生焉。由此观之,礼乐不用也。是故德衰然后仁生,行沮然后义立,和失然后声调,礼淫然后容饰。是故知神明然后知道德之不足为也,知道德然后知仁义之不足行也,知仁义然后知礼乐之不足修也。今背其本而求其末,释其要而索之于详,未可与言至也。

[**译文**] 　　仁是用来解救纷争的;义是用来解救过失的;礼是用

来解救淫乱的；乐是用来解救忧愁的。依靠神明安定天下，人心就会返回人类初生时这种清静无欲的纯粹境界；人心返回这种境界，那么民性就变善了；民性变善了，那么天地阴阳就和民性融合一致，这样财物充足而人民安定了，贪婪鄙陋、怨恨争执的情况就不会发生。由此可见，仁义是不需要实行的。道德在天下确立，人民就会纯真朴实，那么眼睛可以不被美色迷惑，耳朵可以不被声音沉溺，观看杂戏，唱起歌谣，披着长发，自由漫游，即使有毛嫱、西施这样的绝代佳人，也引不起他们的兴趣；即使有《掉羽》、《武象》这样的美好乐舞，也引不起他们的欢乐，纵欲放荡，男女无别的情况就不会发生。由此可见，礼乐也是不需要实行的。因此道德衰落然后才有仁的产生，行为败坏然后才有义的建立，和谐丧失然后才有音乐调节，礼节混乱然后才有法度整治。因此知道神明然后才知道道德是不足取的，知道道德然后才知道仁义是不值得推行的，知道仁义然后才知道礼乐是不值得制定的。如今违背道德神明这个根本而去追求仁义礼乐这些末节，放弃要领而在繁琐细节上下功夫，这样的人是不能跟他谈论最高深的道理的。

[原文]　　故至人之治也，心与神处，形与性调，静而体德，动而理通，随自然之性，而缘不得已之化。洞然无为而天下自和，憺然无欲而民自朴，无机祥而民不夭，不忿争而养足。兼包海内，泽及后世，不知为之者谁何。是故生无号，死无谥，实不聚而名不立。施者不德，受者不让，德交归焉而莫之充忍也。故德之所总道弗能害也，智之所不知辩弗能解也。不言之辩，不道之道，若或通焉，谓之天府。取焉而不损，酌焉而不竭，莫知其所由出，是言瑶光。瑶光者，资粮万物者也。振困穷，补不足，则名生；兴利除害，伐乱禁暴，则功成。世无灾害，虽神无所施其德；上下和辑，虽贤无所立其功。

[译文]　　所以至德的人治理天下，心志与精神相安处，形体与性

情相调和,静居时体现德性,行动时合乎道理,随着自然的本性,听凭事物按自身规律去变化。清静无为而天下自然和顺,恬淡无欲而人民自然朴实。没有求神祈福而百姓不会夭亡,没有怨恨争斗而百姓供养充足。他的治理包容海内,恩泽延及后世,但是人们不知道这样做的是谁。因此至德的人活着没有名号,死后没有封谥,不去聚敛财物,也不树立名誉。施予他人不需要别人感恩戴德,受人恩惠也不故作姿态地谦让,德行都聚集在他身上,却并不显出盈满。因此德行积聚,道不会对它有所损害,智慧不能明了的事,辩论也解释不清。不用口说的论辩,不用讲出的道理,如果有人能达到这种境界,那就叫进入了天府。取出而不会减少,给予而不会枯竭,没有人知道它从何处出现,这就是瑶光。所谓瑶光,它是养育万物的北斗七星。振救穷困,补助不足,那么名声就会树立;兴利除害,伐乱禁暴,那么功业就能成就。世上要是没有灾害发生,即使是神灵也无处表现它的恩德;社会要是上下和睦团结,即使是贤人也无处建立他的功劳。

[原文]　　古者圣人在上,政教平,仁爱洽,上下同心,君臣辑睦,衣食有余,家给人足,父慈子孝,兄良弟顺,生者不怨,死者不恨,天下和洽,人得其愿。夫人相乐,无所发贶,故圣人为之作乐以和节之。末世之政,田渔重税,关市急征,泽梁毕禁,网罟无所布,耒耜无以设,民力竭于徭役,财用殚于会赋,居者无食,行者无粮,老者不养,死者不葬,赘妻鬻子,以给上求,犹弗能澹。愚夫蠢妇皆有流连之心,悽怆之志。乃使始为之撞大钟,击鸣鼓,吹竽笙,弹琴瑟,失乐之本矣。

[译文]　　古时候圣人在位,政令教化平和,仁爱广泛施予,上下同心协力,君臣和睦相处,人民衣食有余,家家丰裕富足,父母慈爱,子女孝敬,兄长善良,弟弟顺从,活着的人没有怨恨,死去的人也没有遗憾,天下和洽团结,人人都能实现自己的愿望。人们心中充满快乐,但不知道怎样来表达快乐之情,因此圣人就为他们制作音乐来进行调节。末世的政

治,种田捕鱼的人被课以重税,关卡集市上的买卖人也难逃苛赋,水泽山梁全部禁止捕捉和采摘,鱼网无处可撒,农具无处可用,百姓被徭役折磨得精疲力尽,财物被赋税收刮得一干二净,居家的人没有食粮,奔走在外的人饿着肚子,老人得不到供养,死者得不到安葬,抵押妻室,卖掉儿女,以供给上司的索要,仍然不能满足。即使是愚夫蠢妇,都有为骨肉分离而依恋不舍的心情,凄凉悲痛的感觉。这时才开始为他们撞起大钟,击起鸣鼓,吹起竽笙,弹起琴瑟,就失去了音乐的根本意义。

[原文] 古者天子一畿,诸侯一同,各守其分,不得相侵。有不行王道者,暴虐万民,争地侵壤,乱政犯禁,召之不至,令之不行,禁之不止,诲之不变,乃举兵而伐之,戮其君,易其党,封其墓,类其社,卜其子孙以代之。晚世务广地侵壤,并兼无已,举不义之兵,伐无罪之国,杀不辜之民,绝先圣之后。大国出攻,小国城守,驱人之牛马,僇人之子女,毁人之宗庙,迁人之重宝,血流千里,暴骸满野,以澹贪主之欲,非兵之所为生也。故兵者,所以讨暴,非所以为暴也;乐者,所以致和,非所以为淫也;丧者,所以尽哀,非所以为伪也。故事亲有道矣,而爱为务;朝廷有容矣,而敬为上;处丧有礼矣,而哀为主;用兵有术矣,而义为本。本立而道行,本伤而道废。

[译文] 古时候天子国土方圆千里,诸侯国土方圆百里,各自守护自己的边界,不能互相侵犯。有不推行王道的君主,残酷虐待百姓,争夺侵占土地,扰乱破坏法令,征召他不来,命令他不执行,禁止他不停止,教诲他不改过,那就发兵去讨伐他,杀死这样的君主,更换他手下的党羽,整修贤人的坟墓,祭祀他们的社神,通过占卜挑选他的贤德子孙来继承君位。近世君主热衷于扩大地盘,侵占疆土,无休止地兼并,发动不义的战争,攻打无罪的国家,屠杀无辜的人民,灭绝先圣的后代。大的国家发动进攻,小的国家被迫筑城固守,赶走别人的牛马,掳掠别人的子女,

毁坏别国的宗庙,搬掉别国的珍宝,血流千里,尸骸遍地,以满足贪婪君主的欲望,这不是建立军队发动战争应有的目的。因此军队是用来讨伐暴乱的,而不是用来制造暴乱的;音乐是用来陶冶性情的,而不是用来滋长淫乱的;丧礼是用来表达哀思的,而不是用来造假作伪的。所以侍奉亲人是要讲道德的,真心敬爱最重要;朝廷君臣见面是要讲礼仪法度的,尊敬君主最重要;处理丧事是要讲礼节的,表达内心悲哀最重要;使用军队是要讲战略战术的,讲求道义最重要。根本确立了,道德才行得通,根本损伤了,道德也就废弃了。

主 术 训

[原文] 人主之术,处无为之事,而行不言之教。清静而不动,一度而不摇,因循而任下,责成而不劳。是故心知规而师傅谕导,口能言而行人称辞,足能行而相者先导,耳能听而执正进谏。是故虑无失策,谋无过事,言为文章,行为仪表于天下。进退应时,动静循理,不为丑美好憎,不为赏罚喜怒。名各自名,类各自类,事犹自然,莫出于己。故古之王者,冕而前旒,所以蔽明也;黈纩塞耳,所以掩聪;天子外屏,所以自障。故所理者远,则所在者迩;所治者大,则所守者小。

[译文] 君主治理天下的手段,应该是实行无为之治,推行不动口说教的政令。清静而不浮躁,统一法度而不摇摆,沿袭常规任用下属,督促他们完成任务而不必亲自操劳。因此君主心里知道谋划而要师傅来晓喻开导,口中能够表达而要行人之官来陈说,脚能够行走而要司仪在前面引导,耳朵能够听清而要执政官员来进谏。所以君主考虑问题便不会失策,谋划不会有过错,说话顺理成章,行为可以作天下人的表率。进退适合时宜,一举一动都遵循道理,不因为美丑而产生爱憎的感情,不因为赏罚而表现出喜怒的情绪。事物该什么名称就叫什么名称,该什么类

别就属什么类别,就像来自天然一样,没有是出于自己意志的。因此古时候的帝王,冠冕前面装饰一挑玉串,这是用来遮挡视线的;冠冕两边悬挂黄色绵丸,这是用来掩盖听觉的;天子宫门外设立屏风,这是用来阻隔自己的。所以君主治理的地方越远,他考察的范围就越近;君主治理的地方越大,他操持的事情就越小。

[原文] 故太上神化,其次使不得为非,其次赏贤而罚暴。衡之于左右,无私轻重,故可以为平。绳之于内外,无私曲直,故可以为正。人主之于用法,无私好憎,故可以为命。夫权轻重,不差蚊首;扶拨枉桡,不失针锋;直施矫邪,不私辟险。奸不能枉,谗不能乱,德无所立,怨无所藏,是任术而释人心者也,故为治者不与焉。

[译文] 所以最上策是从精神上感化,次一等的是使人民不去做非分的事情,再次一等的是奖赏贤能处罚暴虐。秤对于左右的事物,不会偏私有轻重的区别,因此可以做到公平。绳墨对于内外的事物,不会偏私有曲直的区别,因此可以做到正直。君主使用法律也是一样,不会偏私有爱好、憎恶的区别,因此可以实施政令。权衡轻重,即使是蚊子头那样小的差错也要避免;整顿枉屈,即使是针尖那样细的失误也要注意;纠正歪风邪气,不会偏私而避开艰险。奸邪不能歪曲,谗佞不能捣乱,恩德没有什么地方可以树立,怨恨没有什么地方可以隐藏。这是遵循法则而排除了人为的干扰,因此治理国家要行道而不要智巧的参与。

[原文] 夫人主之听治也,清明而不暗,虚心而弱志,是故群臣辐凑并进,无愚智贤不肖,莫不尽其能。于是乃始陈其礼,建以为基。是乘众势以为车,御众智以为马,虽幽野险途,则无由惑矣。人主深居隐处,以避燥湿,闱门重袭,以避奸贼。内不知闾里之情,外不知山泽之形,帷幕之外,目不能见十

里之前,耳不能闻百步之外,天下之物无不通者,其灌输之者大,而斟酌之者众也。是故不出户而知天下,不窥牖而知天道。乘众人之智,则天下之不足有也;专用其心,则独身不能保也。

[译文]　　君主治理国家事务,清醒而不糊涂,心灵安静而减少嗜欲,因此群臣像车辐聚集于轴心一样团结在君主的周围,不论是愚笨的还是聪明的,贤能的还是不肖的,没有不尽自己能力的。这时才开始讲究君臣的礼节,确立它作为治国的基础。这样凭借众人的力量作为车子,驾驭众人的智慧作为马匹,即使是幽暗的原野、险恶的道路,也不会迷惑了。君主身居深宫隐蔽之处,避开干燥和潮湿,内室的门层层关闭,避开奸贼佞臣。在里面不知道民间的情况,在外边不知道山川河流的形状,居室以外的地方,眼睛看不到十里的范围,耳朵听不见百步的动静,但是天下的事物没有不知道的,这是因为给他输送消息的渠道畅通,给他出谋划策的人很多的缘故。所以他足不出户而能了解天下事,眼不看窗外而能知道天道的变化。凭借众人的智慧才能,那么天下就不够他治理了;只用自己的心智,那么连自己身躯也难以保全。

[原文]　　君人之道,处静以修身,俭约以率下。静则下不扰矣,俭则民不怨矣。下扰则政乱,民怨则德薄。政乱则贤者不为谋,德薄则勇者不为死。是故人主好鸷鸟猛兽,珍怪奇物,狡躁康荒,不爱民力,驰骋田猎,出入不时,如此则百官务乱,事勤财匮,万民愁苦,生业不修矣。人主好高台深池,雕琢刻镂,黼黻文章,绨纷绮绣,宝玩珠玉,则赋敛无度,而万民力竭矣。

[译文]　　统治人民的方法,应该处于清静状态用来修养身心,做到勤俭节约用来率领下属。君主清静则下民不受侵扰,君主勤俭节约则下民不生怨恨。下民受到侵扰则政局混乱,下民产生怨恨则君主恩德淡薄。政局混乱则贤人不替君主出谋划策,恩德淡薄则勇士不为君主献身。

因此君主喜好凶鸟猛兽,珍怪奇物,性情凶暴,淫乐迷乱,不爱惜民力,驰马打猎,出入不按照季节,这样百官跟着乱成一团,事务辛劳而财用匮乏,万民愁苦不堪,生产荒废了。君主喜好高楼深池,雕琢金银,刻镂玉石,艳丽的色彩,华美的织物,珍奇的玩物和珠玉宝石,这样就会搜刮无度,而百姓都精疲力尽了。

[原文]　　遍知万物而不知人道,不可谓智;遍爱群生而不爱人类,不可谓仁。仁者爱其类也,智者不可惑也。仁者虽在断割之中,其所不忍之色可见也;智者虽烦难之事,其不暗之效可见也。内恕反情,心之所欲,其不加诸人,由近知远,由己知人,此仁智之所合而行也。小有教而大有存也,小有诛而大有宁也,唯恻隐推而行之,此智者之所独断也。故仁智错,有时合,合者为正,错者为权,其义一也。

[译文]　　全面了解万物而不了解人类的道德规范,不能说是聪明;普遍热爱万物而不热爱人类,不能说是仁爱。仁就是爱他的同类,智就是不受迷惑。仁爱的人即使在做判决、了断之事,他那不忍心的神色还是可以表现出来;聪明的人即使在处理烦难之事,他那智慧的光辉还是可以显示出来。心地宽厚能够反躬自省,内心所想的,不强加于别人,由近而知远,由己而知人,这是仁和智结合起来行事的结果。小的方面施行教化,那么大的方面就会保存,小的方面施行责罚,那么大的方面就会安宁,只是出于同情之心来推动他向前走,这是聪明的人独自的决断。所以仁和智有时相错开,有时相吻合,相合就是正常,相错就是权变,它的含义是一样的。

缪　称　训

[原文]　　道至高无上,至深无下,平乎准,直乎绳,圆乎

规,方乎矩,包裹宇宙而无表里,洞同覆载而无所碍。是故体道者,不哀不乐,不喜不怒,其坐无虑,其寝无梦,物来而名,事来而应。主者国之心,心治则百节皆安,心扰则百节皆乱。故其心治者,支体相遗也;其国治者,君臣相忘也。黄帝曰:"芒芒昧昧,从天之道,与元同气。"故至德者,言同略,事同指,上下一心,无岐道旁见者,遏障之于邪,开道之于善,而民乡方矣。故《易》曰:"同人于野,利涉大川。"

[译文] 道高到极点,没有什么在它之上,深到极点,没有什么在它之下,与水准一样平,与绳墨一样直,与规一样圆,与矩一样方,包裹整个宇宙而没有里外分别,覆盖承载万物而不受任何障碍。所以领悟了道的人,不悲哀也不欢乐,不喜悦也不愤怒,坐着时不思虑,睡觉时不做梦,物体到来时能叫出名称,事情发生了能应付自如。君主是国家的心脏,心脏平和,全身血脉都能安定通畅,心脏紊乱,全身血脉也就随之混乱。因此心脏得到治理,肢体之间互不干扰,国家得到治理,君臣之间各安其位,黄帝说:"多么广大无边啊!顺从上天的道德,和上天的元气相通达。"所以具有最高道德的人,说出的谋略和臣民心意相合,办事的意图得到臣民的应和,上上下下一条心,没有走岔路和有不同见解的,对于邪气阻止它,对于好事引导它,人民就趋向正道了。所以《易》说:"在郊野聚集人民,对于跋涉大河渡过难关是有利的。"

[原文] 道者,物之所导也;德者,性之所扶也;仁者,积恩之见证也;义者,比于人心而合于众适者也。故道灭而德用,德衰而仁义生。故上世体道而不德,中世守德而弗坏也,末世绳绳乎唯恐失仁义。君子非仁义无以生,失仁义则失其所以生。小人非嗜欲无以活,失嗜欲则失其所以活。故君子惧失仁义,小人惧失利。观其所惧,知各殊矣。《易》曰:"即鹿无虞,惟入于林中。君子几不如舍,往吝。"

[译文]　　道是万物的引导；德是性情的扶持；仁是积聚恩德的见证；义是顺应人心，合于大众的意愿。所以道消亡而德被使用，德衰微而仁义产生。所以上古之世领悟道而不用德，中古之世持守德而不安抚，近世则谨慎小心惟恐失去了仁义。君子没有仁义就无法生存，失掉了仁义则失掉了生存的根本。小人没有嗜欲就无法活命，失掉了嗜欲则失掉了活命的根本。因此君子害怕失去仁义，小人害怕失去利益。观察他们害怕什么，就知道君子和小人的不同了。《易》说："追逐鹿没有管山人的帮助，鹿逃入山林，不可获得。君子追求不如舍弃．追下去会遇到危难。"

[原文]　　君子见过忘罚，故能谏；见贤忘贱，故能让；见不足忘贫，故能施。情系于中，行形于外。凡行戴情，虽过无怨；不戴其情，虽忠来恶。后稷广利天下，犹不自矜；禹无废功，无废财，自视犹觖如也。满如陷，实如虚，尽之者也。凡人各贤其所说，而说其所快。世莫不举贤，或以治，或以乱，非自遁，求同乎己者也。己未必得贤，而求与己同者，而欲得贤，亦不几矣。使尧度舜则可，使桀度尧，是犹以升量石也。今谓狐狸，则必不知狐，又不知狸。非未尝见狐者，必未尝见狸也。狐、狸非异，同类也。而谓狐狸，则不知狐、狸。是故谓不肖者贤，则必不知贤；谓贤者不肖，则必不知不肖者矣。

[译文]　　君子见到别人的过失，忘掉批评别人会招来责罚，所以敢于进谏；见到贤德的人，忘掉推举贤才会使自己地位下降，所以能够谦让；见到衣食不足的人，忘掉救济别人会使自己贫穷，所以能够施舍。真情萦绕在内心，行动表现在外表。凡是行为充满了真情，即使有过失别人也不会怨恨；行为不符合真情，即使做出忠诚的样子，别人也会憎恶。后稷为普天下人谋取利益，尚且不自我夸耀；大禹没有白费民力和民财，然而自己仍不满足。从完满中看到缺陷，从充实中感到虚空，是为了要达到尽善尽美。大凡人们都欣赏自己所喜欢的人，而所喜欢的又是自己感到

快乐的事。世上没有人不举荐贤能的,但有的能够使国家得到治理。有的却使国家混乱,这并不是举荐的人自己骗自己,而是因为寻求和自己相同的人的缘故。自己未必是贤人,而寻求与自己相同的人,这样要想得到贤人,不是离得很远吗!让尧鉴识虞舜是可以的,让桀来鉴识尧,就好比用升来度量石一样不可以。现在人说狐狸,那一定是既不知道狐,也不知道狸。不是没有见过狐,就是没有见过狸。狐和狸不是异类,而是同类。但合称为狐狸,则是不知道狐和狸的区别。所以把不贤的人说成贤人,那么他一定不明白什么才是贤人;把贤人说成不贤的人,那么他一定不知道什么才是不贤的人。

[原文]　　人无能作也,有能为也;有能为也,而无能成也。人之为,天成之。终身为善,非天不行;终身为不善,非天不亡。故善否,我也,祸福,非我也。故君子顺其在己者而已矣。性者,所受于天也;命者,所遭于时也。有其材不遇其世,天也。太公何力?比干何罪?循性而行止,或害或利,求之有道,得之在命。故君子能为善,而不能必得其福;不忍为非,而未能必免其祸。君,根本也;臣,枝叶也。根本不美,枝叶茂者,未之闻也。有道之世,以人与国;无道之世,以国与人。

[译文]　　人不能创造出什么,但有能力做可以做到的事;有能力做可以做到的事,但不能最终决定事情的成功。人的作为,由天来促使它成功。一辈子推行善事,没有天的帮助不能实行;一辈子不做好事,没有天的惩罚不会灭亡。因此推行善恶在于自己,而得到祸福便不由自己决定了。所以君子审慎地对待自己能做到的事罢了。人的本性来自天授;人的命运和遭遇的世道有关。有才能而没有遇到好的世道,这是天意。姜太公有什么力量?比干又有什么罪过?他们顺着自己的本性实行自己的志向,一个被害,一个得利,追求是有途径的,而获得则在于天命。所以君子能推行善事,但不能一定得到幸福;不忍心去干坏事,也不能一定免掉灾祸。君主是国家的根本,群臣则是枝叶。根本不健壮而枝叶茂盛的,没有

听说过。有德政的时代,是把贤才给予国家;没有德政的时代,是把国家送给他人。

齐俗训

[原文] 率性而行谓之道,得其天性谓之德。性失然后贵仁,道失然后贵义。是故仁义立而道德迁矣,礼乐饰则纯朴散矣,是非形则百姓眩矣,珠玉尊则天下争矣。凡此四者,衰世之造也,末世之用也。夫礼者,所以别尊卑,异贵贱;义者,所以合君臣、父子、兄弟、夫妻、朋友之际也。今世之为礼者,恭敬而忮;为义者,布施而德。君臣以相非,骨肉以生怨,则失礼义之本也,故构而多责。夫水积则生相食之鱼,土积则生自宂之兽,礼义饰则生伪匿之本。夫吹灰而欲无眯,涉水而欲无濡,不可得也。

[译文] 依照本性行动叫做道,得到了这种天性叫做德。本性丧失然后才崇尚仁,道丧失然后才崇尚义。所以仁义建立道德就变化了,礼乐制定纯朴就消散了,是非形成百姓就迷乱了,珠玉贵重天下就纷争了。仁义、礼乐、是非、珠玉这四种东西,是衰败之世制造出来的,末世所运用的。礼是用来区别尊卑,分清贵贱的;义是用来和睦君臣、父子、兄弟、夫妻、朋友之间关系的。现在世上推行礼节的人,表面上恭恭敬敬,而内心充满嫉妒;实行义的人,施舍恩德是为了求来报答。君臣之间互相非难,骨肉之间产生怨恨,这就失去了提倡礼义的根本了,所以使人们结怨而互相指责。水聚结在一起会生出互相吞食的鱼儿,土堆积成山丘会产生互相残杀的野兽,礼义制定会成为伪诈邪恶的根源。吹起灰尘而想不眯眼睛,渡河而想不弄湿双脚,这是不可能的。

[原文] 所谓明者,非谓其见彼也,自见而已;所谓聪

者,非谓闻彼也,自闻而已;所谓达者,非谓知彼也,自知而已。是故身者,道之所托,身得则道得矣。道之得也,以视则明,以听则聪,以言则公,以行则从。故圣人裁制物也,犹工匠之斫削凿枘也,宰庖之切割分别也,曲得其宜而不折伤。拙工则不然,大则塞而不入,小则窕而不周,动于心,枝于手,而愈丑。夫圣人之斫削物也,剖之判之,离之散之。已淫已失,复揆以一;既出其根,复归其门;已雕已琢,还反于朴。合而为道德,离而为仪表。其转入玄冥,其散应无形。礼义节行,又何以穷至治之本哉?世之明事者,多离道德之本,曰礼义足以治天下,此未可与言术也。

[译文]　　所说眼明,不是说能看见他人,而是说能看见自己罢了;所说耳灵,不是说能听到他人声音,而是说能听到自己声音罢了;所说通达,不是说能了解他人,而是说能了解自己罢了。所以说人自身是道所寄托的地方,自身能够得到,那么道也能够得到。得到了道,那么用它来看就明亮,用它来听就清楚,用它来说就公正,用它来做就顺畅。所以圣人决断处置事物,就像工匠砍削榫眼和榫头,厨师切割分解牲畜,弯曲得恰到好处而且不损伤工具。笨拙的工匠却不是这样,榫头大了榫眼小塞不进去,榫头小了榫眼大填不满而不严实,心神不定,两手不听使唤,更加做不好了。圣人砍削万物,剖开它们,分散它们。已经过头了的和散失了的,又能复归成一个整体;已经离开了根本的,又能让它们回到门下;已经雕刻了的和琢磨了的,又能让它们回到质朴状态。聚合起来可以为道德,分散开来可以为仪表。它运转进入幽冥之中,它离散处于无形之态。礼义节行,又怎么能够最终从根本上治理好天下呢?世上所谓明白事理的人,大多离开道德这个根本,说有了礼义就足以治理天下了,这种人不值得同他们谈论治世的方法。

[原文]　　治世之体易守也,其事易为也,其礼易行也,

其责易偿也。是以人不兼官,官不兼事,士农工商,乡别州异。是故农与农言力,士与士言行,工与工言巧,商与商言数。是以士无遗行,农无废功,工无苦事,商无折货,各安其性,不得相干。故伊尹之兴土功也,修胫者使之踣镢,强脊者使之负土,眇者使之准,伛者使之涂,各有所宜,而人性齐矣。胡人便于马,越人便于舟。异形殊类,易事而悖;失处而贱,得势而贵。圣人总而用之,其数一也。

[译文]　　在治世,官吏职位是容易持守的,他们的事情容易做成,他们的礼节容易实行,他们的债务容易偿还。所以人们不兼任官职,官吏不兼管他事,士农工商各行各业,在乡里州里都是区别开来的。因此农民与农民谈论出力气,士人与士人谈论品行,工匠与工匠谈论技艺,商贾与商贾谈论做生意。因此士人没有失检的行为,农民没有白费的劳动,工匠没有苦恼的事情,商贾没有亏损的货物,他们各自安于本性,不能互相干扰。所以伊尹兴建土木工程的时候,腿长的使他们挖土,背有力的使他们背土,一只眼的安排去测量,驼背的安排去涂刷,各人都有适合自己的工作,人的特性得到了统一。北方胡人善于骑马,南方越人善于驾船。形状种类不同,改变他们熟习的事情就会引起混乱;失去了恰当的处所就会被人看轻,得到了合适的位置就会受人尊重。圣人综合情况而合理使用,他的方法就完整了。

[原文]　　治国之道,上无苛令,官无烦治,士无伪行,工无淫巧。其事经而不扰,其器完而不饰。乱世则不然,为行者相揭以高,为礼者相矜以伪。车舆极于雕琢,器用逐于刻镂,求货者争难得以为宝,诋文者处烦挠以为慧。争为佹辩,久稽而不诀,无益于治。工为奇器,历岁而后成,不周于用。故神农之法曰:"丈夫丁壮而不耕,天下有受其饥者;妇人当年而不织,天下有受其寒者。"故身自耕,妻亲织,以为天下先。其导民也,不

贵难得之货,不器无用之物。是故其耕不强者,无以养生;其织不强者,无以掩形。有余不足,各归其身。衣食饶溢,奸邪不生,安乐无事,而天下均平。故孔丘、曾参无所施其善,孟贲、成荆无所行其威。

[译文]　治理国家的方法,君主没有苛刻的法令,官吏没有烦琐的政务,士人没有伪诈的行为,工匠没有过度的技巧。他们的事务合于常规而不烦扰,他们的器具完好而不修饰。混乱的社会则不是这样,重视品行的人互相吹捧抬高自己身价,推行礼义的人互相夸耀虚伪做作。车辆极力雕琢,器物竞相刻镂,求取财物的人争着得到难得的东西以为宝贝,制造诽谤文章的人纠缠于烦琐之中以为自己有才智。争着互相诡辩,长时间拖着而不加以解决,对于治理国家没有益处。工匠制造奇异的器物,经年累月才能完成,却不适合实用。所以神农的法令说:"男子成年而不耕种,天下就有人因此而受饥饿;女子成年而不纺织,天下就有人因此而受冷冻。"所以神农自己亲身耕种,妻子亲身纺织,以此作为天下的表率。他教导人民,不把难得的货物当做珍贵的,不把无用的东西看成有用的。因此他们耕种不努力,就无法吃饱肚子;他们纺织不努力,就无法遮蔽身体。有富余或者不够的,都归根于自身。衣食丰足了,奸邪就不会产生,安居乐业平安无事,天下就均平了。所以孔丘、曾参没有机会施行他们的善举,孟贲、成荆没有地方展现他们的威武。

道 应 训

[原文]　太清问于无穷曰:"子知道乎?"无穷曰:"吾弗知也。"又问于无为曰:"子知道乎?"无为曰:"吾知道。""子之知道亦有数乎?"无为曰:"吾知道有数。"曰:"其数奈何?"无为曰:"吾知道之可以弱,可以强;可以柔,可以刚;可以阴,可以阳,可以窈,可以明;可以包裹天地,可以应待无方。此吾所以

知道之数也。"太清又问于无始曰:"乡者吾问道于无穷,无穷曰:'吾弗知之。'又问于无为,无为曰:'吾知道。'曰:'子之知道亦有数乎?'无为曰:'吾知道有数。'曰:'其数奈何?'无为曰:'吾知道之可以弱,可以强;可以柔,可以刚;可以阴,可以阳;可以窈,可以明;可以包裹天地,可以应待无方。吾所以知道之数也。'若是,则无为知与无穷之弗知,孰是孰非?"无始曰:"弗知之深,而知之浅;弗知内,而知之外;弗知精,而知之粗。"太清仰而叹曰:"然则不知乃知邪?知乃不知邪?孰知知之为弗知,弗知之为知邪?"无始曰:"道不可闻,闻而非也;道不可见,见而非也;道不可言,言而非也,孰知形之不形者乎?"故《老子》曰:"天下皆知善之为善,斯不善也。"故"知者不言,言者不知"也。

[译文] 太清问无穷说:"你知道道吗?"无穷说:"我不知道。"太清又问无为说:"你知道道吗?"无为说:"我知道。"又问:"你知道道,它有道理吗?"无为说:"我知道道有道理。"又问:"它的道理怎么样?"无为说:"我知道道可以微弱,可以强盛;可以柔软,可以坚硬;可以属阴,可以属阳;可以幽暗,可以光明;可以包裹整个天地,可以应对无穷无尽。这就是我所知道的道的道理。"太清又问无始说:"以前我向无穷问道,无穷说:'我不知道。'又去问无为,无为说:'我知道。'又问:'你知道道,它有道理吗?'无为说:'我知道道有道理。'又问:'它的道理怎么样?'无为说:'我知道道可以微弱,可以强盛;可以柔软,可以坚硬;可以属阴,可以属阳;可以幽暗,可以光明;可以包裹整个天地,可以应对无穷无尽。这就是我所知道的道的道理。'这样的话,那么无为的知道和无穷的不知道,哪个对,哪个不对呢?"无始说:"不知道的是深刻,而知道的是肤浅;不知道的是内行,而知道的是外行;不知道的是精华,而知道的是粗略。"太清仰天叹息说:"这样说来不知道的乃是知道吗?知道的乃是不知道吗?谁晓得知道的就是不知道,不知道的就是知道呢?"无始说:"道是不可以听到

的,听到的就不是道;道是不可以看见的,看见的就不是道;道是不可以说出来的,说出来的就不是道。谁晓得有形的形体是由无形的形体中产生的呢?"所以《老子》说:"天下的人都知道善的成为善的,那么这就是不善了。"所以"知道的不说出来,说出来的是不知道"。

[原文]　　昔尧之佐九人,舜之佐七人,武王之佐五人。尧、舜、武王于九、七、五者,不能一事焉,然而垂拱受成功者,善乘人之资也。故人与骥逐走则不胜骥,托于车上则骥不能胜人。北方有兽,其名曰蹶,鼠前而兔后,趋则顿,走则颠,常为蛩蛩驱𩦎取甘草以与之。蹶有患害,蛩蛩驱𩦎必负而走,此以其能,托其所不能。故《老子》曰:"夫代大匠斫者,希不伤其手。"

[译文]　　从前尧的辅佐有九个人,舜的辅佐有七个人,武王的辅佐有五个人。尧、舜、武王在这九个人、七个人、五个人所做的事情中不能做一件事,然而却能够轻轻松松地取得成功,这是因为善于依靠众人的帮助。所以人和千里马赛跑不能胜过千里马,而坐在车上千里马就不能胜过人了。北方有一种野兽,它的名字叫蹶,前脚像老鼠那样短,后腿像兔子那样长,快步走就头触地,跑起来就跌倒,常常为善走不善觅食的野兽蛩蛩驱𩦎采摘甜美的青草送给它。蹶遇到危险,蛩蛩驱𩦎一定背着它逃跑,这就是用自己所能帮助对方,而自己的不能依靠对方的帮助。所以《老子》说:"代替高明的工匠砍削的人,很少有不砍伤自己手的。"

汜论训

[原文]　　治国有常,而利民为本;政教有经,而令行为上。苟利于民,不必法古;苟周于事,不必循旧。夫夏商之衰也,不变法而亡;三代之起也,不相袭而王。故圣人法与时变,礼与俗化,衣服器械,各便其用;法度制令,各因其宜。故变古未可

非,而循俗未足多也。百川异源,而皆归于海;百家殊业,而皆务于治。王道缺而《诗》作,周室废,礼义坏,而《春秋》作。《诗》、《春秋》,学之美者也,皆衰世之造也。儒者循之以教导于世,岂若三代之盛哉!以《诗》、《春秋》为古之道而贵之,又有未作《诗》、《春秋》之时,夫道其缺也,不若道其全也。诵先王之诗书,不若闻得其言;闻得其言,不若得其所以言。得其所以言者,言弗能言也。故道可道者,非常道也。

[译文] 治理国家有常规,而有利于人民是根本;政令教化有法则,而切实可行是最好。只要有利于人民,就不必效法古制;只要适合事务,就不必遵循旧例。夏朝、商朝的衰败,是不改变陈法而灭亡的;夏禹、商汤、周武三代的兴起,是不互相沿袭而称王的。所以圣人的法律根据时世的变化而改变,礼节随着风俗的不同而改变,衣服器械,各自方便其使用;法制政令,各自适合其情况。所以改变古制无可非议,而因循时俗不值得称赞。百川源头不同但都归于大海;百家事业不同但都以治世为要。王道衰败,而《诗》得以创作,周王室衰落,礼义败坏,而《春秋》就写成了。《诗》和《春秋》是学者所赞美的,但都是衰世的产物。儒家遵循它来教导世人,哪里能像三代那样兴盛呢?如果认为《诗》、《春秋》是讲古代的道理就贵重它们,那么还有比产生《诗》、《春秋》更古的时代,与其称道衰败的时世,不如称道兴盛的三代。诵读先王的诗书,不如听到他们说的话;听到他们说的话,不如得知他们这样说的原因,要得知他们这样说的原因,就是言论所不能讲述的了。所以说能够说出来的道,不是永恒的道。

[原文] 夫圣人作法而万物制焉,贤者立礼而不肖者拘焉。制法之民,不可与远举;拘礼之人,不可使应变。耳不知清浊之分者,不可令调音;心不知治乱之源者,不可令制法。必有独闻之耳,独见之明,然后能擅道而行矣。夫殷变夏,周变殷,春秋变周,三代之礼不同,何古之从!大人作而弟子循。知

法治所由生，则应时而变；不知法治之源，虽循古终乱。今世之法籍与时变，礼义与俗易，为学者循先袭业，据籍守旧教，以为非此不治，是犹持方枘而周员凿也，欲得宜适致固焉，则难矣。今儒墨者称三代、文武而弗行，是言其所不行也；非今时之世而弗改，是行其所非也。称其所是，行其所非，是以尽日极虑而无益于治，劳形竭智而无补于主也。今夫图工好画鬼魅而憎图狗马者，何也？鬼魅不世出，而狗马可日见也。夫存危治乱，非智不能；道而先称古，虽愚有余。故不用之法，圣王弗行；不验之言，圣王弗听。

[译文]　圣人制订法规而普通人受到制约；贤人确立礼节而不贤的人受到束缚。被法规制约的人，不能使他有远大的行为；被礼节束缚的人，不能让他去应对变化。耳朵不能分辨声音清浊的人，不能叫他去调音律；内心不能知道治乱根源的人，不能使他去制定法律。一定要有独特的听觉，独特的视觉，然后才能随意取道而行走。殷朝改变夏朝，周朝改变殷朝，春秋改变西周，三代的礼制各不相同，还有什么古礼可以依从！不过是长辈制订弟子遵循罢了。知道法治产生的根源，就可以适应时世而有所变化；不知道法治产生的根源，即使遵循古代最终要造成混乱。现在的法令条文与时代一起变化，礼义随着风俗一起改动，做学问的人遵循先人，沿袭旧业，根据典籍，墨守旧教，以为不这样就不能治理天下，这就像拿着方的榫头而要和圆的榫眼相合，想要合得适宜牢固，那就难了。现在儒家、墨家称颂三代、周文王周武王而不实行他们的做法，这是称颂他们没有实行的东西；非议现在的社会而不加以改变，这是实行他们所指责的东西。称颂他们所认为正确的，而实行却是他们所指责的，因此整天冥思苦想而对治理国家没有好处，劳损身体耗尽智力而对君主没有帮助。现在的画工喜欢画鬼怪而讨厌画狗马，这是为什么呢？因为鬼怪不在世上出现，而狗马是每天可以见到的。挽救危世，治理乱国，没有聪明才智办不到，称道先人古代，即使是愚蠢的人也绰绰有余。所以不能使用的法规，圣王也不推行它；不能验证的言论，圣王也不听取它。

[原文]　　天下莫易于为善,而莫难于为不善也。所谓为善者,静而无为也;所谓为不善者,躁而多欲也。适情辞余,无所诱惑,循性保真,无变于己,故曰为善易。越城郭,逾险塞,奸符节,盗管金,篡弑矫诬,非人之性也,故曰为不善难。今人所以犯囹圄之罪,而陷于刑戮之患者,由嗜欲无厌,不循度量之故也。

[译文]　　天下没有比做善事更容易的了,而没有比做坏事更难的了。所说的做善事,清静而顺应自然;所说的做坏事,躁动而多有嗜欲。心情安适,排除多余的欲望,没有什么能被引诱迷惑的,因循本性,保持纯真,对自己没有什么要改变的,所以说做善事容易。翻越城郭,穿过危险的要塞,盗窃符节,偷取钥匙印玺,篡位杀人,假冒诬陷,这些都不是人的本性,所以说做坏事难。现在有人之所以犯盗禁之罪,而陷于被杀戮的祸患之中,是由于嗜欲无度,不遵守法规行事的缘故。

诠　言　训

[原文]　　自信者不可以诽誉迁也,知足者不可以势利诱也。故通性之情者,不务性之所无以为,通命之情者,不忧命之所无奈何;通于道者,物莫不足滑其调。詹何曰:"未尝闻身治而国乱者也,未尝闻身乱而国治者也。"矩不正,不可以为方;规不正,不可以为员。身者事之规矩也,未闻枉己而能正人者也。原天命,治心术,理好憎,适情性,则治道通矣。原天命则不惑祸福;治心术则不妄喜怒;理好憎则不贪无用;适情性则欲不过节。不惑祸福则动静循理;不妄喜怒则赏罚不阿;不贪无用则不以欲用害性;欲不过节则养性知足。凡此四者,弗求于外,弗假于人,反己而得矣。天下不可以智为也,不可以慧识

也,不可以事治也,不可以仁附也,不可以强胜也。五者皆人才也,德不盛,不能成一焉。德立则五无殆,五见则德无位矣。故得道则愚者有余,失道则智者不足。渡水而无游数,虽强必沉;有游数,虽赢必遂,又况托于舟航之上乎!

[译文] 自信的人不能用诽谤赞誉来改变他,知足的人不能用权势利益来诱惑他。所以通晓本性情理的人,不去从事本性所不能做到的事情;通晓命运情理的人,不去担忧命运所不能支配的事情;通晓道的人,万物没有什么能扰乱他内心的平和。詹何说:"没有听说过自身理顺而国家混乱的,没有听说过自身混乱而国家得到治理的。"矩不正,不能够画出方形;规不正,不能够画出圆形。自身就是事物的规和矩,没有听说过自身不正而能够使别人端正的。搞清天性的本原,整治好思想,理顺好憎感情,调和自己的情性,那么治国之道就畅通了。搞清天性的本原就不会被祸福所迷惑;整治好思想就不会喜怒无常;理顺好憎感情就不会贪求无用的东西;调和自己的情性就能使欲望不超过限度。不会被祸福所迷惑,则行动和静止都能遵循事理;不会喜怒无常,则赏罚就不出偏差;不会贪求无用的东西,则不会因物欲而伤害天性;欲望不超过限度,则能够保养天性知道满足。这四个方面,不能从外界求得,不能借助他人的力量,只有返回自身才能够得到。天下是不能用智力来操办,不能靠聪明来认识,不能依事情来治理,不能以仁慈来使人归附,不能凭强暴来取得胜利的。这五个方面,都是人才能的表现,如果德行不隆盛,就不能完成一件事。德行树立了,那么五个方面就没有危险,只重视这五个方面,那么德行就没有位置了。因此得到了道,愚笨的人也会有余力,失去道,聪明的人也会感到不足。渡水而没有游泳技术,即使身体强壮也必定会沉没;有游泳技术,即使身体瘦弱也必定会成功,又何况托身在舟船上面呢!

[原文] 为治之本,务在于安民;安民之本,在于足用;足用之本,在于勿夺时;勿夺时之本,在于省事;省事之本,在

于节欲;节欲之本,在于反性;反性之本,在于去载。去载则虚,虚则平。平者道之素也,虚者道之舍也。能有天下者必不失其国;能有其国者必不丧其家;能治其家者必不遗其身;能修其身者必不忘其心;能原其心者必不亏其性;能全其性者必不惑于道。故广成子曰:"慎守而内,周闭而外,多知为败,毋亲毋听,抱神以静,形将自正。不得之己而能知彼者,未之有也。"故《易》曰:"括囊无咎无誉。"能成霸王者,必得胜者也;能胜敌者,必强者也;能强者,必用人力者也;能用人力者,必得人心也;能得人心者,必自得者也;能自得者,必柔弱也。强胜不若己者,至于与同则格;柔胜出于己者,其力不可度。故能以众不胜成大胜者,唯圣人能之。

[译文] 治理国家的根本,在于安定百姓;安定百姓的根本,在于衣食充足;衣食充足的根本,在于不要耽误生产时节;不要耽误生产时节的根本,在于减少事务;减少事务的根本,在于节制食欲;节制食欲的根本,在于返回天性;返回天性的根本,在于抛弃精神负担。抛弃了精神负担就能虚静,虚静了就能平和。平和是道的本色,虚静是道的归宿。能够统治天下的人,必定不会失去诸侯国;能够统治一国的人,必定不会失去家族;能够治理一家的人,必定不会遗弃自身;能够修养自身的人,必定不会忘掉内心;能够使内心返回本原的人,必定不会损害本性;能够保全本性的人,必定不会对道迷惑不解。所以广成子说:"谨慎地守住自己的内心,周密地封闭与外界的接触,知道太多会坏事,不要看不要听,怀抱着精神清虚安静,形体就会自然端正。"不能从自身有所得而能了解别人,这是没有过的。所以《易》说:"把口袋捆紧,既没有害,也没有利。"能够成为霸王的,必定是取得胜利的人;能够战胜敌人的,必定是强大的人;能够强大的,必定是利用众人力量的人;能够利用众人力量的,必定是得民心的人;能够得民心的,必定是自得道旨的人;能够自得道旨的,必定是柔弱的人。强硬可以胜过不及自己的,但遇到和自己一样强硬的

互相抗衡就难以取胜了；柔弱可以胜过超出自己的，它的力量是不可度量的。所以能够用众人不能取胜的力量成就巨大的胜利,只有圣人才能做到。

[原文] 民有道所同道,有法所同守。为义之不能相固,威之不能相必也,故立君以一民。君执一则治,无常则乱。君道者,非所以为也,所以无为也。何谓无为？智者不以位为事,勇者不以位为暴,仁者不以位为患,可谓无为矣。夫无为则得于一也。一也者,万物之本也,无敌之道也。凡人之性,少则猖狂,壮则暴强,老则好利。一身之身既数变矣,又况君数易法,国数易君！人以其位通其好憎,下之径衢不可胜理,故君失一则乱,甚于无君之时。故《诗》曰："不愆不忘,率由旧章。"此之谓也。

[译文] 百姓有了道路便会一同行走,有了法规便会一同遵守。靠义理不能使百姓牢固团结在一起,靠威力也不能使百姓紧密聚集在一起,所以设立国君来使民心齐一。君主掌握了一就能得到治理,没有纲常法规就会引起混乱。君主治国之道,不是要其有所作为,而是要无为。什么叫无为？聪明的人不利用权位来行事,勇敢的人不利用权位来施暴,仁爱的人不利用权位来推恩,这可以叫无为了。做到了这种无为,就算得到了一。所谓一就是万物的根本,无敌的法宝。大凡人的性情,年少时浮躁狂妄,壮年时凶暴逞强,到了老年贪图利益。一个人一生这样多次发生变化,又何况是国君多次改变法令,国家多次更换君主呢？人凭借自己的地位来达到自己爱憎的目的,影响到民间大街小巷,难以调理清楚,所以君主失去了一就会乱套,这种混乱甚至比没有君主时还要厉害。所以《诗》说："不要出错,不要遗忘,遵从旧有的制度典章。"讲的就是这样的情况。

[原文] 人主好仁,则无功者赏,有罪者释；好刑,则有

功者废,无罪者诛。及无好者,诛而无怨,施而不德。放准循绳,身无与事,若天若地,何不覆载?故合而舍之者君也,制而诛之者法也。民已受诛,怨无所灭,谓之道。道胜,则人无事矣。圣人无屈奇之服,无瑰异之行。服不视,行不观,言不议,通而不华,穷而不慑,荣而不显,隐而不穷,异而不见怪,容而与众同,无以名之,此之谓大通。

[译文]　君主喜好仁爱,那么无功的人受到奖赏,有罪的人得到释放;君主喜好刑杀,那么有功的人会被废黜,无罪的人会被诛死。而没有喜好的君主,诛杀罪人没有怨言,施舍众人不求报答。依照水准,遵循绳墨,自身没有什么事要做,像天地一样,哪里不被它覆盖承载呢?所以融合万物使它们平平和和的是君主的职责,限制和诛杀有罪的人是法律的要求。人已经被诛罚,却没有什么怨恨遗憾,这就是合道。道取胜,那么人就没有事可做了。圣人不穿奇特的服装,没有怪异的行为。他的服装,别人不去看,他的行为,别人不注意,他的言论,别人不议论,显达而不奢华,穷困而不丧气,荣耀而不显露,隐逸而不困厄,奇特而不被人觉得怪诞,仪容和普通人相同,没有办法来称谓它,这就叫大通。

兵　略　训

[原文]　古之用兵者,非利土壤之广而贪金玉之略,将以存亡继绝,平天下之乱,而除万民之害也。凡有血气之虫,含牙带角,前爪后距,有角者触,有齿者噬,有毒者螫,有蹄者趹,喜而相戏,怒而相害,天之性也。人有衣食之情,而物弗能足也,故群居杂处,分不均,求不澹,则争。争则强胁弱而勇侵怯。人无筋骨之强,爪牙之利,故割革而为甲,铄铁而为刃。贪昧饕餮之人,残贼天下,万人摇动,莫宁其所。有圣人勃然而起,乃讨强暴,平乱世,夷险除秽,以浊为清,以危为宁,故不得不中

绝。兵之所由来者远矣。黄帝尝与炎帝战矣,颛顼尝与共工争矣。故黄帝战于涿鹿之野,尧战于丹水之浦,舜伐有苗,启攻有扈,自五帝而弗能偃也,又况衰世乎?

[译文]　　古代用兵的人,不是为了图谋土地疆域的广阔和贪求金玉珍宝的获得,而是要保存将灭亡的国家,延续将断绝的世族,平息天下的动乱,消除万民的祸害。凡是有生命的动物,嘴里有牙,头上长角,前面有爪,后面有距,有角的触撞,有牙的噬咬,有毒的螯刺,有蹄的蹬踢,欢喜时互相嬉戏,发怒时互相伤害,这是天然的本性。人类有衣食的需求,但物资不能满足需要,因此人类成群地居住,杂乱地相处,当分配不均匀,需要不能满足时,就会争斗。争斗则强壮的胁迫弱小的,勇敢的侵犯怯懦的。人类没有强健的筋骨,锋利的爪牙,所以就切开皮革制成铠甲,熔化铁制成兵刃。贪婪凶残蛮横的人,危害天下,使千万人受到骚扰,没有谁能安宁地生活。这时有圣人愤怒地站起来,于是讨伐强暴,安定乱世,铲平险恶,除去污秽,把混浊变成清澄,把危险变成安宁,因此贪婪凶残蛮横的人不能不被灭绝。战争产生的历史已经很久远了。黄帝曾经和炎帝打过仗,颛顼曾经和共工争夺天下。所以黄帝在涿鹿的原野上作战,尧在丹水之滨作战,舜讨伐有苗,启攻打有扈,从五帝以来就没有停止过,更何况衰败之世呢?

[原文]　　故善为政者积其德,善用兵者畜其怒。德积而民可用,怒畜而威可立也。故文之所加者浅,则势之所胜者小;德之所施者博,而威之所制者广。威之所制者广,则我强而敌弱矣。故善用兵者,先弱敌而后战者也,故费不半而功自倍也。汤之地方七十里而王者,修德也;智伯有千里之地而亡者,穷武也。故千乘之国行文德者王,万乘之国好用兵者亡。故全兵先胜而后战,败兵先战而后求胜。德均则众者胜寡,力敌则智者胜愚,智侔则有数者禽无数。凡用兵者,必先自庙战。主孰

贤,将孰能,民孰附,国孰治,蓄积孰多,士卒孰精,甲兵孰利,器备孰便,故运筹于庙堂之上,而决胜乎千里之外矣。

[译文]　　所以善于为政的人积蓄他的恩德,善于用兵的人聚敛他的怒气。恩德积蓄,人民能够被他使用,怒气聚敛,威严就可以树立起来。因此文治加在人民身上多,那么权势能够取胜的就小;恩德布施的面大,威严所能控制的就广。威严所能控制的广,那么我方就强大而敌方就变弱了。所以善于用兵的人,首先使敌人衰弱,然后再去交战,因此花费不过一半而有成倍的功效。商汤土地方圆七十里而能称王天下,是因为他修德政;智伯拥有土地一千里却最终灭亡,是因为他穷兵黩武。所以只有千辆兵车的小国实行文治德政就能称王天下,而占有万辆兵车的大国滥用武力打仗则会灭亡。所以能够保全的军队先有胜利的条件然后再去作战,而失败的军队则是先开战然后再求胜利。双方的恩德相同,那么人多的战胜人少的;双方的力量相当,那么有智谋的战胜愚蠢的;双方的智谋相等,那么有战术的擒获没有战术的。凡是用兵作战,一定要先在朝廷上谋划。君主哪一位贤明,将领哪一方能干,百姓哪一边归附,国家哪一个治理得好,蓄积储备谁的充足,士卒谁的精锐,铠甲兵器谁的坚固锋利,器械装备谁的方便使用,所以在朝廷上谋划决策,便能决定千里之外战场上的胜利。

[原文]　　兵之所以强者,民也;民之所以必死者,义也;义之所以能行者,威也。是故合之以文,齐之以武,是谓必取;威仪并行,是谓至强。夫人之所乐者生也,而所憎者死也。然而高城深池,矢石若雨;平原广泽,白刃交接,而卒争先合者,彼非轻死而乐伤也,为其赏信而罚明也。是故上视下如子,则下视上如父;上视下如弟,则下视上如兄。上视下如子,则必王四海;下视上如父,则必正天下。上亲下如弟,则不难为之死;下视上如兄,则不难为之亡。是故父子兄弟之寇不可与斗者,积

恩先施也。故四马不调,造父不能以致远;弓矢不调,羿不能以必中,君臣乖心,则孙子不能以应敌。是故内修其政,以积其德;外塞其丑,以服其威;察其劳佚,以知其饱饥。故战日有期,视死若归。故将必与卒同甘苦,俟饥寒,故其死可得而尽也。

[译文]　　军队之所以强大,是因为有了人民;人民之所以决心牺牲,是因为懂得大义;大义之所以能够推行,是因为威严所致。因此要用文德来聚合他们,用军法来统一他们,这样是必定取胜的;威严和仁义一起推行,这样是最强大的。人所喜爱的是生存,而所憎恶的是死亡。然而面对高高的城墙,深深的护城河,飞箭、石块像雨点般打来;在辽阔的原野,宽广的沼泽地,手执利刃互相搏杀,士兵们争先恐后抢着上前作战,他们并不是轻视死亡而高兴受伤,是因为对他们奖赏守信而处罚严明的缘故。因此君主把人民看成子女,那么人民就把君主看成父亲;君主把人民看成弟弟,那么人民就把君主看成兄长。君主把人民看成子女,那么就必定统治四海;人民把君主看成父亲,那么就必定使天下公正。君主把人民看成弟弟,那么人民不会把死当成难事;人民把君主看成兄长,那么就会毫不犹豫地为君主献身。因此亲如父子兄弟的对手是不能够和他们较量的,因为他们积累的恩德已经施行了。所以驾车的四匹马动作不协调,造父也不能驾驭它们到达远方;弓和箭不搭配,羿也不能用它们射中目标;君主和臣下离心离德,那么孙武也不能来对付敌人。因此君主对内要修明政治,积累恩德;对外要堵塞丑行,树立威严;观察人民的劳逸,以了解他们的饱和饥。因此战争一旦爆发,人民就会视死如归。所以将领一定要和士兵同甘共苦,共同忍受饥寒,那么士兵就可以尽力去为战斗而死了。

说　山　训

[原文]　　魄问于魂曰:"道何以为体?"曰:"以无有为体。"魄曰:"无有有形乎?"魂曰:"无有。""何得而闻也?"魂曰:

"吾直有所遇之耳。视之无形,听之无声,谓之幽冥。幽冥者,所以喻道而非道也。"魄曰:"吾闻得之矣。乃内视而自反也。"魂曰:"凡得道者,形不可得而见,名不可得而扬。今汝已有形名矣,何道之所能乎?"魄曰:"言者独何为者?""吾将反吾宗矣。"魄反顾,魂忽然不见,反而自存,亦以沦于无形矣。

[译文]　　魄问魂说:"道用什么作为形体?"魂回答说:"用无有作为形体。"魄又问:"无有有形体吗?"魂回答说:"没有。"魄又问:"没有形体,怎么能知道它呢?"魂回答说:"我只凭遭遇而知道它。看它没有形体,听它没有声音,这叫做幽冥。幽冥是用来比喻道的,但它并不是道。"魄说:"听了你说的,我明白道了。它是用内心观察却自然而得的。"魂说:"凡是得道的,形体不能见到,名声不能称扬。现在你已经有了形体和名声,怎么能得到道呢?"魄说:"那么你说话又是为了什么呢?"魂说:"我将要返回我的根本了。"魄回头看魂,忽然间不见了,自己反身省察,也隐没在无形之中了。

[原文]　　求美则不得美,不求美则美矣;求丑则不得丑,求不丑则有丑矣;不求美又不求丑,则无美无丑矣,是谓玄同。申徒狄负石自沉于渊,而溺者不可以为抗;弦高诞而存郑,诞者不可以为常。事有一应而不可循行。人有多言者,犹百舌之声;人有少言者,犹不脂之户也。六畜生多耳目者不详,谶书著之。百人抗浮,不若一人挈而趋。物固有众而不若少者。引车者二六而后之,事固有相待而成者。两人俱溺,不能相拯,一人处陆则可矣。故同不可相治,必待异而后成。千年之松,下有茯苓,上有兔丝;上有丛蓍,下有伏龟。圣人从外知内,以见知隐也。

[译文]　　追求美则不能得到美,不追求美则能够得到美了;追求丑则不能得到丑,不追求丑则能够得到丑了;不追求美也不追求丑,那么

便没有美也没有丑了,这叫做与天道相合。申徒狄背着石头自己沉入深渊,而落水的人不能都认为是高尚的;弦高用欺骗手段保存了郑国,而欺骗手段不能都认为是合理的。事情有些可以应付一下而不能照着去做。人有喜欢多说的,就像百舌鸟的叫声;人有很少说话的,就像难以开关的门一样。六畜有多生出耳朵眼睛的,被认为是不吉祥,谶书中有着这样的记载。一百人举起一个葫芦瓢,不如一个人拿着它快步走。事物本来有多不如少的情形。牵引车子的要二人,而后面推车的要六人,事物本来有相互配合才能成功的情形。两个人一起落入水中,不能互相救援,如果有一个人在岸上就可以救援了。所以同类的不可以治理,一定要有不同的才能成功。千年的松树,下面有茯苓,上面有兔丝草;上面有丛生的蓍草,下面有匿伏的灵龟。圣人从外表能推知内里,根据显露的迹象能推知隐藏的实情。

[原文] 夫游没者不求沐浴,已自足其中矣。故食草之兽不疾易薮,水居之虫不疾易水,行小变而不失常。信有非礼而失礼。尾生死其梁柱之下,此信之非也;孔氏不丧出母,此礼之失者。曾子立孝,不过胜母之闾;墨子非乐,不入朝歌之邑;曾子立廉,不饮盗泉。所谓养志者也。纣为象箸而箕子唏,鲁以偶人葬而孔子叹,故圣人见霜而知冰。

[译文] 游泳的人不要求再去沐浴了,因为在水中已满足了。所以吃草的野兽不担心更换湖泽,在水中生活的动物不担心改变水域,发生小的变化并没有影响它们的生活习性。守信用有错误的时候,守礼节有偏差的时候。尾生为守信用淹死在桥柱之下,这是守信用的错误;孔子曾孙子上不为被休弃的母亲服丧,这是守礼节的偏差。曾子树立孝名,不经过叫胜母的里巷;墨子非难音乐,不进入叫朝歌的城邑;曾子提倡清廉,不喝盗泉里的水。这都是注重培养崇高志向的人。商纣王用象牙筷子而箕子叹息,鲁国用木偶人殉葬而孔子感慨,所以圣人看见寒霜而知道冰雪即将来临。

说 林 训

[原文] 怒出于不怒,为出于不为。视于无形,则得其所见矣;听于无声,则得其所闻矣。至味不慊,至言不文,至乐不笑,至音不叫,大匠不斫,大豆不具,大勇不斗,得道而德从之矣。譬若黄钟之比宫,太簇之比商,无更调焉。以瓦钰者全,以金钰者跋,以玉钰者发。是故所重者在外,则内为之掘。逐兽者目不见太山,嗜欲在外,则明所蔽矣。听有音之音者聋,听无音之音者聪,不聋不聪,与神明通。

[译文] 愤怒出自于不愤怒,有为出自于无所为。从无形的地方看,就能得到所要看见的东西;从无声的地方听,就能得到所要听见的东西。最好的味道没有满足,最美的言辞没有文饰,最大的快乐没有笑容,最妙的声音没有呼叫,最高明的工匠不用斧斫,最巨大的容器不盛食物,最勇敢的战士不会争斗,得到了道,德也就紧随不离身了。就好像黄钟和宫音相配,太簇和商音相配,不需要更换其他的音调。用瓦器作赌注的人心神安定,用黄金作赌注的人心绪不宁,用美玉作赌注的人心情焦躁。因为所看重的金玉这些外物,内心则因此而笨拙。追逐野兽的人眼睛看不见泰山,嗜欲用在外物上,那么聪明便被遮蔽了。听有声的声音的人会耳聋,听无声的声音的人听觉灵敏,既不聋又不灵敏,就与神明相通了。

[原文] 圣人处于阴,众人处于阳;圣人行于水,众人行于霜。异音者不可听以一律,异形者不可合于一体。农夫劳而君子养焉,愚者言而智者择焉。舍茂林而集于枯,不弋鹄而弋乌,难与有图。寅丘无壑,泉原不溥;寻常之壑,灌千顷之泽。见之明白,处之如玉石;见之暗晦,必留其谋。以天下之大托于一人之才,譬若悬千钧之重于木之一枝。负子而登墙,谓之不

祥,为其一人陨而两人伤。善举事者,若乘身而悲歌,一人唱而千人和。不能耕而欲黍粱,不能织而喜采裳,无事而求其功,难矣。

[译文] 圣人处在隐蔽之处,众人处在显露之处;圣人像行于水中那样没有踪迹,众人像走在霜地那样留下印痕。不同的音乐,不可以按一个音律来听,不同的形状,不可以把它们归成一类。农夫辛勤劳动,君子得到了赡养,愚人七嘴八舌,聪明人从中加以选择。舍弃茂密的树林而停留在枯木之上,不去射鸿鹄而去射乌鸦,这样的人难于和他图谋大事。深山没有沟壑,泉水源流不能广大;普通的沟壑有源头,可以灌注千顷的大泽。见识明白,处事就像玉石一样清楚;见识昏昧,一定会留下疑问。对于如此广大的天下,把它寄托在一个人的才智上,就好像把千斤重量悬挂在树木的一根枝条上一样危险。背着孩子去爬墙,叫做不吉利,因为一个人跌倒就使两个人受伤。善于办事的人,好像乘着船而唱起悲歌,一个人唱有上千人相和。不去耕种而想得到小米高粱,不去纺织而喜欢彩色衣裳,不去做事而想事业的成功,这实在是难啊。

[原文] 凡用人之道,若以燧取火,疏之则弗得,数之则弗中,正在疏数之间。从朝视夕者移,从枉准直者亏。圣人之偶物也,若以镜视形,曲得其情。杨子见逵路而哭之,为其可以南可以北;墨子见练丝而泣之,为其可以黄可以黑。趋舍之相合,犹金石之一调,相去千岁,合一音也。鸟不干防者,虽近弗射;其当道,虽远弗释。酤酒而酸,买肉而臭,然酤酒买肉不离屠沽之家,故求物必于近之者。以诈应诈,以谲应谲,若披蓑而救火,毁渎而止水,乃愈益多。西施毛嫱,状貌不可同,世称其好,美钧也;尧舜禹汤,法籍殊类,得民心一也。圣人者,随时而举事,因资而立功。涔则具擢对,旱则修土龙。

[译文] 大凡用人的方法,就像用燧取火一样,钻慢了不能得

到,钻快了不能打中,快慢适当才能燃着。从早上的位置来看傍晚的太阳是移动了,用弯曲的东西作标准来测量直的物品就会有亏缺。圣人看待事物,就像用镜子来观察形体,曲折而周全地掌握它的真情。杨子看到四通八达的道路而哭泣,因为它可以向南,也可以向北;墨子看到洁白的生丝而落泪,因为它可以染成黄色,也可以染成黑色。人们追求和舍弃的协调,就像金钟、石磬有固定的音调,相隔一千年,仍合于一个音。鸟雀不妨碍人们,即使离得近也不去射它;鸟雀当路妨碍人们,即使离得远也不会放过它。买酒发酸,买肉发臭,然而买酒买肉仍然离不开屠坊酒店,所以人们求得物品必定在就近的地方。用欺诈来对付欺诈,用狡谲来对付狡谲,就像披着蓑衣去救火,挖开沟渎来止水一样,只会越来越严重。西施和毛嫱,形体、外貌不会相同,但世人都称赞她们好看,因为美丽是一致的;尧、舜、禹和汤,法令制度不会相同,但他们的德政得到民心是一致的。圣人随着时势变化而办事,根据自己的资质建立功业。多雨时准备好贮水器具,干旱时制造求雨的土龙。

人 间 训

[原文] 清净恬愉,人之性也;仪表规矩,事之制也。知人之性,其自养不勃;知事之制,其举错不惑。发一端,散无竟,周八极,总一管,谓之心。见本而知末,观指而睹归,执一而应万,握要而治详,谓之术。居知所为,行知所之,事知所秉,动知所由,谓之道。道者,置之前而不轻,错之后而不轩,内之寻常而不塞,布之天下而不窕。是故使人高贤称誉己者,心之力也;使人卑下诽谤己者,心之罪也。

[译文] 清静恬淡,是人的本性;标准法则,是处事的规范。知道了人的本性,人的自身修养就不会混乱;知道了处事的规范,人的举止行动就不会迷惑。从一端出发,扩散到无穷无尽,遍及八方极远之处,又回归到洞管之中,这就是心的作用。看到根本就能推知末尾,观察趋向就能

预见归宿,掌执一方就能应付千万,把握要领就能治理周详,这就是术的本领。静处时知道在做什么,行走时知道到哪里去,办事时知道持守的原则,动作时知道依据的根由,这就是道的境界。道,放在前面不会坠下,放在后面不会翘起,进入狭小地方不会堵塞,广布天下不会留下空隙。因此使别人以高贤称誉自己的,是心的力量;使别人以卑下诽谤自己的,是心的罪过。

[原文]　　圣王布德施惠,非求其报于百姓也;郊望禘尝,非求福于鬼神也。山致其高而云起焉,水致其深而蛟龙生焉,君子致其道而福禄归焉。夫有阴德者必有阳报,有阴行者必有昭名。古者沟防不修,水为民害,禹凿龙门,辟伊阙,平治水土,使民得陆处。百姓不亲,五品不慎,契教以君臣之义,父子之亲,夫妻之辨,长幼之序。田野不修,民食不足,后稷乃教之辟地垦草,粪土种谷,令百姓家给人足。故三后之后,无不王者,有阴德也。周室衰,礼义废,孔子以三代之道教导于世,其后继嗣至今不绝者,有隐行也。秦王赵政兼吞天下而亡,智伯侵地而灭,商鞅支解,李斯车裂。三代种德而王,齐桓继绝而霸。故树黍者不获稷,树怨者无报德。

[译文]　　圣王布施德泽恩惠,不是为了向老百姓求得报答;祭祀天地、山川、祖宗,不是为了向鬼神求得福祐。山达到一定高度,云雨在这里兴起,水达到一定深度,蛟龙在这里产生,君子推行他的大道,福禄就会归属于他。暗中积德的人,必定有公开的回报,有隐行的人,必定有显扬的声誉。古时候沟渠堤防没有修治,洪水成为人民的祸害,大禹凿通龙门,劈开伊阙,平息了洪水,整治了土地,使人民得以在陆地上安居。百姓之间不亲近,五伦关系不顺畅,契教育人民懂得君臣之间的大义,父子之间的亲爱,夫妻之间的区别,长幼之间的秩序。田野得不到整治,百姓食物不足,后稷指导人民开垦荒地,往田里施肥,播种粮食,使百姓家家富

裕，人人丰足。所以这三位君主的后代，没有不称王的，这是由于积有阴德的缘故。周王室衰微，礼义废弃，孔子用三代贤君的道德教导世人，他的后代至今没有断绝，这是由于有隐行的缘故。秦王赵政用暴力吞并天下很快亡国，智伯侵夺别人土地很快被消灭，商鞅被肢解，李斯遭车裂。三代君主树立恩德而称王天下，齐桓公恢复灭绝的世族而成为霸主。所以种黍的不会收获稷，种下怨恨的不会得到恩德的报答。

[原文] 夫为君崇德者霸，为君广地者灭。故千乘之国，行文德者王，汤武是也；万乘之国，好广地者亡，智伯是也。非其事者勿仞也，非其名者勿就也，无故有显名者勿处也，无功而富贵者勿居也。夫就人之名者废，仞人之事者败。无功而大利者后将为害。譬犹缘高木而望四方也，虽愉乐哉，然而疾风至，未尝不恐也。患及身，然后忧之，六骥追之，弗能及也。是故忠臣之事君也，计功而受赏，不为苟得；积力而受官，不贪爵禄。其所能者，受之勿辞也；其所不能者，与之勿喜也。辞所能则匮，欲所不能则惑；辞所不能而受所能，则得无损堕之势，而无不胜之任矣。昔者智伯骄，伐范、中行而克之，又劫韩、魏之君而割其地，尚以为未足，遂兴兵伐赵。韩、魏反之，军败晋阳之下，身死高梁之东，头为饮器，国分为三，为天下笑，此不知足之祸也。《老子》曰："知足不辱，知止不殆，可以修久。"此之谓也。

[译文] 使君主尊崇道德的能够称霸，使君主扩张土地的要被消灭。所以只有千辆兵车的国家，施行德政就可以称王天下，商汤和周武王就是这样；而有万辆兵车的国家，喜欢扩张土地就会招致灭亡，智伯就是如此。不是自己的事情不要去承担，不是自己的名声不要去追求，没有缘故而得到显赫名声不要接受，没有功劳而得到富贵不要占有。依靠他人名声的会被废弃，承担他人事务的会遭失败，没有功劳而得到大利的

以后将被它所害。就好像爬到高树上眺望四方,虽然愉快欢乐,然而大风刮来,没有不害怕的。祸患来到身上,然后才去忧虑它,即使驾上六匹骏马追赶,也来不及了。因此忠臣侍奉君主,计算功劳来接受奖赏,不做苟且得益的事情;估量能力来接受官职,不贪图爵位利禄。自己能够胜任的,接受下来不推辞;自己不能胜任的,给了也不欢喜。推辞能够做到的,是隐匿真情,企图得到不能做到的,是制造惑乱;推辞不能做到的,而接受能够做到的,这样才会有所得,没有损毁堕落的情势,也没有不能胜任的担子了。从前智伯骄横,侵犯范氏、中行氏而战胜他们,又胁迫韩、魏的君主,分割他们的土地,仍然不满足,于是发兵讨伐赵。韩、魏反叛智伯,智伯军队败于晋阳城下,自己也死在高梁东边,头颅被做成饮器,国家被分成三块,被天下人取笑,这是不知满足带来的祸患。《老子》说:"知道满足就不会有耻辱,知道适可而止就不会有危险,可以长久安全。"说的就是这个意思。

[原文] 圣人敬小慎微,动不失时,百射重戒,祸乃不滋。计福勿及,虑祸过之;同日被霜,蔽者不伤;愚者有备,与知者同功。夫爝火在缥烟之中也,一指所能息也;唐漏若鼷穴,一墣之所能塞也。及至火之燔孟诸而炎云台,水决九江而渐荆州,虽起三军之众,弗能救也。夫积爱成福,积怨成祸,若痈疽之必溃也,所浼者多矣。诸御鞅复于简公曰:"陈成常、宰予二子者,甚相憎也,臣恐其构难而危国也,君不如去一人。"简公不听。居无几何,陈成常果攻宰予于庭中,而弑简公于朝。此不知敬小之所生也。

[译文] 圣人慎重对待细小的事情,行动不会失去时机,凡事有所预备,灾祸就不会滋生。对福不要作过分的要求,对祸却要多加思索考虑周到。同一天受到霜害,有遮护的不会受伤,愚钝的人有了防范,和聪明的人有同等功效。小小的火星冒着轻烟时,一个指头就能熄灭它;塘堤的漏洞只有小鼠洞那样小时,一个土块就能堵住它。等到烈火烧到了

孟诸泽云台那样大的范围,洪水冲决了九汇而涌向荆州那样大的地方,即使调动三军将士,也不能扑灭制止了。积累爱成为福,积累怨成为祸,就像恶疮必然要溃烂,所污染的地方就多了。诸御鞅禀告齐简公说:"陈成常和宰予两人相互仇恨很深,我担心他们造成灾难而危害国家,君主不如除去其中一人。"齐简公不听。没过多久,陈成常果然在庭院里攻打宰予,又在朝堂上杀死齐简公。这就是不知道慎重处理细小的事情而产生的恶果。

修 务 训

[原文] 且古之立帝王者,非以奉养其欲也;圣人践位者,非以逸乐其身也。为天下强掩弱,众暴寡,诈欺愚,勇侵怯,怀知而不以相教,积财而不以相分,故立天子以齐一之。为一人聪明而不足以遍照海内,故立三公九卿以辅翼之。绝国殊俗,僻远幽闲之处,不能被德承泽,故立诸侯以教诲之。是以地无不任,时无不应,官无隐事,国无遗利,所以衣寒食饥,养老弱而息劳倦也。若以布衣徒步之人观之,则伊尹负鼎而干汤,吕望鼓刀而入周,百里奚转鬻,管仲束缚,孔子无黔突,墨子无暖席。是以圣人不高山,不广河,蒙耻辱以干世主,非以贪禄慕位,欲事起天下利,而除万民之害。盖闻传书曰:"神农憔悴,尧瘦臞,舜黴黑,禹胼胝。"由此观之,则圣人之忧劳百姓甚矣!故自天子以下至于庶人,四肢不动,思虑不用,事治求澹者,未之闻也。

[译文] 况且古时候立帝王,不是用来奉养他们的嗜欲;圣人登上君位,不是用来使自身安逸享乐。为的是天下强大的压迫弱小的,势众的残害势寡的,狡诈的欺骗愚钝的,勇猛的侵犯怯懦的,怀藏智谋不用来教育别人,积累财富不用来与众人分享,所以立天子来统一天下。因为天

子一个人的聪明才智不足以普遍地照顾到四海之内。所以立三公、九卿来辅佐帮助他。远方的国家有着不同的习俗，处在偏僻闭塞的地方，不能承受到天子的德泽，所以立诸侯来教诲他们。因此土地没有不被利用的，时节没有不适应的，官吏没有失职的事，国家没有遗漏的利益，所以能够使寒冷的人有衣服穿，饥饿的人有食物吃，老弱的人得到奉养，劳累困倦的人得到休息。如果用普通百姓的身份来看，便可以看到：伊尹背着鼎去汤那里，吕望拿着刀进入周国，百里奚被转卖而到秦，管仲被捆绑而归齐，孔子周游列国，所用的烟囱没有熏黑过，墨子四处奔走，所坐的席子没有温暖过。所以圣人不顾山高，不怕河宽，甘愿蒙受耻辱以求得君主的任用，不是为了贪图爵位俸禄，而是想担当起重任为天下兴利，为万民除害。曾经听到史书上说："神农脸色憔悴，尧瘦弱，舜身上黧黑，禹手脚长老茧。"从这里可以看出，圣人忧劳百姓是很厉害的了！所以从天子以下一直到平民百姓，想不活动四肢，不用心费神，事情就能办好，要求就能满足，这是从来没有听说过的。

[原文]　　昔者苍颉作书，容成造历，胡曹为衣，后稷耕稼，仪狄作酒，奚仲为车。此六人者，皆有神明之道，圣智之迹，故人作一事而遗后世，非能一人而独兼有之。各悉其知，贵其所欲达，遂为天下备。今使六子者易事，而明弗能见者何？万物至众，而知不足以奄之。周室以后，无六子之贤而皆修其业；当世之人，无一人之才而知其六贤之道者何？教顺施续而知能流通。由此观之，学不可已，明矣！

[译文]　　从前苍颉创造文字，容成制定历法，胡曹制作衣裳，后稷种植庄稼，仪狄发明酿酒，奚仲制造车子。这六个人都有神奇精妙的本领，圣明智慧的业绩，所以每人都能创造一件事而留传到后世，并不能一个人就独自兼有许多项发明。各人尽数拿出自己的智慧，重视他们所要达到的目标，于是就能供给天下人的需要了。现在使这六个人改变他们所从事的工作，那么他们的聪明就不能表现出来，为什么呢？世间万物众

多,一个人的智慧无法包容一切。周王朝以后,没有这六个人那样的贤才,而都能从事他们的事业;当代的人,没有一个人具有他们这样的才智,却都能了解他们技艺和本领,这又是为什么呢?教育使他们的才学得以延长继续,使他们的智慧技能得以流传开来。从这里可以看出,学习不可以停止,这是很明白的了!

[原文] 夫七尺之形,心知忧愁劳苦,肤知疾痛寒暑,人情一也。圣人知时之难得,务可趣也,苦身劳形,焦心怖肝,不避烦难,不违危殆。盖闻子发之战,进如激矢,合如雷电,解如风雨,员之中规,方之中矩,破敌陷阵,莫能壅御,泽战必克,攻城必下。彼非轻身而乐死,务在于前,遗利于后,故名立而不堕。此自强而成功者也。是故田者不强,囷仓不盈;官御不厉,心意不精;将相不强,功烈不成;侯王懈惰,后世无名。《诗》云:"我马唯骐,六辔如丝。载驰载驱,周爰咨谋。"以言人之有所务也。

[译文] 人有七尺高的躯体,心里知道忧愁劳苦,肌肤能感觉疼痛冷热,人的情感是相同的。圣人知道时机难得,事业是可以追求的,所以他们身躯辛苦,形体劳累,心情焦虑,不避开烦难,不畏惧危险。听说楚国将领子发率兵作战,前进就像飞出的箭,聚合就像雷鸣电闪,分散就像疾风暴雨,摆圆阵与规相符,摆方阵与矩相合,攻破敌阵,没有谁能阻挡抵御,野战必定能取胜,攻城必定能夺取。他们不是轻视生命乐于死亡,而是事业在前面召唤,把利益遗留给后世,所以名声树立而不会废弃。这是自强不息而取得成功的人。因此种田的人不下力气,粮仓就不会盈满;官吏不磨炼振奋,心意就不能专一;将相不奋发图强,功业就不能成功;侯王松懈懒惰,死后就不会有美名。《诗》说:"我驾上青黑色的骏马,六根缰绳柔软如丝。马儿奔跑驰骋,为的是向忠言的人讨教良谋。"这说的是人对事业要有所追求。

泰族训

[**原文**] 圣人天覆地载,日月照,阴阳调,四时化,万物不同,无故无新,无疏无亲,故能法天。天不一时,地不一利,人不一事,是以绪业不得不多端,趋行不得不殊方。五行异气,而皆适调;六艺异科,而皆同道。温惠柔良者,《诗》之风也;淳庞敦厚者,《书》之教也;清明条达者,《易》之义也;恭俭尊让者,《礼》之为也;宽裕简易者,《乐》之化也;刺几辩义者,《春秋》之靡也。故《易》之失鬼,《乐》之失淫,《诗》之失愚,《书》之失拘,《礼》之失忮,《春秋》之失訾。六者,圣人兼用而财制之。失本则乱,得本则治,其美在调,其失在权。水火金木土谷,异物而皆任;规矩权衡准绳,异形而皆施;丹青胶漆,不同而皆用。各有所适,物各有宜。轮圆舆方,辕从衡横,势施便也。骖欲驰,服欲步,带不厌新,钩不厌故,处地宜也。《关雎》兴于鸟,而君子美之,为其雌雄之不乖居也;《鹿鸣》兴于兽,君子大之,取其见食而相呼也。泓之战,军败君获,《春秋》大之,取其不鼓不成列也;宋伯姬坐烧而死,而《春秋》大之,取其不逾礼而行也。成功立事,岂足多哉?方指所言,而取一概焉尔。

[**译文**] 圣人如同上天覆盖一切,大地运载万物,如同日月照耀,阴阳调和,四季变化,对待万事万物,不分新旧,不论亲疏,因此能够效法天道。上天不会只有一个季节,大地不会只有一种利益,人也不会只有一样本事,因此事业不能不多种多样,追求不能不多个方向。五行不同气但都适宜协调;六艺不同科但都会同于道。温和善良,是《诗》的风格;淳朴敦厚,是《书》的教诲;清新畅达,是《易》的大义;恭敬谦让,是《礼》的要求;宽和简易,是《乐》的化育,讽刺辩论,是《春秋》的美意。所以《易》的过失是诡秘,《乐》的过失是淫惑,《诗》的过失是愚笨,《书》的过失是拘

泥，《礼》的过失是嫉妒，《春秋》的过失是诋毁。这六种经典圣人兼取并用而加以裁定。丧失根本就会混乱，掌握根本就能得到治理，它的精美之处在于调和理顺，它的过失之处在于随意改变。水火金木土谷，不同的物类都能得到使用；规矩权衡准绳，不同的形体都能得到施行；丹青胶漆，性质各异而都有用途。各种场合有适合各自的东西，各种物类有适合各自的地方。轮子是圆的，车箱是方的，车辕是直的，车衡是横的，形态不同是为了使用的便利。骖马要快跑，服马要慢行，衣带不厌烦新的，钩子不厌烦旧的，处所不同有不同的适宜的事。《关雎》以鸟起兴，而君子赞美它，因为它们雌鸟雄鸟居处和谐；《鹿鸣》以兽起兴，而君子看重它，因为它们找到食物互相招呼共同分享。泓之战中宋军失败且国君被俘，但《春秋》肯定他，因为他不攻击还未摆好阵列的敌军；宋伯姬坐着被烧死，但《春秋》称颂她，因为她不超越礼节而行动。成就功业，办成大事，哪里需要很多的事情呢？史书所记载的，从中取其一个方面罢了。

[原文] 治大者道不可以小，地广者制不可以狭，位高者事不可以烦，民众者教不可以苛。夫事碎难治也，法烦难行也，求多难澹也。寸而度之，至丈必差，铢而称之，至石必过。石秤丈量，径而寡失，简丝数米，烦而不察。故大较易为智，曲辩难为慧。故无益于治而有益于烦者，圣人不为；无益于用而有益于费者，智者弗行也。故功不厌约，事不厌省，求不厌寡。功约易成也，事省易治也，求寡易澹也。众易之，于以任人易矣。

[译文] 治理大的国家道术不能够小，拥有广的国土制度不能够狭，地位高的人处事不能够烦杂，人民众多时教育不能够苛刻。事务细碎就难以治理，法令烦杂就难以推行，贪求多就难以满足。一寸一寸地量，量到一丈时必定有偏差，一铢一铢地称，称到一石时必定有过错。用石称用丈量，简便而少差错，查丝的根数，算米的粒数，烦琐而难以弄清楚。所以从大的方面着手容易发挥才智，纠缠细枝末节难以表现聪明。因此对治理没有益处只会增加烦杂的事，圣人不干；对实用没有益处只会

增加浪费的事,聪明人不做。所以功业不嫌简约,事情不厌节省,要求不怕寡少。功业简约容易完成,事情节省容易治理,要求寡少容易满足。对这众多的事情都能简易为之,那么对于用人也能够简易了。

[原文] 民无廉耻,不可治也;非修礼义,廉耻不立。民不知礼义,法弗能正也。非崇善废丑,不向礼义。无法不可以为治也,不知礼义不可以行法。法能杀不孝者,而不能使人为孔、曾之行;法能刑窃盗者,而不能使人为伯夷之廉。孔子弟子七十,养徒三千人,皆入孝出悌,言为文章,行为仪表,教之所成也。墨子服役者百八十人,皆可使赴火蹈刃,死不还踵,化之所致也。夫刻肌肤,镵皮革,被创流血,至难也,然越为之以求荣也。圣王在上,明好恶以示之,经诽誉以导之,亲贤而进之,贱不肖而退之,无被创流血之苦,而有高世尊显之名,民孰不从?

[译文] 人民没有廉耻之心,是不能够治理的;不去修治礼义,廉耻之心就不会树立。人民不知道礼义,法令不能使他们走上正道。不推崇良善,不废弃丑恶,人民不会向往礼义。没有法律不能够治理,但人民不知道礼义就不能够推行法律。法律能杀不孝的人,但不能使人们有孔子、曾子那样的孝行;法律能处罚盗窃的人,但不能使人们有伯夷那样的廉洁。孔子有弟子七十人,培养学生三千人,都能做到在家讲孝道出外讲友爱,言辞有文采,行为作表率,这都是教育形成的。墨子有门徒一百八十人,都可以使他们下火海上刀山,至死也不回头,这都是教化达到的。刻肌肤,刺皮肉,受伤流血,是最难做到的事,然而越人却这样做来求得荣耀。圣明的君主处在上位,明辨好恶以让百姓看清,分清诽谤赞誉来引导人民,亲近贤才而任用他们,鄙视不贤的人而罢斥他们,没有受伤流血的痛苦,而有高于世俗尊贵显要的名声,百姓谁能够不跟从他呢?

[原文] 欲成霸王之业者,必得胜者也。能得胜者,必

强者也。能强者，必用人力者也。能用人力者，必得人心者也。能得人心者，必自得者也。故心者身之本也，身者国之本也。未有得己而失人者也，未有失己而得人者也。故为治之本，务在宁民；宁民之本，在于足用；足用之本，在于勿夺时；勿夺时之本，在于省事；省事之本，在于节用；节用之本，在于反性。未有能摇其本而静其末，浊其源而清其流者也。故知性之情者，不务性之所无以为；知命之情者，不忧命之所无奈何。故不高宫室者非爱木也；不大钟鼎者非爱金也。直行性命之情，而制度可以为万民仪。今目悦五色，口嚼滋味，耳淫五声，七窍交争以害其性，日引邪欲而浇其身。夫调身弗能治，奈天下何？故自养得其节，则养民得其心矣。

[译文]　　想要成就霸王功业的人，必定是取得胜利的人。能取得胜利的，必定是强大的人。能强大的，必定是善于使用人力的人。能使用人力的，必定是得人心的人。能得人心的，必定是自我修养得到善性的人。所以心性修养是身体的根本，身体是国家的根本。没有自我修养得到善性而失去人心的，也没有失去自我修养而得到人心的。所以治国的根本，务必在于安定百姓；安定百姓的根本，在于财用充足；财用充足的根本，在于不要占用农时；不要占用农时的根本，在于减少事务；减少事务的根本，在于节省消费；节省消费的根本，在于返回本性。没有能够摇动树根而使树梢静止的，没有能够搅浑水源而使水流清澈的。所以知晓本性真情的，不去做本性所不能做的事；知晓命运真情的，不忧虑命运无法达到的目标。因此不去修建高大的宫室，不是吝惜木材；不去铸造巨大的钟鼎，不是舍不得铜铁。直接依循本性命运来行事，那么结合制度就可以作为万民的榜样。现在是眼睛爱看五颜六色，口中爱尝各种滋味，耳朵爱听各种音调，眼耳鼻口七窍争着享乐而危害自己的本性，每天放纵邪恶的欲念来侵蚀自己的身体。调节自身都做不好，又能把天下怎么样？所以自己养生能够调节适度，那么治理人民就能得到他们的真心了。

要 略

[原文] 夫作为书论者,所以纪纲道德,经纬人事,上考之天,下揆之地,中通诸理。虽未能抽引玄妙之中才,繁然足以观终始矣。总要举凡,而语不剖判纯朴,靡散大宗,惧为人之惛惛然弗能知也,故多为之辞,博为之说,又恐人之离本就末也。故言道而不言事,则无以与世浮沉;言事而不言道,则无以与化游息。故著二十篇,有《原道》,有《俶真》,有《天文》,有《地形》,有《时则》,有《览冥》,有《精神》,有《本经》,有《主术》,有《缪称》,有《齐俗》,有《道应》,有《氾论》,有《诠言》,有《兵略》,有《说山》,有《说林》,有《人间》,有《修务》,有《泰族》也。

[译文] 编写著作,阐发理论,是为了宣扬道德,规划人事,上考察天道,下研究地理,中间沟通各种事理。这部书虽然未能提炼出深奥玄妙的真谛,但涉猎广泛论述详尽也足以观察到事物的终始了。如果只是提纲挈领地说明大概的意思,而不详细剖析事物的原始状态,分清事物的本来面貌,则担心人们糊里糊涂地不能理解,所以只能多加言辞,广博论说,又恐怕人们离开了根本而追求枝末。因此只谈论大道而不讲世事,就没有办法和世俗社会一起共处;只谈论世事而不讲大道,就没有办法和自然造化互相融通。所以著述二十篇,有《原道》,有《俶真》,有《天文》,有《地形》,有《时则》,有《览冥》,有《精神》,有《本经》,有《主术》,有《缪称》,有《齐俗》,有《道应》,有《氾论》,有《诠言》,有《兵略》,有《说山》,有《说林》,有《人间》,有《修务》,有《泰族》。

[原文] 凡属书者,所以窥道开塞,庶后世使知举错取舍之宜适,外与物接而不眩,内有以处神养气,宴炀至和,而已自乐所受乎天地者也。故言道而不明终始,则不知所仿依;言

终始而不明天地四时,则不知所避讳;言天地四时而不引譬援类,则不知精微;言至精而不原人之神气,则不知养生之机;原人情而不言大圣之德,则不知五行之差;言帝道而不言君事,则不知小大之衰;言君事而不为称喻,则不知动静之宜;言称喻而不言俗变,则不知合同大指已;言俗变而不言往事,则不知道德之应;知道德而不知世曲,则无以耦万方;知氾论而不知诠言,则无以从容;通书文而不知兵指,则无以应卒已;知大略而不知譬喻,则无以推明事;知公道而不知人间,则无以应祸福;知人间而不知修务,则无以使学者劝力。欲强省其辞,览总其要,弗曲行区入,则不足以穷道德之意。故著书二十篇,则天地之理究矣,人间之事接矣,帝王之道备矣。其言有小有巨,有微有粗,指奏卷异,各有为语。今专言道,则无不在焉,然而能得本知末者,其唯圣人也。

[译文]　　大凡撰写著作,是用来探究大道的开通和阻塞,希望后世知道行为举止的取舍是否适宜,对外与事物接触不迷惑,对内能静处精神颐养元气,安适温暖达到最祥和的境界,而使自己能够从天地所赋予的本性中得到快乐。所以只谈道的本身而不明白事物的始终,就不知道如何仿效;只谈事物的始终而不明白天地四时的变化,就不知道应有所回避和忌讳;只谈天地四时的变化而不加以譬喻类化,就不知道它的精深微妙;只谈最精深微妙的而不推原人的精神血气,就不知道养生的关键;只推原人的本性而不谈最高的道德,就不知道五行的差别;只谈帝王之道而不说君主之事,就不知道大小的等次;只谈君主之事而不去引证喻说,就不知道动静如何适宜;只谈引证喻说而不说风俗的变化,就不知道相处的要义;只谈风俗的变化而不谈过去的事情,就不知道道德的对应变化;知道了道德的对应变化而不知道世事的曲直,就无法应对万千事物;知道了广泛的论说而不知道详细的诠释,就无法做到从容不迫;只通晓书籍文章而不知道用兵的要旨,就无法应付突然事变;知道了大

略要旨而不知道譬喻,就无法推论明白事理;知道了普遍的道理而不知道人间的事情,就无法应付祸福;知道了人间的事情而不知道修业进取,就无法使学习的人勤奋努力。如果想要勉强节省文字,总括它的要点,而不婉转曲折地详细论述,就不能够穷尽道德的意义。所以著书二十篇,这样天地之间的道理便探究清楚了,人世间的事情便接触完全了,帝王治理天下的方法便齐备了。全书的论述有小有大,有精微有粗略,各卷的旨趣也不相同,各自有着相异的语言风格。现在专门谈论道,那么道是无处不存在的,但是能够掌握道的根本又能够知道枝末的,就只有圣人能做到了。

附录二

主要参考书目

《淮南鸿烈集解》 刘文典集解,中华书局1989年版。
《淮南子证闻》 杨树达著,上海古籍出版社《杨树达文集》
　　十一,1985年版。
《中国中古思想史长编》 胡适著,华东师范大学出版社
　　1996年版。
《秦汉新道家略论稿》 熊铁基著,上海人民出版社1984年
　　版。
《〈吕氏春秋〉与〈淮南子〉思想研究》 牟钟鉴著,齐鲁书社
　　1987年版。
《刘安评传》 王云度著,南京大学出版社1997年版。
《道》 张立主编,中国人民大学出版社1989年版。
《两汉哲学新探》 于首奎著,四川人民出版社1988年版。
《两汉精神世界》 袁济喜著,中国人民大学出版社1994年
　　版。

《儒学命运与中国文化》 赵吉惠著,陕西人民教育出版社1991年版。

《杂家帝王学——〈吕氏春秋〉》 刘元彦著,生活·读书·新知三联书店1992年版。

《中国教育思想通史》(第二卷) 赵家骥等主编,湖南教育出版社1994年版。

《道家教育的现代诠释》 杨启亮著,湖北教育出版社1995年版。

《道家与传统文化研究》 王明著,中国社会科学出版社1995版。

《道家与诸子百家》 李养正著,北京燕山出版社1993年版。

《道家、方士与王朝政治》 吕锡琛著,湖南出版社1991年版。

《中国军事伦理思想史》 赵枫著,军事科学出版社1994年版。

《中国古代战争》 袁庭栋常、刘泽模著,四川省社会科学院出版社1988年版。

《淮南子译注》 陈广忠译注,吉林文史出版社1990年版。

《淮南子校注译》 陈一平著,广东人民出版社1994年版。

《淮南子全译》 许匡一译注,贵州人民出版社1995年版。

图书在版编目(CIP)数据

新道鸿烈:《淮南子》与中国文化/杨有礼著. —开封:河南大学出版社,2001.8(2005.4 重印)

(元典文化丛书. 第三辑/李振宏主编)

ISBN 7-81041-717-7

Ⅰ.新… Ⅱ.杨… Ⅲ.淮南子—研究
Ⅳ.B234.45

中国版本图书馆 CIP 数据核字(2000)第 31013 号

责任编辑:贾怀廷
责任校对:何晓林
装帧设计:刘广祥

出版:河南大学出版社
　　　河南省开封市明伦街 85 号　(475001)
　　　0378—2865100
排版:河南大学出版社电脑照排室
发行:河南省新华书店
印刷:河南第一新华印刷厂
开本:850×1168　1/32
版次:2001 年 8 月第 1 版　印次:2005 年 4 月第 2 次印刷
字数:280 千字　　　　　印张:12.125
印数:3001—5500 册　　　定价:30.00 元